후기 근대의 페미니즘 담론

노동, 몸 그리고 욕망의 변증법

후기 근대의 페미니즘 담론

노동, 몸 그리고 욕망의 변증법

이수자 지음

도서출판 **여이연**

유목적 여성 주체를 위하여

'이론은 현실의 반영이자 실천의 지향이다.'

이 오래된 명제가 페미니즘 이론에서는 어떠한 방식으로 가능한가? 이 책의 근간을 이루는 글들을 완성하는 과정에서 끊임없이 떠오른 이 명제는 페미니즘 이론과 실천이 갖는 변증법적 긴장관계에 대해 자문하게 하였다. 페미니즘 이론은 때로는 현실이나 실천과 동떨어진 이론 그 자체로서 존재하면서 자기 증식하는 것으로 보이기도 하고, 때로는 다른 이론들과의 접점을 잃어버린 채 호환될 수 없는 개념으로 거리를 넓혀가는 것처럼 보이기도 한다.

그러나 다른 어떤 학문 분야보다도 페미니즘 이론에서 실천과의 연계가 필연적이라는 것은 너무도 자명한 일이다. 그리하여 한편으로는 학문적으로 정립된 페미니즘 이론에 대한 강력한 기대치가 있고, 다른 한편으로는 어떤 다른 분야의 이론보다도 강한 실천성을 갖는 이론이 요구되는 것이다. 흔히 페미니즘 이론들에 대해 이론만의 독주라거나 또는 반대로 운동을 위한 선언문에 불과하다는 폄하된 평가가 나오는 것은 이로 인한 것이다. 그러나 이는 근본적으로 여성의 고단한 삶의 현실에서 비롯된 문제의식이 다양한 여성운동을 촉발시켜온 과정이나 양성 간의 불평등을 고착시켜온 역사적 기원을 따지고 들어가는 일 자체의 지난함에서 불가피하게 나타나는 것이기도 하다.

이론적 역사가 짧다는 한계에 더하여 페미니즘 이론의 형성은 다른 어떤 학문 분야보다도 복잡한 과정을 거친다. 기존의 학문과 사상적 틀로부터 사고의 패러다임을 바꿔나가야 한다는 기본적인 전제와 함께 페미니즘 이론은 다양한 학문영역과의 역동적인 교류를 기반으로 형성되어왔다. 페미니즘 이론은 그 형성과 동시에 20세기 학문적 사상에 있어서 가장 활발하게 광범위한 다른 분야에 영향력을 행사한 이론영역 중 하나였다. 따라서 페미니즘 이론이 다루어온 영역의 광범위함과 그 경계의 유동성은 당연한 현상이면서 또한 이론적 정립을 어렵게 하는 요인이 아닐 수 없다.

양성관계나 성정체성은 남성이건 여성이건, 어느 계층의 사람들에게도 모두 '내(self)'가 관여된 주관적 관심사다. 이런 의미에서 페미니즘 이론은 이론으로만 존재하고 지식의 형태로만 기능할 수 없으며 필연적으로 입장(stand point)을 요구하는 실천적 영역이다. 페미니즘 이론은 바로 '나'와 '우리'의 관계를 돌아보게 만들고 저 깊숙한 무의식에 들어있는 삶의 방식과 원칙을 점검하게 하는 성찰의 기준으로 작동하는 이론이다. 때문에 그것은 이에 직면하는 사람들에게 수용이나 거부, 협상이나 갈등과 같은 어느 하나의 입장을 선택하도록 요구한다. 바로 이러한 요구가 다시 사람들로 하여금 페미니즘 이론의 실천적 성격에 대해 민감한 반응을 불러일으키게 한다.

현실에서 사람들의 의식과 젠더 관계는 미처 이론이 따라갈 수 없을 정도의 속도로 변화하고 있다. 이는 오랫동안 지속되어 온 근대의 규범과 질서가 포스트모던의 물결 속에서 급격하게 해체되는 속도와 견줄 만하다. 사회체계와 구조에서 성별불평등의 기원을 찾던 이론적 지향에서 페미니즘 이론이 개인으로 회귀하면서 성정체성과 섹슈얼리티, 그리고 젠더의 관점에서 양성관계에 주목하게 되는 것도 후기 근대의 급격한 변화 기류와 밀접하게 연관된다.

페미니즘 이론에서 핵심적으로 다루어지는 개념은 주제에 따라 조금씩 다르게 설정되어 왔지만 최근에는 탈근대 담론의 형성과 함께 여성의 개별적 자아로 돌아가서 성찰하는 여성 주체, 성정체성, 섹슈얼리티, 여성성, 몸의 물질성, 그리고 욕망 등으로 집약되고 있다. 여성 주체에 관한 논의는 여성을 존재론적으로 규정하는 방식과, 사회 내의 관계 속에 위치 짓는 방식의 상호보완적 담론을 근간으로 한다. 초월적 근대 주체의 굳건한 남성적 의미가 육체의 물질성(corporeality)에 대한 부정을 전제로 한다면, 이와 대조적으로 페미니즘과 포스트모더니즘에서 추구하는 여성 주체 논의는 육체의 물질성을 주요 토대로 하여 출발한다. 즉 여성 주체를 상정함에 있어서 사회적 존재로서의 성격과 더불어 젠더 정체성의 보다 근본적 토대인 섹슈얼리티와 욕망을 주요 구성요소로 전제함으로써 육체유물론적 인식이 긴급하다고 보는 것이다.

이리가라이의 여성성 추구가 의미하는 물질의 기본으로서의 어머니(mater)로부터 출발한 육체유물론은 본질주의로서가 아니라, '젠더 너머'로 쟁점을 희석시키지 않으면서 동시에 육체를 성욕/소비/노동의 도구로 물신화해온 근대적 사유체계를 문제 삼고 그것을 뛰어넘는 이론적 모색이다. 몸의 물질성을 간과하지 않으면서 동시에 정신의 자유로움을 추구하는 과정에서 욕망의 탈주에 공감하는 이론이, 예를 들면 이리가라이의 기본 논의를 받아들여 브라이도티가 제시하는 유목적 주체로 집약되고 있다.

여성 주체를 규정하는 가장 기본적인 요소인 몸의 물질성과 욕망의 발현은 노동과 몸이 사라지는 디지털시대로 넘어가면서 새롭게 규정될 필요가 있다. 그런 의미에서 해러웨이가 제안하는 사이보그는 일종의 절충적 합의가 될 수 있을 것이다. 이를 기반으로 완전한 가상 육체가 아니면서도 현실의 육체에 지워진 억압의 역사를 지우는 새로운 몸이 이루어내는 공동체로서의 사회를 도출해낼 수 있기 때문이다.

이 책의 핵심적인 관심사는 근대와 탈근대의 경계에 위치한 여성의 정체성을 어떻게 규정할 수 있는가 하는 문제이다. 역사 · 문화적으로 성별 분업의 틀 속에 갇힌 여성은 몸과 섹슈얼리티에 대한 성별 고정적 정의에 따라 규정되어 왔다. 생산과 재생산의 도구로서 수행해온 수동적 삶의 궤적에서 노동의 신성한 가치와 생명재생산의 경이로움은 묻혀버리고 섹슈얼리티는 '어두운 터널'의 '기이함'으로 명명되곤 했다. 이러한 부정적 이미지는 여성주의 학자들에 의하여 비로소 낱낱이 이의 제기되고 새롭게 개념 정의되어왔다.

이 책은 이러한 여성학자들의 작업 중에서 특히 근본적으로 패러다임을 바꾸어온 후기 근대 페미니즘 이론가들의 논의를 적극 수용한 글들로 구성되었다. 책 제목을 『후기 근대의 페미니즘 담론—노동, 몸 그리고 욕망의 변증법』으로 정한 이유도 여기서 비롯되었다. 탈근대라고 하지 않고 후기 근대라고 명명한 것은 우리의 당대가 근대를 완성하고 이로써 근대를 완전히 떠나버린 것이 아니라는 관점에 근거한다. 그것은 당대를 탈근대(post modern)의 의미보다는 고도 근대(high modern) 또는 글자 그대로 후기 근대(late modern)로 규정하는 기든스나 하버마스의 어법에 접근해있다. 한편 이 책은 후기 근대의 페미니즘 담론 전반을 개괄적으로 소개하는 의미보다는 그동안의 저술작업을 바탕으로 내가 해석하고 응용하는 페미니즘 이론의 주요 줄기를 드러내는 작업이라는 점을 밝혀둔다.

책의 구성을 간단히 살펴보면 다음과 같다.

I부에서는 후기 근대로 들어서는 경계선에 위치한 한국 사회의 근대성과 사회의식에 대한 상황적 이해를 시도하였다. 미완인 채로 남아있는 근대의 그림자가 실제로 젠더 관계에서의 한국적 원형과 어떻게 문화적으로 교직되고 있는지를 들여다보면서 가부장제와 가부장주의의, 구조와 맥락으로서 미묘한 차이를 살펴보고 특히 유교적 사회의식의 발현으로서의 문화에 주목하여 양성관계와 성별분업의 관계를 논의하였다. 이로써 한국에서 수동적 의미의 여성 유목민이 여성 노동주체로 탄생하는 중요한 시기인 6, 70년대의 사회문화적 배경에 대한 이해의 장으로 삼았다. 따라서 본

격적인 후기 근대 페미니즘 담론의 이론적 지형을 조망하기 위한 일종의 교두보 역할을 기대했으므로 이에 상대적으로 관심이 적은 독자는 Ⅰ부를 일단 건너뛰었다가 Ⅱ부와 Ⅲ부를 읽은 이후 보충적 읽기를 시도해도 무방할 것이다.

Ⅱ부와 Ⅲ부는 본격적인 후기 근대 페미니즘 이론의 전개와 더불어 전환되는 패러다임을 중심으로 구성되었다. Ⅱ부는 노동에서 몸과 섹슈얼리티로 페미니즘 이론의 키워드가 넘어가는 과정에서 여전히 세 가지 개념이 중요한 점을 확인하기 위해, 정신분석학적 페미니즘의 여성성 탐구로부터 출발하여 몸을 통한 세계인식의 차원까지를 다루면서 몸의 물질성에 대한 성찰을 시도하였다. 또한 근대와 탈근대의 경계에서 성찰적 근대성 획득을 위한 여러 논의들을 분석적으로 살펴보았다. 그리고 탈근대 사회로의 진입 과정에서 욕망이 여성 주체 형성에서 차지하는 비중을 다루면서 동시에 다양한 여성 주체의 출현 가능성을 가늠해보는 과정으로 삼았다.

Ⅲ부는 탈근대의 상징처럼 여겨지는 디지털 정보 사회에서 젠더 정체성이 어떻게 다양하게 조합되고 분절되는지, 그리고 몸의 물질성이 어떻게 변화하는지를 분석하였다. 사라지고 재조합되는 몸을 매개로 하여 억압의 역사를 지우고자 하는 여성학자들의 논의를 통해 새롭게 부상하는 유목적 주체로서의 여성을 상정해보았다. 후기 근대의 다양한 담론 지형 중에서 특히 들뢰즈와 가타리가 제안한 리좀적 사고의 배경 하에 진정한 의미의 탈주를 시도하는 유목적 주체를 디지털 문화의 비선형 가상 공간 속에서 성찰적으로 인식해보고자 하였다.

올해로 내가 페미니즘 연구를 시작한 지 20년이 되었다. '한국 최초의 여성학 석사'라는 타이틀을 얻으며 이 분야에 첫 발을 내딛은 것이 1984

년의 일이다. 내게 있어서 지난 20년 동안의 여성학 연구는 지속적으로 현상과 본질의 관계를 들여다보는 작업이었다. 대학원 졸업논문 "한국 영세 제조업 부문의 성별노동분업 연구—평화시장 의류봉제공장의 사례를 중심으로—"를 기억하는 많은 사람들이 나의 최근 연구 주제를 보고 노동을 떠나 섹슈얼리티와 여성 주체의 추상적 논의로 완전히 자리바꿈을 한 것으로 이해하는 것을 보면서, 현상과 본질의 관계를 새삼스럽게 떠올리게 된다.

여성 노동의 현실에서부터 시작한 가부장적 사회에 대한 비판의식은 드러나는 현상을 조금씩 다르게 선택해왔을 뿐 그 현상이 있게끔 하는 본질을 찾아내기 위한 지속적 추진력이었다. 말하자면 지금까지 나의 페미니즘 연구는 제3세계 주변부국가 여성 노동의 첨예한 모순을 보여주는 평화시장 미싱시다의 삶의 현실을 가부장적 자본주의에 짓눌린 노동주체로 압축해 결론지었던 것을 출발점으로 하여, 산업화와 근대화 과정에서 한국사회의 전통적 덕목과 결합되어 작용해온 발전 논리 속에서 배제되어 온 여성 주체의 궤적을 찾는 작업으로 이어졌다고 할 수 있다.

이는 또한 가부장제의 핵심에 용해되어 있는 섹슈얼리티 문제와 성정체성이 끊임없이 여성으로 하여금 주체가 되도록 하는 추동력으로서의 성정치학을 요구해왔음을 인식하고 이러한 소명에 충실하려 한 결과이다. 이러한 노력은 여성 주체 형성의 주요 요소이면서 동시에 여성의 현실을 만들어온 개념이자 주제인 몸—섹슈얼리티—노동을 균등한 힘의 배분을 가진 삼각구도로 파악한 논문이 하나의 가교가 되어 가시화되었다. 이로써 언제나 주제는 여성 주체로 회귀하였다.

여성 주체를 유목적 주체로 상정하는 근거는 내 연구의 중심축인 한국 여성이 사회적으로 처한 상황과 밀접히 관련되어 있다. 우선 산업화 초기

연구에서 등장하는, 농촌을 떠나 대도시의 여성 노동자로 떠돌던, 형태상의 유목민 여성이 있다. 그 당시의 제3세계 여성 노동론의 용어로 말하자면 기층계급의 노동여성으로서, 그리고 지금의 탈식민주의 페미니즘 용어로 말하자면 하위주체로서 그들의 존재방식은 철저하게 유목적이었다. 농경사회로부터 이탈하여 대도시라는 목초지를 향해 첫발을 내딛는 것으로 이들의 유목생활은 시작되었다. 그러나 그 푸르기만 해보였던 목초지는 이들에게 바람 부는 황무지에 다름 아니었다. 7, 80년대 사회경제적 상황에서 이들은 제3세계 여성으로서 오로지 노동할 의무만을 부여받았던, 다시 말하자면 자신의 노동을 보호하거나, 노동과 관련된 인권을 위하여 투쟁할 수 있는 권리는 철저하게 박탈당한 여성들이었다. 빈농의 딸로서, 어렵게 공부하는 오빠나 남동생의 누이로서, 그리고 나중에는 도시빈민의 아내로서 지속적으로 노동을 가장 중심적인 생존요건으로 받아들였던 여성들이다. 그러나 그 과정에서 이들은 수동적으로 생존하기만 하지 않았고 여성 노동주체로서의 역할을 체득하고 저항을 수행하였다. 이들은 이제 또다시 피부색을 달리하고, 또한 문화를 달리한 상태로 이주여성 노동자로서 여전히 우리 주변에서 황량한 황무지에 유목하고 있다.

여성의 유목성은 물리적 존재조건에서 뿐 아니라 끊임없이 경계 밖으로 밀려나는 타자성에서 기인한다. 이 타자성은 여성학에서 지속적으로 질문되어온 섹슈얼리티와 긴밀하게 연결되어 있다. 여성학 논의의 내부에 있는 노동과 섹슈얼리티, 그리고 성정체성의 관계는 너무나도 견고하게 얽혀있는데 이들이 얽히는 방식에 타자성과 주체성의 절합(articulation)이 지속적으로 작용한다. 첫 번째로 관심을 가졌던 유목성이 타자화된 유목성이라고 한다면 두 번째로 탈근대 논의의 중심에서 만난 몸과 욕망을 통한 유목성은 보다 주체적이면서 기존의 개념을 뛰어넘는 탈주의 유목성이다. 디지털 문화의 확산과 함께 포스트모던의 사회적 환경 속에서 자아에 충실하면서 내부적 역동의 근간이 되는 섹슈얼리티와 욕망의 궤도를, 때로는 따라가고 때로는 탈주하면서 기존의 질서와 패러다임으로부터 떠나 유목하기 시작한 것이다.

　이제 한국 사회의 많은 분야에서 여성에 대한 가시적인 차별은 상당부분 사라져가고 있다. 그러나 문화적으로 각인되어온 의식의 저 심연에서 아직도 여성이 과연 주체적으로 존재할 수 있을 것인가 하는 우려는 여전하다. 급변하는 정보 사회로의 이동이 진정한 패러다임의 변화를 가능하게 할 것으로 믿는다면 이와 더불어 새로운 여성 주체의 출현을 가능하게 할 것이라는 믿음도 성립하리라.

　이러한 믿음을 학문적으로 펼칠 수 있도록 여성학에 입문하게 이끌어주고 지도해주신 조형 선생님과 여성학 교육의 장을 열어주신 김태현 선생님께 감사드린다. 또한 유학 기간 동안 지속적인 관심과 지원으로 관점을 정비하도록 도와주신 프랑크푸르트대학교의 지도교수 우테 게르하르트(Ute Gerhard) 선생님께 감사드린다. 그리고 나의 페미니즘 논의의 얼개를 구성하는데 있어서, 그리고 특히 I부의 내용이 되는 근대비판의 토대가 형성되는 과정에서 3년 넘는 기간 동안 때로는 격렬한 토론을 거치면서 서로에게 학문적 지지가 되었던 프랑크푸르트 사회과학연구소(Institut für Sozialforschung) 페미니즘 이론 분과의 틸라 지글(Tilla Siegel) 교수와, 동료 연구원들 중 특히 카타리나 퓔(Katarina Pühl)과 레기나 다크바일러(Regina Dackweiler)에게 뒤늦게나마 고마운 마음을 전한다. 귀국 이후 보다 넓은 이론적 지평을 열 수 있는 장이 되어 준 여성문화이론연구소가 없었다면 오늘 나의 페미니즘 이론의 틀은 제대로 모양새를 갖추지 못했을 것이다. 그동안 함께 연구소를 꾸려오면서 서로에게 때로는 날카로운 채찍이 되어온 여러 선생님들, 특히 자신의 모든 것을 연구소에 쏟아 부으며 학문적으로 뿐 아니라 인간적으로 든든한 지지자로서 독려해준 고갑희 선생님, 꼼꼼하게 검토하고 조언해주고 지속적으로 독려를 아끼지 않은 두 출판주간인 태혜숙 선생님과 이숙인 선생님, 책의 전체 구성에 대해 함께 고민해 준 허라금 선생님, 그 밖의 출판기획위원 여러분께 감사드린다. 또한 이 책의 초고를 꼼꼼히 읽고 원활한 문맥흐름과 구성에 도움이 되는 유익한 지적을 해준 문수연 연구원에게 고마움을 전한다. 끝으로 책표지와 더불어 출판과 관련해 세심하게 신경써준 내 오랜 동반자에게 감사의 마음을 표하면서 이미 든든한 후원자가 된 채원과 채민에게 많은 위로를 받고 있음을 전한다.

항상 내 마음 속에 살아계신 어머니께 이 책을 바친다.

2004년 4월 북한산 기슭에서

| 차례 |

I

미완의 근대와 젠더 관계의 한국적 원형

1장 · 여성의 타자화된 근대경험

　근대성의 가장 커다란 특징을 이성적 합리주의라고 한다면 한국의 근대화는 우선 이러한 합리주의를 얼마나 실현해 왔는가, 과연 성찰적 근대화의 진행은 우리 사회에서도 시작되고 있는가, 한국 사회의 근대성은 어떻게 파악될 수 있는가? 이러한 질문에 대한 답을 찾아가는 과정에서 성찰적 근대성을 논의하는 여성주의 문화론의 방법론이 유용하게 사용될 수 있을 것이다.

　한국 사회에서의 근대성은 서구에서의 근대의 개념과 그 효용성을 갖는 시대적 배경이 또한 다르다. 즉 한국에서의 근대는 조선 후기 개화기 이후의 사회변화를 배경으로 고려되어야할 것이다. 본격적인 근대 기획은 일제에 의한 식민지화로부터 비롯되었고 따라서 서구 사회가 산업 자본주의 과정에서 만들어 간 합리성을 기반으로 하는 '근대적 주체'의 모습과는 상당히 다른 주체 의식을 갖게 하였다. 근대 초기의 자료에서 보듯이 공장을 중심으로 한 산업 자본주의화와 대중 매체의 보급이 서구적 근대를 주 내용으로 하는 근대적 주체 형성의 싹을 제공해주고 소위 모던 걸

(modern girl), 모던 보이(modern boy)의 형상화에 기여하기는 했지만 식민화된 국가로서의 특수상황은 남성들의 주체와 일부 지식 여성들의 주체를 일차적으로 '민족주의'의 차원에 묶어두었다. 이러한 정치적 주체에 대한 집착은 해방 후에도 지속되어, 경제 영역의 변화를 지연시키는 요인이 되기도 했다.

1960년대 이후[1] 추구한 경제 계획은 민족주의적 주체를 활용한 경제주의 근대 기획으로서 한국인들을 미처 준비되지 않은 채로 전지구적 자본주의 체제 속에 편입되게 하였고, 결과적으로 이런 과정에서 한국은 '민족적 자아'라는 본질적인 정체성을 바탕으로 하는 발전주의/진보주의/제국주의 담론 속에 오랫동안 갇혀 있었다. 이러한 맥락에서 보면 경제 개발도상국의 산업 역군으로 활약했던 지금의 50, 60대는 한국적 근대 기획이 만들어 낸 '무반성적 근대 주체 제 1세대'[2]이다. 여기서 언급되는 무반성적 근대 주체는 근대 주체가 갖는 기본적인 조건을 생각할 겨를도 없이 발전 지상주의의 가장 선봉에서 계속 앞으로 내몰려 온 피해자적 근대 주체다. 왜냐하면 서구의 근대 주체가 가장 기본적으로 구비하고 있는 요건이 자유와 자율, 그리고 주체적 결정권이라고 한다면 한국의 제 1세대 근대 주체는 이러한 요건들의 상당 부분이 유보된 상태로 근대화에 포섭된 주체이기 때문이다. 그나마 이러한 주체 형성의 중심에는 남성들이 위치해있고 여성들이 그 주변부를 형성하거나 또는 아예 주체적 의식을 가질 상황에 처하지 못하고 있었다.

---

1) 이후 연대 표기는 1900년대의 경우에는 '60년대' 또는 '70년대' 등으로 표기하기로 한다.
2) 조혜정 (1998), 『성찰적 근대성과 페미니즘』, 서울: 또하나의 문화, 148쪽.

1. 합리성 – 지식 전유의 기제

한국에서 80년대 까지만 해도 계몽적 자아, 이성적 주체가 지식을 전유하고 이를 실천할 힘을 갖는다는 근대의 가치가 지배했었다. 그러나 이러한 가치는 2000년대에 들어선 지금 더 이상 설득력을 얻지 못하고 있다. 민족이나 국가 등의 거대서사가 현재의 한국 사회에서 그리 자주 열정을 가지고 언급되지 않는다는 것은 지적 풍토, 예를 들면 출판 서적의 종류나, 대학의 수강과목 종류, 또는 언론 매체의 주요 프로그램 편성을 보면 쉽게 알 수 있다.

거대서사라는 특징 외에 합리성이 갖고 있는 주요 논리는 보편성에 대한 믿음이다. 그런데 이것은 페미니즘 이론에서 중요한 가치로 간주되는 다양성을 가로막는 논리이기도 하다. 이렇게 말할 수 있는 가장 큰 이유는 페미니즘이 표방하는 차이의 정치학이 지향하는 인간은 근대가 요구해온 표준적 인간, 냉철한 이성을 바탕으로 한 인간과 근본적으로 대치되는 까닭이다. 차이를 인정하는 다양한 범주의 인간이 빚어내는 제각기 다른 문화와 그것이 갖는 사회적 속성은 경제나 정치에 인간과 문화를 종속시켜 온 근대사상과는 어쩌면 영원히 화합할 수 없을 정도로 멀리 떨어져 있다. 또 하나의 이유는 페미니즘의 중심 주제들이 지금까지 근대 학문의 토대 속에서는 가치가 없는 것으로 평가되었거나 중심의 범주로 들어오지 않았던 여성의 경험이나 상상력을 토대로 하기 때문이다. 그런데 우리가 처해 있는 정보 사회는 산업 사회의 단계를 지나서 가상 공간의 상상적 주체와 이들이 교통하는 방식에 대해 인식해야하는 사회다. 이러한 사회가 요구하는 지식이란 더 이상 꼼꼼하게 계산된 수학 공식을 통해서 산출된 답의 형식이나, 한 줄 한 줄 논리의 정교함이 객관적 증명을 통해서 뒷받침되는 지식의 형태를 띠지 않는다. 오히려 영화 〈오디세이〉에서 원시인이 두드리던 뼛조각이 튕겨 올라가 시간과 공간을 가로질러 우주비행 물체로 전환되듯이, 또는 컴퓨터 자판의 엔터 키를 치는 순간 무한 가능한 것으로 간주되는 공간이 눈앞에 펼쳐지듯이 앞으로의 사회에서 필요한 지식은 한꺼번에 몇 단계씩 뛰어오르는 논리의 비약을 보여줌으로써 설득의 차원이 아니라 영감의 차원으로 치고 올라가는 형상을 하게 될 터이다.

서구에서 진정한 의미의 근대성은 오랜 역사적 여정을 거쳐 온 인문학과 사회과학의 이론적 숙성을 바탕으로 다져진 것이다. 특히 철학과 문학을 통해 인간의 본성에 대한 인식론이 본격적으로 체계를 잡아왔고 이로부터 주체적 자아라든가 초월적 존재로서의 인간탐구가 이루어졌다. 한편 사회과학적 이론의 정립을 통해 근대성은 현재의 우리가 존재하는 총체적인 시공간과 이를 역사적으로 꿰뚫는 인식론이라고도 할 수 있겠다. 따라서 근대란 일정한 시간적 공간을 뜻하기만 하는 것은 아니다. 그보다는 근대적 시민 사회가 등장하기 시작한 산업 혁명 이후 현재까지의, 더 나아가 미래 어느 시점까지의 시간적 거리를 채우는 정신적인 공간과 문화를 포함하는 폭넓은 개념이다.

한국의 경우에 있어서 기술지배적 합리성이 산업화 과정에서 적극적으로 수용된 서구적 합리성, 베버(Max Weber)식 표현에 의하면 '세계 정복의 합리성'이면서 동시에 동도서기(東道西器 östliche Moral, westliche Technik)의 표현이라고 한다면 여성의 기술 지식으로의 접근 배제는 유교적 합리성이 작동한 결과로 읽을 수 있을 것이다. 그렇다면 그 과정은 어떻게 이해될 수 있을까? 70년대 산업화 과정 중에 정부는 유신의 한 가지 내용으로서 한국적 민주주의와 더불어 과학 기술의 토착화에 역점을 두었다. '과학기술의 국가경쟁력 고양'을 기치로 삼았던 이 정책은 70년대 초만 해도 경공업 중심이었던 산업구조를 70년대 후반에 가서는 중공업이 핵심산업이 되는 산업구조로 바꾸는 결과를 이끌어 냈다. 이 과정에서 산업화의 주역을 남성으로 전제하는 국가 정책이 드러나는데 그 배경에는 과학기술의 토착화 과정에서 여성은 이 영역으로 극히 제한적으로 진입했기 때문이다. 지금도 그리 획기적인 변화는 발견하기 어렵지만 그 당시의 대학 전공별 성비를 살펴보면 여성은 대학에 진학하는 비율 자체가 낮았거니와 전공 선택에 있어서도 전통적으로 여성성이 강조되는 전공 – 어문학 계열, 가정대 등 – 에 집중되었음이 뚜렷하게 나타난다. 이러한 현상은 결과적으로 산업화 진행의 중추적인 역할을 남성으로 상정하고 산업화의 성별 또한 남성성으로 규정되어 있음을 보여준다. 따라서 산업화의 구체적인 표상은 과학 기술 인력과 이를 지원하는 강력한 후원자인 권위적 국가가 된다.

이러한 예에서 우리는 푸코(Michel Foucault)가 지적하듯이 특정한 학문적 전통이 이론적 개념의 구성과 유통에 영향을 미치고 이러한 지식의 구조가 우리의 인식형성에 영향을 미친다는 점을 확인한다. 더욱이 그 지식이 산업화와 산업화 과정에서 강조되는 합리성에 의해 굳건히 떠받쳐져 있음을 파악하면 여성이 사회적으로 중심에 서있지 않고 한쪽으로 편중된 지식의 구조에서 '배제의 기제'로 쉽게 들어갈 수 있다는 것을 보게 된다. 이러한 배제의 기제가 지속되다 보면 차이에 대한 적극적인 수용과 논리 전개에 앞서 수동적인 의식화가 진행된다. 한국의 경우 이러한 지식의 구조와 그 효과가 배제의 기제로 작동한 것은 이미 전통 사회에서부터다.

유교가 국가 철학이자 사회 윤리로 자리잡기 시작한 조선 전기부터 지식의 남성 독점은 시작되었다. 남성에게는 여러 가지 형태의 지식에의 접근이 고루 허용된 반면 여성에게는 도덕으로서의 지식과 일상 생활의 경험을 전수받을 수 있는 지식이 한정적으로 주어졌다. 남성들은 그 지식을 발판으로 하여 관리가 되거나 정치인이 되는 관문인 과거시험을 볼 수 있어서 공적 영역으로의 편입이 가능한 데 비하여 여성의 경우에는 사적인 영역에서 필요한 규범을 익히거나 규중 문학활동을 하는데 필요한 지식을 전수받았다. 조선시대의 지식이 권력과 연계되는 과정은 권력과 지식의 역학관계에 대한 푸코의 통찰을 연상케한다.

지식사회학자인 엥글러(Wolfgang Engler)[3]는 푸코와 엘리어스(Norbert Elias)가 지식을 권력과 연관시켜 언급하는 방식에 대해 비교하면서 푸코식의 접근이 규칙이나 규범에 근거한 지식을 다룬다는 점에서는 엘리어스와 유사한 면이 있지만 엘리어스가 언급한 바와 같이 지식의 특정한 형태가 세계사적 관점에서 항상 권력의 영역에서 자신을 해체시켜왔다는 점에 있어서는 기본적인 관점에 틀리다는 점을 비교의 중요 관점으로 잡는다. 한편 엥글러는 푸코의 경우 만하임(Karl Mannheim)이나 부르디외(Pierre

---

3) Engler, Wolfgang (1992), Selbst Bilder: Das reflexive Projekt der Wissenssoziologie, Berlin: Akademie Verlag, 208쪽. 엥글러의 분석에 사용된 글들은 다음과 같다. Foucault, Michel (1976), *Überwachen und Strafen: Die Geburt des Gefängnisses*, Suhrkamp, Foucault, Michel (1976), *Der Wille zum Wissen: Sexualität und Wahrheit Bd.1*, Suhrkamp, Elias, Norbert (1967), *Uber den Proze ß der Zivilisation*, Suhrkamp. Mannheim, Karl (1925), "Das Problem einer Soziologie des Wissens", in *Ideologie—Ideologiekritik und Wissenssoziologie*, Lenk, Kurt(Hrsg., 1967), Neuwied/Luchterhand, Mannheim, Karl(1964), *Wissenssoziologie. Auswahl aus dem Werk*, Wolff, K.H. (Hrsg., 1964), Neuwied/Berlin.
조선시대의 지식과 권력의 역학관계와 남성과 여성이 지식에 접근하던 방식이나 형태의 차이에 대해서는 필자의 아래 책 7절에 구성되어 있는 '지식사회학적 보론(Wissenssoziologische Zwischenbetrachtung)'에 자세히 언급되어 있다. Sooja Lee (1996), *Geschlechtsspezifische Arbeitsteilung im konfuzianischen Patriarchalismus in Korea*, Europäische Hochschulschriften Reihe XXII, Bd./Vol.297, Frankfurt a. M.: Peter Lang, 77—86쪽 참조.

Bourdieu)가 문화 영역을 권력 영역의 계급구조에 연결시키는 방식과 비교해볼 때는 상대적으로 거시구조적인 접근으로 해석된다고 보았다. 엥글러의 논의에 따르면 문명 과정에서의 지식의 역할에 대해 엘리어스가 했던 거시과정적 시각(makroprozessuale Perspektive)과 상반되게 지식과 권력의 상관관계에 대한 푸코식의 접근은 미시구조적(mikrostrukturell)이라고 할 수 있다. 이러한 분석에 의거해서 조선 시대의 지식과 권력이 여성의 삶과 맺는 관계를 살펴보면 푸코와 엘리어스의 시각이 교차하면서 적용되는 것을 알 수 있다.

조선 중기 훈구파와 사림파 간의 권력 투쟁의 과정에서 유교적 규범이 도구로 사용되는 점과 그 이후 유교적 규범에 의해 여성들의 삶이 엄격하게 제한당하는 일련의 제도 확립의 과정은 지식과 권력의 굳건한 결속을 지식사회학적 관점에서 점검해보는 좋은 계기를 제공한다. 즉 중기 이후의 조선에서 여성은 공적 영역으로의 진입이 보장된 유교적 지식-대부분은 통치의 기술에 대한 형이상학적 해석이 주요 내용인-으로의 접근이 원천적으로 통제되었을 뿐 아니라 바로 그 지식에 의하여 생성된 권력에 의해 삶의 근원적인 부분을 제한당했다. 유교적 규범 안에서 일부종사할 것과 집안 영역에서의 활동을 부여받음으로써 섹슈얼리티의 제한성과 자아실현의 제한성 등 삶의 가치를 개인이 아닌 집단의 규칙에 의해 규정 당해왔던 것이다.

따라서 남성에게 유용한 지식은 인식론적이고도 윤리학적 성격을 강하게 갖는 반면 여성에게 접근가능한 지식은 생활 지식을 전달하기 위한 경험론적 차원으로 구별될 수 있다. 이렇게 지식의 구조와 형태는 뚜렷하게 구별되었고 이러한 구별은 근본적으로 성별에 따라 삶에 대한 사유방식을 다르게 발달시키는 데에 중요한 역할을 해왔다. 조선시대에 지식이라는 커다란 범주에서는 유교라는 기본적인 틀을 같이 하지만 그 적용에 있어서 남성과 여성에 따라 근본적으로 층위를 달리하는 지식은 거시과정적 시각에서 볼 때 권력과 연결되면서 여성의 사회적 억압을 정당화하는 여러 가지 제도적인 틀의 기초를 제공했다. 내훈서에 제시되는 부덕의 내용이 그러하고 정절이데올로기가 제도화된 재가녀자손금고법(再嫁女子孫禁錮法)이 그러하며 삼종지도, 칠거지악 등의 규범적인 원칙들이 적절한 보상과 벌을 번갈아 부여하면서 여성의 삶을 통제하는 제도로서의 역할을 했다. 이러한 지식의 남성 전유 현상은 당연히 조선시대라는 전근대적 상황에서 그 정도가 심하기는 했지만 근대가 진행되면서도 여파가 남아있고 산업화 과정에서도 여전히 잔재를 발견할 수 있다.

2. 역사의 단절을 전제로 한 여성의 근대경험

한국에서의 본격적인 근대화는 일제의 식민통치와 함께 진행되었다고 할 수 있다. 물론 조선 후기 실학에 의한 실용주의의 도입과 개화파에 의한 서구 문명의 도입의 단초들도 발견되고 있지만 이 시기를 본격적인 근대로 보기 힘든 이유는 근대화의 기본 조건인 시민사회의 성립이 아직도 요원한 상태였기 때문이다. 더욱이 신분제가 존재하고 있는 상황에서 근대의 자유로운 인간관은 극히 일부 개화된 지식인의 머리 속에만 있는 상태였다. '개화'라는 용어는 봉건의 반대로 위치지워졌지만 초기의 개화파

지식인들 중에는 개화의 필요성을 역설하기 위해서 삼강오륜, 격물치지(格物治知), 정치(正治)를 근간으로 하는 사회적 진화 혹은 진보를 추구하려는 태도(유길준,『서유견문』)도 보였다. 그러나 '문명론'이 팽배해지자 더 이상 봉건의 지붕이 필요하지 않게 되었다. 봉건이라는 말은 개화의 반대편으로 밀쳐지고 의식개조, 혁신, 진보, 진화라는 용어들이 그 자리를 차지하게 되었다.

개조와 개발, 개혁과 혁신, 문명과 진보라는 용어는 개항 이후 지식인 사회에서 일상적인 용어가 되었으며, 개화된 세계가 만들어낸 문화 속에서 살고자 하는 문화주의와 문화생활은 삶의 새로운 가치로 떠올랐다. 지식인들은 사회, 가족, 교육, 여자, 인간, 민족을 개조해야할 대상으로 삼았으며 봉건적인 유습이 남아있는 모든 제도와 가치는 개조되어야 했다. 그러나 일제에 의해 본격적인 식민시대를 맞이하면서 조선은 역설적이게도 근대의 기본 이념인 자율과 상반되는, 남에 의한 근대화를 시작하게 된 것이다. 근대화의 지표로 등장한 문화와 문화주의는 일제 식민지배의 수단이 되어 1920년대를 풍미하면서 식민지정책과 결합하였고 이후 교육, 행정, 예술 등 모든 영역에 걸쳐 막강한 이데올로기를 형성했다.

초기 근대화의 과정에서 자본주의 경제체제의 도입과 더불어 여성의 변화는 어쩌면 가장 두드러지게 드러나 보이는 부분이었을 것이다. 역사상 어느 시기보다도 이 때만큼 여성들이 사회의 전면에 드러나고 관심의 대상이 되었던 적은 없었기 때문이다. 여성해방에 관한 관심은 일차적으로 평등사상에 기초한 여성의 사회적 지위에 관한 관심이었지만 이로 인한 여성의 변화는 남성을 비롯하여 가족, 제도, 사회의 변화를 이끄는 동인이 되었다. 그것은 전근대적인 속박에서 벗어나 근대성의 성취를 위한 적극적인 면모를 드러내는 과정에서 필연적으로 다가와야 할 근대적 사유방식의 핵심이라고 할 수 있다. 왜냐하면 앞에서도 언급했듯이 자유와 평등이라는 가치를 실현하는데 있어서 그 당시 조선사회에서 여성의 위치만큼 가시적인 것은 없었기 때문이다. 이는 그때까지 여성이라는 존재가 그만큼 은폐되어왔던 사회상황을 말해준다.

근대 교육의 확산으로 근대적인 가치관을 가진 여성들이 출현하면서 새로운 서구의 가치관 속에서 자유와 해방의 길을 발견한 여성들의 활발한 활동은 그 자체로서 사회적 정체성의 위기를 촉발시키는 분명한 계기가 되었다. 남녀 간의 애정문제와 결혼제도, 직업의 선택에서 여성의 역할은 재편되고 따라서 여성은 계몽과 반봉건의 중심에 서 있었다. 남성들과 달리 여성들이 근대화 과정이 동반하는 가치관의 혁신의 중심에 서있을 수밖에 없었던 이유는 남성과 여성의 근본적으로 다른 환경 때문이었다. 남성들은 언제나 지식의 수혜자였고 설혹 새로운 가치관과 봉건적 가치관을 그대로 가지고 있다 하더라도 일상생활에 커다란 갈등이 없을 수 있지만 여성들은 신식 교육을 받으면서 봉건적 가치관을 가졌었더라도 그것과 완전히 결별하지 않으면 수용할 수 없었던 새로운 세계를 보았기 때문이다. 따라서 이러한 여성들의 새로운 선택은 여성이라는 이유로 남성들 보다 훨씬 많은 주목을 받아야만 했고 이러한 선택으로 인해 당시의 기준으로 보았을 때 개인적으로는 불행한 생을 살다 간 것으로 평가되는 여성들도 많았다.

일제에 의한 근대화는 본격적인 자본주의화를 수반했다. 그 진행과 형태가 파행적이기는 했으나 서구에서 근대 시민사회의 근간이 되었던 자유 노동자들의 출현도 근대화의 중요한 현상이었다. 여성들도 근대적인 공장의 노동자로 참여하면서 저임금 노동자의 전형적인 형태를 구성하기 시작했고 30년대에는 여성 노동인구가 남성의 3분의 1을 넘어서고 있었다. 그러나 이렇게 여성들이 근대적인 공장노동에 유입된 사실만 가지고 근대적 자유노동자로서 근대적 주체가 되었다고 볼 수는 없다. 왜냐하면 일제하의 공장노동은 한국의 노무구조를 형성하는데 있어서 근본을 제공해왔는데 그 핵심에는 전근대적인 위계구조가 전형적인 착취의 바탕으로 자리잡고 있었기 때문이다. 이러한 착취구조는 여성들로 하여금 일부는 민족적인 자아개념을 가진 진보적 집단을 결성하게 하여 근우회를 비롯한 여성운동체로 결집되거나 소위 '맑스 걸'로 불리우면서 계급모순을 제1의 사회악으로 규정하고 이를 타파하기 위한 사회주의 운동에 적극 참여케 하는 동인이 되었다.

한편으로는 기존의 봉건적인 양성관계를 성(sexuality)의 해방으로 타개해나가려는 경우도 생겨나서 남성과 여성의 성적인 관계를 계급적인 관계로 보는 사회주의 여성해방론의 실천적 측면도 보였다. 이는 "기생생활도 신선하다면 신선합니다"라는 글을 『시사평론』에 기고한 기생 이화중선(李花中仙)의 글에서 충격적으로 드러나고 있다. 기생들의 경우에는 성의 해방에 대해 논의할 수 있는 기본적인 조건이 주어져있다고는 하겠으나 지식여성들의 자유연애는 기본적으로 사회적 지탄의 대상이 되었다. 그러나 이들의 자유연애가 새로운 세계관을 일상으로 끌어들이기 위한 행동이었다고 한다면 이는 어쩌면 자율적 인간관의 발현이라는 측면에서 이해할 수 있을 것이다. 이런 맥락에서 볼 때 비록 서구에서 오랜 기간에 걸쳐 시민사회가 발달하고 그 과정에서 여성들이 점진적으로 자율적 주체로 설 수 있었던 것과는 비교할 수 없을 정도로 대비된다고 하더라도 여성들의 근대로의 진입은 이미 시작되고 있었다.

3. 한국의 근대화와 여성의 타자적 개입

　20세기 후반 한국 사회의 관점에서 이해되는 근대성은 권위적 국가가 주도한 계획된 도구적 이성에 아시아적 가치를 접합시켜 발전위주의 압축 파일의 형태로 제시된 가치이다. 따라서 서구에서 몇 백년 동안 논쟁과 시행착오를 거듭하면서 다져진 합리주의의 여러 가지 특성과 덕목들 중에서 그 결과만이 선택적으로 적용되었기 때문에 '제2의 근대'로 접어드는데 필요한 성찰성이 제대로 발휘되었다고 할 수 없다.

　여기서 한국 사회의 근대성을 살펴보는 기본적인 시각은 한국에서 근대화가 시작되면서 전통과 새로운 문화간의 접목과 갈등이 유교적 합리성과 교묘하게 교차되어 있다는 점에 맞추어져 있다. 이로써 근대성의 제도적인 표현인 가족과 노동 등에 있어서 유교적 합리성, 또는 전통주의가 어떻게 적용되었는가, 또 이 과정에서 나타나는 권위적 국가와 민족주의, 그리고 이러한 요소들의 가부장성을 살펴보는 것은 한국의 근대성을 여성과 관련하여 이해하는데 있어서 유용하다. 근대성을 고찰하는 여러 가지 방식이 있겠지만 여기서는 특히 70년대 산업근대화 과정에서 적극적으로 되살려져서 적용된 유교적 가치, 다시 말하자면 발전과정에 있어서의 아시아적 가치의 효용성과 그 적용과정에서 이러한 가치의 부활 내지 적용이 양성관계에 가져 온 파장을 베버식 정의에 의한 합리주의에 초점을 맞추어서 살펴보기로 한다. 이로써 주목하고자 하는 점은 한국의 근대화에 활용되었던 합리주의를 근대적 의미의 양성관계 형성의 측면에서 어떻게 해석될 수 있는가 하는 점이다.

　먼저 지식의 남성독점과 산업화 과정에서 발휘되었던 유교적 합리주의를 연관시켜 살펴보자. 유교적 합리주의라고 표기하는 까닭은 한편으로는 베버의 분류를 받아들이면서 또 다른 한편으로는 베버 식의 합리주의라는 용어사용에 이미 함축되고 있는, 문화와 사회 전통에 따라 보다 세분화된 의미의 남성중심적 이성주의를 드러내고자 함이다. 다시 말하자면 서구의 프로테스탄트적 합리주의와 유교적 합리주의를 대비시켜 구분한다고 해도 서로 공유하는 부분이 분명히 있는데 그 중 뚜렷이 드러나는 부분은 바로 근대에 있어서 남성위주의 사회구조가 성립할 수 있는 원동력이 되었던 이성주의라는 부분이다.

근대화를 합리화(Rationalisierung)과정으로 보는 관점은 베버에게서 비교적 잘 드러난다. 베버적 관점에서 보자면 근대사회는 합리성이 지배하는 사회, 혹은 합리성이 지배해야 하는 사회다.[4] 물론 그가 정의하는 합리주의는 자본주의적 발전의 출발점으로서 탈주술화와 계산 가능성이 기능하는 생활양식(Lebensweise)[5]의 핵심이다. 베버가 『프로테스탄트 윤리와 자본주의 정신』에서 근대의 자본주의를 특징짓고 있는 합리적인 생활양식에 대해 서술하면서 연구대상으로 삼는 것은 '정신'이라고 이름지을 수 있는 어떤 관념이 아니라 그것이 특정한 형태의 생활양식을 구성하는 집단적 사회윤리요 에토스로서의 '자본주의 정신'이다. 즉 실천적 합리주의를 일컫는다. '의미있는 실천'으로서의 사회적 실천은 단 하나의 의미만

---

4) Weber, Max (1920), "Die protestantische Ethik und der Geist des Kapitalismus", in *Gesammelte Aufsätze zur Religionssoziologie*, Tübingen: J.C.B. Mohr(Paul Siebeck) Verlag. 360쪽.
5) 베버의 생활양식 개념은 마르크스의 생활양식의 개념, 그리고 비트겐슈타인의 생활형태 (Lebensform) 개념과 유사하기는 하나 근대 주체를 생산해내는 메커니즘으로서의 기능이 더욱 강조되어 있다는 점이 차이를 보인다. 이에 대해서는 본 연구자의 논문을 참조. 이수자 (1998), "근대적 여성 주체 형성과 유교적 합리성의 역학관계", 『한독사회과학 논총』 제8호, 한독사회과학회(편).

을 갖는 것이 아니고 모든 사회적 실천은 의미 속에서 자리매김되며, 그런 의미에서 문화적이다. 이에 따르면 사회적 행위의 합리화는 자본주의의 기본조건이다. 다시 말하자면 합목적적 행위는 자본주의적 발전의 계기를 마련한다.[6] 즉 자본주의는 합리주의의 기초 위에 성립하고 발전하며 따라서 자본주의는 추구된 합리화의 하나의 결과물이다. 베버의 언급을 그대로 옮기면 다음과 같다. "결국 끝에 가서 자본주의를 달성해내는 것은 합리적인 지속 운영, 합리적인 경리, 합리적인 기술, 합리적인 정신, 인생살이의 합리화, 합리적인 경제윤리 등이다."[7]

그런데 이러한 합리주의도 문화적 차이에 따라 다르게 정의되고 실현된다. 즉 서구의 프로테스탄트적인 합리주의를 '세계정복(Beherrschung der Welt)의 합리주의'로, 그리고 유교적 합리주의를 '세계순응의 (Anpassung an die Welt)의 합리주의'로 구분함으로써 베버의 입장에서 합리주의의 방식, 다시 말하자면 근대적 생활양식의 기본적인 차이를 담보하고 있는 것이다. 이는 또다시 서구의 근대화와 동아시아의 근대화가 각기 다른 특성을 보여준다는 것을 의미한다. 그렇다면 한국의 근대화과정에서 양성관계를 규정하는데 있어서 유교적 가부장주의 내지 유교적 사회의식은 어떠한 내용으로 이루어졌고 또한 그 발현 방식은 어떠한가 살펴보기로 한다.

---

6) Weber, Max (1921), *Wirtschaft und Gesellschaft,* Tübingen: J.C.B. Mohr(Paul Siebeck) Verlag, 12쪽.
7) Weber (1920), 앞책, 360쪽.

4. 유교적 가부장주의와 성별분업의 관계

유교적 가부장주의는 자본주의 체제와 결합됨으로써 한국 사회의 성별 특화되고 성별 위계화된 분업을 분석하는데 있어 매우 중요한 개념적 토대이다. 자본주의적인 요소들과 함께 전자본주의적인 사회에서 사회구성원 간의 소통과 관계형성에 통용되었던 문화적 전통과 사고방식이 산업화 과정에서 서로 복합적으로 작용하여 산업 사회에서의 양성관계에 여전히 영향력있는 매개변수로 작용하고 있다. 따라서 한국의 후발 산업화[8] 과정에서 재활성화되고 강화된 유교적 가부장주의에 대해 분석하는 작업은 한국의 성별분업을 이해하는 데 있어서 매우 긴요하다.

이미 아는 바와 같이 60년대 이후의 산업화는 산업부문에의 여성 노동력 유입을 급속하게 진행시켰다. 산업화가 수출지향적인 경공업 부문으로부터 출발하였고 특히 여성들이 제조업 부문에 집중되었던 탓에 그를 통해 여성들이 한국의 산업화에 기여한 바가 컸다는 점은 기존의 연구들에서 이미 밝혀진 바와 같다. 그런데 여기서 주목할 점은 산업 부문에의 여성 노동력의 급격한 유입이 공공 부문에서의 여성의 지위 향상과 동일하게 간주될 수 없다는 점이다.

근래에 들어서 발전이론가들 중 일부[9]는 산업발전에 관한 연구에서 각 나라의 문화적인 특성을 함께 고려하는 시각에서 대만과 함께 한국의−소

---

8) 후발 산업화의 개념은 서구의 선진 자본주의국가들에서 진행된 산업화와 구분하기 위해 사용하나 이후에는 모두 산업화로 쓰기로 한다.
9) 이의 대표적인 이론가들로는 Menzel, Senghaas등을 들 수 있다.

위 작은 네 마리의 호랑이 가운데 두 나라 – 성공적인 산업화의 추진력에 대해 다른 발전도상국과의 비교 아래 분석하면서 문화적인 특성에 주목하고 있다. 다시 말하면 그들도 그간 두 나라의 성공적 산업화에 있어 유교적 경제/직업윤리가 마술적인 추진력이었다는 전제에서 출발한다.

이러한 배경 아래 다음과 같은 질문을 해 볼 수 있다. 즉, 성별분업이 그 기본 성격에 있어서 선진 산업국가와 비교할 만한 것이라고 할 때 – 그 곳에서도 여성들이 남성들에 비해 낮은 임금수준과 맞물려서 직업적인 지위에 있어서 상대적인 하위에 처해 있다는 점을 감안할 때 – 유교적인 직업윤리가 한국의 성별분업에 있어서 어떤 의미를 갖는가 하는 질문이 그것이다. 비록 외부적으로 나타나는 형태가 기본적으로는 유사하다고 하더라도 성별분업에 있어서 기본적인 요소는 각기 역사적, 문화적 배경에 따라 다양하게 나타난다. 또한 기본적으로 성별분업의 각기 다른 형태는 각기 다른 자본주의적 발전과정에 기인한다고 하겠다. 이러한 점들이 한국의 성별분업을 연구하는 데 있어서 중요한 시사점이자 동시에 왜 구조분석보다도 문화분석적 접근이 전면에 서야 하는지, 구체적으로 말하자면 왜 자본주의화 과정과 함께 유교적 사회의식을 내용적으로 다루는 것이 중요한가 하는 이유이다. 이러한 관점에 따르면 한국의 성별분업 연구에서는 유교적 사고방식이 사회에 끼치는 사회경제적 영향과, 특히 어떻게 문화가 산업화에 영향을 미치고 다시 산업화가 문화에 영향을 미치는가 하는 점을 밝혀내는 것이 중요하다. 다시 말하자면 여기서 중요한 것은 경제와 문화의 연관성과 그에 대한 비판이다. 이러한 사실에서 출발하여 제기되는 의문은 우선, 1) 어떠한 사회적 요인들이 성별분리적이고 성별위계적인 분업을 조건지우는가, 2) 어떻게 이 연관성들이 역사적으로 형성되었는가, 3) 문화의 어떤 요소가 경제와 연관되는가, 4) 한국의 문화와 경제는 어떤 관계에 놓여있고 어떻게 상호작용하는가 하는 것들이다.

이러한 맥락에서 볼 때 한국 양성관계의 문화적 원형은 유교적 가부장주의에서 기인한다는 논제가 하나의 가설로 성립한다. 전체 사회로 확대해서 말하자면 한국의 모든 사회구성원들은 기본적으로 유교적 가부장주의의 영향 아래 놓여있다고 할 수 있다. 즉 유교적 가부장주의가 한국인 사회의식의 주요 구성요소다. 역사적으로 조건지워지고 무의식의 수준으로까지 뿌리내린 유교적 사고방식의 궤적 탐구는 한국의 성별분업 형성에 관한 연구에 있어서 다음의 이유들 때문에 중요하다.

첫째, 이를 통해서 비로소 노동시장과 일상생활의 불평등한 여성 입지가 갖는 연관성을 근본적으로 이해하는 것이 가능하다. 여성의 사회적 위치와 일상생활에서 마주치는 입장표명 내지 행위는 구조적인 것 뿐 아니라 오히려 더 문화적으로 조건지워져 있기 때문에 구조분석만으로는 충분한 해석을 끌어낼 수 없다. 이러한 이유에서 성별분업 연구에 문화해석적인 방법론을 이용하면서 구조적인 접근방식을 병용하여 분석하는 것이 더 효과적이고 설득력이 있다. 이러한 방법론적 결합방식을 통해 한국의 성별분업 연구에 있어서 현대화의 과정에서 한국 사회에 은폐되어 있고 그러나 지속적으로 전수되고 있는 유교적 가치관이 각인된 부분을 드러내기 위해 선별적으로 문화해석적 분석이 행해져야한다는 논제는 그 나름의 타당성이 있다.

둘째, 유교적 가부장주의는 여성들 뿐 아니라 한국의 모든 사회구성원들에게 총체적으로 영향을 미치고 있다. 사회구성원 개개인이 유교적 사고방식과 행동방식을 내면화하고 있으며 이로써 한국 국민의 사회의식이 상당 부분 유교적 전통에 의해 각인되어 있다는 표현이 가능하다. 따라서 한국의 사회의식에 대한 분석은 유교의 사회적 영향범주가 크다는 점과 그로 인해 이 사실이 사회분석에 있어 매우 중요하다는 점에서 출발해야 한다. 구체적으로 양성관계 연구에 있어서도 한국문화의 뿌리, 특히 유교적인 가치관들과 이와 연관되어 있는 인간관계 규범을 깊이 다루는 것이 필요하다. 이러한 이유에서 한국의 성별분업에 관한 연구에서는 지금까지 행해진 한국의 사회분석을 또 다른 시각에서 검토하는 것이 필요하고 이를 위해 여성학적 사회분석과 비판의 과정이 요구된다. 이러한 분석의 기본작업으로서 유교적 가부장주의에 대해 살펴보기로 한다. 이를 위해 우선 왜 이 글에서 가부장제(Patriarchat)라는 용어 대신 가부장주의(Patriarchalismus) 라는 용어를 사용하는 지에 대해 언급하고 이를 개념적으로 정의할 필요가 있다.

5. 가부장제와 가부장주의 – 구조와 맥락의 변주

가부장제 개념이 지금까지의 많은 여성학적 연구에서 폭넓게 받아들여지고 사용되고 있음에도 불구하고 왜 이 연구에서 가부장제 대신 가부장주의가 논의되는 지에 대한 질문으로부터 출발해보자. 가부장주의 개념의 선택에 대한 근거제시로서 여기서 밝혀야 할 점들은 다음과 같다. 왜 한국의 양성관계의 기반에 대한 질문에서 가부장제 개념이 충분한 설득력을 지니지 못하는가, 그리고 왜 가부장주의 개념이 이 연구에서 더 유용한 분석 도구로 떠오르는가 하는 점이다. 이의 답을 구하기 위해 한편으로는 여성학적 관심을 가진 학자들의 초기 저작들에서 도입되었던 가부장제 개념의 정의들과 다른 한편으로는 독일어권의 저작들에서 남성 지배적 사회체제에 대해 가부장주의 개념으로 설명하려는 시도들을 소개하고 논리의 맥락에 따라 대조하여 읽어나가는 방식으로 양쪽의 논점을 살펴보려한다. 이를 위해서는 가부장제 개념이 주로 구조적인, 특히 사회경제적인 구조를 논의의 초점으로 하는 반면, 가부장주의 개념을 매개로 설명하는 범주에서는 남성지배 일반의 문화적 기반을 주요 분석대상으로 한다는 논제가 바탕이 된다. 여기서 전제되어야 할 점은 무엇보다도 양성관계의 사회적 불평등을 설명하는데 있어서 가부장제 개념을 통틀어 부적합한 개념으로 판정하려는 데 주요목적이 있는 것이 아니라는 점이다. 다시 말해 이 논의가 이전의 개념 정의에서 야기된 남성지배의 구조와 문제점으로부터 완전히 떠나자는 것이 아니라 성별분업에 대한 문화분석적 연구에의 가부장주의 개념 도입의 적합성을 논증하는데 그 초점을 맞춘다는 점이다.

남성 지배의 체계로 가부장제를 정의하는 밀레트(Kate Millett)에 의하면 가부장제는 타고난 권리, 정확히 표현하자면 성별귀속성(Geschlechtszugehörigkeit)을 바탕으로 한, 한 집단에 대한 다른 집단의 지배를 가능케 하는, 실질적으로 영원히 사라지지 않을 체계이다.[10]

또한 러빈(Gayle Rubin)에 의하면 가부장제는 그 안에서 원래의 경제외적 영역에 속하는 젠더 계층화(gender stratification)가 생산되고 재생산되는 섹스/젠더 체계(sex/gender system)로 정의할 수 있다.[11]

---

10) Millett, Kate (1970), *Sexual Politics*, Garden City, N.Y.: Doubleday. 44쪽.
11) Rubin, Gayle (1975), "The Traffic in Women", 157–210쪽. in Reiter Rayna (ed., 1979), *Toward an Anthropology of Women*, New York: Monthly Review Press.

그녀는 가부장제를 남성지배의 섹스/젠더 체계로 정의하면서 이러한 정의가 남성이 사회적으로 규정된 부권을 통해 절대적인 권한을 누리는 사회에서 더욱 적합할 것이라는 제한점을 둔다.[12] 러빈의 개념정의와 비교하여 뮐러(Viana Muller)는 가부장제 개념 정의에서 그 해석의 가능성을 확대한다. 그에 따르면 가부장제는 '여성이 우선적으로 남편, 아버지 또는 남자형제로부터 보호받아야 되는 사람으로서의 지위를 갖는 사회적 체계'[13]로 정의하는데 이때의 보호는 남성가족구성원과 친척에 의해 경제적이고 정치적인 차원에서 이루어진다.

위에서 예로 들은 정의들은 80년대 초반에 허점이 많이 드러난, 자본주의에 대한 비판으로 인해 마르크시스트 페미니스트들로부터 자주 비판적으로 보완되었다. 이의 대표적인 비판자로서 바레트는 앞서의 이론가들의 쟁점에 있어 두 가지 기본적인 문제들을 끄집어낸다:

첫째로 가부장제가 자본주의적 관계로부터 전적으로 독립적으로 기능하는 하나의 지배체계로 묘사되며 이를 통해 그 연구들이 총체적이고 초역사적인 고찰방식으로 기운다는 점이다. 가부장제를 남성의 지배체계로서 자본주의적 생산관계와의 연관 안에 넣으려는 시도들은 자주 그 개념에 들어있는 비고정성과 자율성에 대한 주장에 부딪친다. 두번 째로 가부장제 개념은, 그것이 현재 구성되어있는 바와 같이, 아버지의 지배로서의 가부장제와 여성들에 대한 남성들의 지배로서의 가부장제에 대한 기본적인 혼돈을 나타낸다.[14]

---

12) Rubin (1975), 윗글 168쪽 참조.
13) Muller, Viana (1975), *The Formation of the State and the Oppression of Women: a Case Study in England and Wales*, New York:New School for Social Research. 4쪽.
14) Barrett, Michele (1983), *Das unterstellte Geschlecht*, Berlin: Argument Verlag. 23쪽.

여성억압을 자본주의와 관련시키려는 하나의 시도로서, 바레트(Michele Barrett)는 아이젠슈타인(Zillah Eisenstein)의 논지를 이끌어낸다. 단, 아이젠슈타인의 가부장제 개념정의는 그 자체로서 모순적인데, 왜냐하면 아이젠슈타인은 가부장제의 성격을 전자본주의적인 것으로 정의하기 때문이다. 바레트는 아이젠슈타인의 논제, '자본주의는 가부장제를 이용하고, 그리고 가부장제는 자본의 이해를 통해 정의된다' [15]를 인용하면서 이 발언이 자본주의가 일종의 가부장제라는 주장과 거의 공존할 수 없다고 주장한다. 그럼으로써 바레트에 의하면 아이젠슈타인의 이론이 "가부장제가 자본주의 외부의 일종의 남성지배 체계로서의 규정과, 가부장적 관계의 조직은 자본에 순기능적이라는 주장 사이에 왔다 갔다 한다"[16]는 것이다.

왜 아이젠슈타인의 논제가 바레트의 비판에 맞닥뜨리게 되었는가? 그 이유는 아이젠슈타인의 개념 정의가 전자본주의적이라고 한 규정에 한정되고 그러고도 이 방식으로 자본주의와 가부장제 사이의 분석적 분리가 행해지기 때문이라는 설명에서 찾아볼 수 있다. 자본주의를 일종의 가부장제로 직결시켜보는 견해는 다음과 같은 논리구조 안에서 성립된다. 노동과정에서의 자본주의적 위계구조를 자본의 절대적 권위행사의 체계로 보고 이러한 권위행사의 원천을 봉건적 영주제에서의 가부장적 권위에서 찾는 논리구조가 그것이다. 이의 이해를 위해서는 베버의 지배사회학적 논의를 살펴볼 필요가 있다. 이 논의는 게르하르트(Ute Gerhard)의 가부

---

15) Eisenstein, Zillah (1979), *Capitalist Patriarchy and the Case for Socialist Feminism*, New York Monthly Review Press. 28쪽.
16) Barrett (1983), 앞글 24쪽.

장주의 개념 설정의 기초로서 함께 다루어질 것이다.

성별관계의 문화적으로 규정된 체계로 가부장제를 정의한 러빈의 견해는 하트만(Heidi Hartmann)에 의해 더 확장된다. 하트만에 의하면 가부장제는 물질적 기초를 가진, 그리고 위계적으로 남성들 사이에 그들로 하여금, 여성을 지배하는 것을 가능하게 하는 상호의존과 유대를 만들거나 강화하는, 남성들 간의 일련의 사회적 관계[17]이다. 이로써 하트만은 가부장제의 물질적 기초가 자본가의 후원을 받은, 여성 노동력에 대한 남성들의 규제에 놓여있다고 주장한다. 초기 자본주의 서구의 성별분업에 대한 분석에서 하트만은 성별분업이 가부장제와 자본주의의 결합의 결과로 일종의 톱니처럼 맞물린 체계 안에 있다는 전제에서 출발한다. 그러나 그녀는 가부장제 개념을 아이젠슈타인에 비해 좀더 보편적이고 역사적으로 더 포괄적으로 정의하여 이를 통해 가부장제 개념이 하나의 특정한 생산양식으로부터 더 독립적으로 확장될 수 있게 하였다.

가부장제 개념을 다양한 방식으로 이해하는 여러가지 견해들 사이의 기본적인 차이는 바레트가 기술한 바[18]와 같이, 한편으로는 가부장제가 생산양식에 종속적이기 때문에 역사적 관점에서 보아야 하는가, 또는 그것이 전자본주의적인가 하는 점이고, 다른 한편으로는 가부장제가 여성억압의 사회, 체계 내지 구조를 표현하는가, 다시 말하면 가부장제가 특별한 역사적 경계나 변화와 관계없는 일반적인 남성지배인가 하는 점이다.

설혹 대부분의 여성학자들이 가부장제 개념을 사용하여 연구하더라도

---

17) Hartmann, Heidi (1981), "The unhappy Marriage of Marxism and Feminism: Towards a More Progressive Union", 14쪽, in Lydia, Sargent (ed.), *Women and Revolution*, Boston: South End Press.
18) Barrett (1983), 앞글 22쪽.

결과에 있어서 게르하르트의 사회학적 시각, 하우저(Karin Hauser)와 러너(Gerda Lerner)의 역사학적 시각에서 보듯이, 너무 보편적이고 비역사적인 가부장제 분석으로 나타나는 문제가 있다. 내용적인 차원에서 가부장제 개념의 사용에 있어서의 문제점들에 직면하여 게르하르트는 베버로부터 가부장주의(Patriarchalismus)개념을 도입한다. 베버는 『경제와 사회 *Wirtschaft und Gesellschaft*』에 수록된 '가부장적이고 세습적인 지배' 편에서 영주가 자신의 가족과 하인 등의 권속에게 제한없는 권위를 행사한다고 서술함으로써 가부장적 지배의 속성을 해석한 바 있다. 그의 해석에 의하면 "가내 권위에 있어서는 원초적이고 생래적인 상황들이 효(孝 Pietat)와 충성에서 비롯되는 권위에의 믿음의 원천이다".[19] 즉 모든 가내 권속들에게는 특히 집안에서 외부적이고 또 내부적인 운명공동체로서의 밀접하고 개인적이며 지속적인 공생(共生)이, 집에 속하는 여자-여기서는 특히 아내를 지칭함-에게는 남편의 육체적이고 정신적인 힘의 일상적인 우월성이, 청소년기의 자녀들에게는 합목적적인 지원(무엇보다도 경제적인 지원)에의 필요성이, 다 자란 자녀에게는 습관과 나중에 나타나는 교육 영향 그리고 뿌리깊은 어린 시절의 기억들이, 하인들에게는 영주의 권력범위 밖에서는 보호받지 못함이 삶의 현실을 통해서 지속적으로 권위의 아래 있게 하는 원천이라는 것이다. 이러한 의미에서 봉건적 영주제에서의 가부장적 권위는 통틀어 개별재산적(eigentumsartig)인 성격을 띤다는 것이다. 여기서 베버가 강조하는 점은 세습적으로 행사되는 가부장적 권위가 가내 권속에 있어서는 제한없이 절대적이라는 점이다. 이러한 가부

---

19) Weber, Max (1921:초판, 1976:5판), *Wirtschaft und Gesellschaft*, Tübingen: J.C.B. Mohr (Paul Siebeck) Verlag, 581쪽.

장적 권위가 행사되는 영역에서의 의식을 베버는 가부장주의로 해석한다. 베버는 가부장주의를 합법적인 지배의 한 형태로 다루는데 여기서 합법성의 적용은 관료적 지배와는 반대로 규범과 영주 권력의 전통에서 기인하는 것이다. 그는 절대적인 가부장주의와 계층적인 가부장주의를 구분하면서 가내 권속들에 대한 가부장적 관계를 개인적이고 직접적인 지배로 특징지운다. 이 관계는 내부적인 구조를 향해서는 힘의 관계(Gewaltverhältnis)로 묘사되는데 이는 영주의 전통적인 고유 이해에서의 배려와 권력행사의 양가적인 형태로 유지된다. 게르하르트에 의하면 여기서 전제되는 점은 권력에 예속되어 있는 사람들이 복종하는 태도, 즉 권력 행사에 대한 인내와 참여이다. 이채롭게도 베버는 이 지배형태의 경험적 사례들을 멀리 떨어진 과거에서만 찾는다는 것이 게르하르트의 지적이다.[20]

게르하르트의 개념설정에 뒤이어 베어(Ursula Beer)와 클라웁스키(J. Chlaupsky)는 공동저서에서 가부장주의의 보다 세분화된 개념인 이차 가부장주의(Sekundär patriarchalismus)개념을 도입한다. 이들에 의해 수용된 이차 가부장주의 개념은 세분화하여 국가적, 직업적, 그리고 가족적인 이차 가부장주의로 사용되는데 맥락에 따라서 두 범주 이상이 조합되어 사용되기도 한다. 예를 들어 한국의 경우 70년대에 일상화되었던 탄압, 그 중에서도 여성 노동자들에 대한 차별적 저임금 정책 등 가부장적 권위의 행사가 주로 국가와 기업간의 결합에 의해 이루어졌는데 이를 국가적 직업적 이차 가부장주의로 정의할 수 있다. 여기서 이차 가부장주의의 개념화를

---

20) Gerhard, Ute (1990), "Bewegung im Verhältnis der Geschlechter und Klassen und der Patriarchalismus der Moderne", 421쪽, in Zapf, Wolfgang (Hrsg.), *Die Modernisierung moderner Gesellschaften-Verhandlungen des 25. Deutschen Soziologentages in Frankfurt am Main*.

통해 추상적인 수준의 가부장적 관계들이 직업이나 가족 등의 구체적인 범주에서 발현되는 양상을 설명할 수 있다. 또한 성별분업에 관한 연구에서 하이제 등 독일 연구자들 사이에서 이 개념 사용이 빈번하다. 게르하르트는 개념적용에 있어서의 적절한 결정방식들 사이의 차이에 대해 비록 자세히 기술하지는 않았지만 이와 관련하여 가부장주의를 다음과 같이 정의한다.

> 폐쇄적인 체계로서가 아닌, 행위인식과 지배구조로서의 가부장주의는 특정한 사회학적 시각에서, 즉 한 사회 속에서 불평등하고 위계적이고 특히 폭력적인 양성관계의 형태에 대한 특별한 주의를 갖고 보는 시각에서 볼 때 사회적 총연관성을 지칭한다.[21]

이로써 게르하르트는 특정 생산양식이 지배하는 어느 한 시기 내에서의 고정되어 있는 체계로서의 가부장제 개념 사용이 현대 사회 내의 총괄적인 남녀관계의 다층적이고 복합적인 연관성을 설명하는데 완전히 적절하지 않다는 점을 시사하고 있다. 이러한 인식의 바탕에는 현대 사회에서의 양성관계가 더 이상 특정 생산양식이나 구조, 체계에 의해 규정되기보다는 상호적인 행위에 관한 인식이나 사회 내의 여러 요소들이 상호 작용하여 얽혀지는 일종의 의식 수준의 망에 의해 해석될 수 있다는 이해가 깔려 있다. 이러한 의미에서 하버마스의 소통이론이 게르하르트의 가부장주의 개념사용의 배경에 일정한 수준으로 영향을 미침을 알 수 있다. 가부장주의 개념 사용에 있어서 게르하르트는 주로 베버의 전형적인 합법적 지배 모델 사이의 내용적인 연관성을 설정하면서 한편으로는 왜 이것이 여성학

---

21) Gerhard (1990), 앞글 418쪽.

적 사회비판에 거의 수용되지 않았는가[22] 하는 의문을 제기한다. 베커-스미스(Becker-Smith)의 논제에 대한 논의에서 게르하르트는 가부장제 개념사용에 대한 일반적인 주저 경향을 다음과 같이 지적한다.

> …그럼에도 불구하고 저자(베커-스미스)는 가부장제 개념 사용을 피하는데, 그 이유로 들기를 그 개념이 여러 가지로 다른 권력 원천들에서 기인하는 지배구조를… 불충분하게 표현하기 때문이라는 것이다. 여기서 가부장제가 단순 인과관계의 폐쇄된 체계로 이해된다고 한다면 그 의견에 동의할 수 있다.[23]

이 논의에는 포스트모더니즘적인 담론이 풍미하는 서구 사회에서 단순한 거대이론적 도식으로 해석될 가능성이 다분히 있는, 가부장제라는 하나의 폐쇄된 체계로는 양성관계의 설명을 입력할 수 없다는 논제가 깔려 있다. 이로써 불평등한 양성관계에 있어서 중요한 것은 사회의 구조 표면에 부상해 있는, 가시적인 부분의 문제-즉 체계의 문제-가 아니라 무의식의 수준까지 차고 내려가 있는 가부장적 사고와 의식이라는 점이 보다 명백해진다.

가부장제와 가부장적/가부장적으로(patriarchal/patriarchalisch) 라는 용어 사용에 대한 하우저의 논쟁[24]이 암시하는 바는, 이 용어들이 독일어권의 연구들에서 통일적으로 사용되지 않으면서 몇몇 학자들은 '가부장제'라는 명사형을 애써 피한다는 점이다. 이것은 가부장제 용어 사용이 문제

---

22) Gerhard (1990), 앞글 421쪽.
23) Gerhard (1990), 앞글 421쪽.
24) Hauser, Karin (1986), "Patriarchat: vom Nutzen und Nachteil eines Konzepts für Frauengeschichte und Frauenpolitik", in *Journal für Geschichte*, 12-59쪽. 이에 대한 논쟁은 특히 14쪽-16쪽에서 다루어진다.

성있게 여겨진다는 점을 시사한다. 러너는 가부장제 개념의 사용을 주저하는 경향이 다음과 같은 가정을 바탕으로 한다고 주장한다.

> …이 개념(가부장제)은 하나의 협소한, 전통적인 의미 - 여성학자들이 그에 부여하는 의미에 무조건 일치하지 않는 - 를 갖는다. 엄격하고도 협소한 맥락에서 가부장제 개념은 가내의 남성 가장이 절대적으로 법적이고 경제적인 권력을 그에게 종속된 남성, 여성 가족 구성원에게 행사하는 체계 - 역사적으로는 그리스와 로마법에 의해 논의되는 - 와 관련되어 있다.[25)]

러너의 비판에 의하면 가부장제 개념을 위와 같은 맥락에서 사용하는 사람들은 이 개념에 단지 역사적으로 제한된 유효성 만을 허용한다. 이 견해에 따르면 가부장제는 고전적 고대사회에서 시작하여 19세기에 끝났다는 것이다. 러너는 시간적으로 제한하는 것을 매우 문제있다고 보는 견해에 이의를 제기하면서 "이러한 방식의 개념 사용이 역사적 사실들을 위조한다. 그래서 가부장제 개념의 제한된 정의가, 아직도 존재하는 남성의 독점에 대한 정확한 개념정의와 분석을 방해하는 쪽으로 끌고 간다"[26)]고 주장한다.

그러므로 러너는 여성사 기술의 가장 시급한 과제는 가부장제의 다양한 방법과 형태들을 역사적 진행과 연관하여 보여주고, 그의 구조와 기능 양식의 단절과 변화들을 증명하고 이로써 여성의 위치를 정확히 기술하는 것이라고 본다. 이러한 논의 배경 하에 러너는 가부장제 개념의 대안으로

---

25) Lerner, Gerda (1986:영문판, 1991:독일어판), *Entstehung des Patriarchats*, Frankfurt a. M.: Campus. 295쪽.
26) Lerner (1991), 앞책 295쪽.

온정주의[27]를 제안한다. 그녀의 견해에 따르면 가부장제가 남성지배의 제도화된 체계를 뜻하는 반면, 온정주의 개념은 가부장적 관계들 가운데 하나의 특수한 종류를 묘사한다. 온정주의 혹은 온정주의적 지배는 구체적으로는 상대적으로 우위에 놓인 것으로 간주되는, 세력있는 집단이 하위에 놓인 것으로 여겨지는 종속된 집단과 갖는 관계, 그 안에서 서로 상대적으로 갖는 의무와 상호적인 법적 요구를 통해 지배가 관철되고 중개되는 관계이다. 이 관계에서 지배당하는 집단은 주어지는 보호를 복종으로 보상하고, 생계유지를 해결해주는 것을 부불(不拂)노동으로 보상한다.[28]

러너는 온정주의의 역사적 원천을 가부장제에서 찾는데, 여기서 가부장적 기본 모양이 역사적 해석의 난점없이 현대사회로 전승되었다고 보고 있다. 아버지 또는 집안의 어른(Hausherr: 영주의 개념에 가까움)이 절대적인 권력행사의 조건으로 종속된 사람들에게 보호와 함께 경제적으로 생계를 보장해주는 온정주의적 관계가 형성된다고 보는 러너의 분석에 성별분업에 관한 연구, 구체적으로 들자면 한국에서 기업 내부적 차원에서의 위계에 관한 연구를 위한 흥미있는 준거점이 들어있다. 러너는 예시적으로 현재 일본의 대기업 내의 기업주와 종업원들 간의 관계에서 온정주의적 요소를 볼 수 있다고 지적한다.

여기에서 한국 성별분업의 문화적 토대로 상정하는 유교적 가부장주의에 대한 문제제기에 초점을 맞추면서 가부장주의 개념 사용을 위한 논의를 정리해보기로 한다. 지금까지 살펴본 여러 각도의 개념 정의에 의하면

---

27) paternalism – 직역하자면 대부주의라고 할 수 있으나 한국의 사회경제학에서 쓰는 용어사용으로 보아 온정주의로 쓰는 것이 적절하다.
28) Lerner (1991), 앞책 296쪽.

가부장제 개념은 집중적으로 남성지배의 사회체계(Sozialsystem)로서 특성화 되어있다. 마르크스주의 페미니즘 연구들에서는 이 개념이 생산양식과 밀접히 묶여있다. 여기서 문제되는 것은 체계 또는 구조로서의 특성화이다. 이 글에서의 문제제기 방식으로 본다면 역사적으로 시간적인 경계를 뛰어넘고 생산양식에 의존하지 않으면서 한국 사회내의 생활세계(Lebenswelt)[29]에 영향력이 있는 유교적 사고방식과 가치관이 가부장적 체계구성에 중요한 의미를 지닌다.

하버마스(Jürgen Habermas)가 체계와 생활세계 사이의 소통관계를 설명한 분석틀에 의거해서 해석해 본다면 유교적 사고방식과 가치관은 문화적인 재생산을 통하여 한국 사회 안에 합법적이고 기구화된 지식으로 자리잡았다는 의미에서 이의 과정 추적이 중요하다. 또한 유교적 사고방식과 연관되어 나타나는 사회내의 남녀관계를 제대로 분석하기 위해서는 체계와 구조의 분석만으로는 충분치 않다. 가부장제 개념이 체계 또는 구조로 정의되는 한, 그것은 앞서 제기한 방식의 한국 사회분석에 적합하지 않은데, 왜냐하면 그 개념이 또다시 사회구성과 체계를 연상시키기 때문이다. 그와 대비되어 가부장주의 개념은 체계 뿐 아니라 사회구조와 체계 내의 이데올로기적 기능 방식과, 관계 내의 가부장적 특성의 형성 또한 포함한다. 이러한 배경에서 한국의 양성관계 분석에 있어서 가부장주의 개념이 적절하다고 여겨지는데 그 구체적 이유로는 가부장주의라는 용어가, 사회구조에 대해 소홀하지 않으면서도, 문화연관적인 시각을 가능하게 하

---

29) 여기서 지칭하는 생활세계는 하버마스의 System과 Lebenswelt의 대비적 개념을 원용하였고 따라서 그의 Lebenswelt 개념에 가깝다. 참조: Habermas, Jürgen (1988), "VI. Zweite Zwischenbetrachtung: System und Lebenswelt", 173–283쪽, in *Theorie des kommunikativen Handelns*, Band II., Frankfurt a. M.: Suhrkamp.

기 때문이다. 따라서 유교적 가부장주의는 중요한 분석 도구이자 동시에
분석 대상이 된다.

2장 · 젠더 관계에 투영되는 유교적 사회의식

한 사회의 문화는, 그 사회의 역사적 발전을 통해 각인된, 그리고 사회적이고 정치적인 변환을 통해 고유의 형상을 갖는 세계관과 사고방식의 복합체이다. 이러한 의미에서 현재 한국 사회에 존재하며 한국인의 일상을 규정하는 한국 문화는 전근대적 사회체계를 바탕으로 하는 유교적 인식론과 그의 결과로서의 규범, 식민지배 하에 이루어지기 시작한 자본주의화, 냉전시대의 이데올로기적 반목, 후발 산업화, 그리고 끝으로 서구적 소비문화가 반영된, 사고방식과 행동양식의 복합체다.

일반적인 시각으로 보았을 때 유교적 사회의식이 현대 자본주의적 한국 사회에서 발휘하는 영향력은 아주 미미한 것으로 간주하기도 한다. 왜냐하면 유교적 가부장주의는 봉건적 사회 형태에서 전자본주의적 생산양식에 뿌리를 내렸기 때문에 산업화가 어느 수준에 도달했고 그 안의 세계관이 ·점점 자본주의적이며 현대적으로 특징지워지는 사회에서는 전자본주의적 유제라고 할 수 있는 유교적 가부장주의는 약화되고 사라져가는 것

으로 보이기 때문이다. 한국 사회에서의 유교적 전통과 영향력이 부인할
수 없는 것이라고 해도 그것들은 점차로 '사라지는 것'으로 정의되는 것
으로 보인다.

그에 반하여 이 글[30]은 유교적 가부장주의가 생산양식으로부터 독립적
으로, 그리고 하나의 전통으로서 초역사적으로 존립해왔고[31] 더욱이 산업
화 과정에서는 국가정책적 차원에서 재활성화, 강화된 측면이 있다는 전
제에서 출발한다. 즉, 근대화/현대화의 과정에서 한국의 경우 전통이 완
전히 사라졌다고 하는 논의가 상당부분 설득력이 없다는 전제가 그것이
다. 전통의 온존화와 산업화 동안에 진행된 이의 선별적 강화의 대표적인
예는 충효사상 강조로 인한 위계적 서열 질서와 성별분리의 지속화와 차
등화다. 이를 통해 여성들의 위치는 근대화 과정에서 대거 노동시장에 유
입되기는 했어도 공적인 직업세계에서는 물론 일상적이고 사적인 삶의 세
계에서도 국외자적 입장으로 머물게 되었다. 전통적인 유교적 인간관계
질서규범을 바탕으로 하는 남녀관계에 있어서 사회적 변화의 영향력은 미
미한 수준에 머물렀다는 뜻이다. 이러한 논리로부터 출발한다고 해도 성
별특화되고 성별위계적인 분업에 있어서 유교적 직업윤리는 특별히 의미
있는 영향력을 행사한다. 결과적으로 이는 임금, 승진체계 등 기구화된 노

---

30) 이 글에서는 유교적 사회윤리의 근대화과정에 대한 영향력의 해석에 있어서는 주로 베버의
   논문과 베버를 비판적으로 수용한 논문들을 참고로 했는데 그 이유는 다음과 같다. 첫째, 이
   논문에서 새롭게 구성해서 분석의 틀로 사용하려고 한 유교적 인간관계 질서규범의 각 항목
   들이 위에 언급한 논문들에서 서구적 합리주의와 비교, 분석되면서 필자가 가지고 있던 의도
   에 근접했다고 판단했기 때문이다. 둘째, 이 글에서는 유교적 덕목이 노동현장에서 영향력을
   발휘하는 구체적인 현상에 대한 파악에 초점을 둔 것이라기 보다는 유교적 인간관계 질서규
   범이 여성의 노동조건을 규정하는 기제에 관심을 두었기 때문에 사회윤리의 암묵적인 구현
   에 초범을 맞추었으며 이를 위해 베버 식의 연구방식이 유용하기 때문이다.
31) 가부장주의의 초역사성에 대해서는 앞 장에서 자세히 논의되었다.

동시장 구조와 함께 통틀어 까다롭고, 쉽게 꿰뚫어 볼 수 없는, 여성들을 노동시장과 공공성으로부터 배제하는 기제로 해석될 수 있다.

유교의 세계관과 가르침은 본래 이상적인 '인간세계'를 가능케 하는데 그 근본이 있다. 즉 조화로운 공동체적 삶, 여러 요소들의 합성을 통한 사물의 다양화를 표방하는, 인간에 중점이 주어진, 그리고 결과적으로 각자의 자기완성을 추구하는 '군자'의 인간이상형을 목표로 하는 일종의 인식론이다. 역사적 발전 과정을 거치면서 세계관으로서의 유교의 원천적 표상은 규율, 규범, 자기규율 그리고 서열 질서로 그때마다의 정치적 목적에 알맞게 적응되어 변형되었다. 이는 원래의 발생지인 중국에서 보다 한국에서 더 뚜렷하게 일어났다. 간과하지 말아야 할 점은, 유교의 봉건영주적인 성격이 엄격한 가부장주의의 성립을 이롭게 했고 국가 질서의 기초가 되었으며 질서와 안정성의 이름으로 거역할 수 없는 원칙으로 발전했다는 사실이다.

기본적으로 한국의 모든 사회구성원이 유교적 가부장주의의 영향 아래 놓여 있기 때문에 유교적 가치관의 내면화는 여성의 삶 뿐만 아니라 남성들의 삶도 규정한다. 이는 지금이나 과거에나 거의 차이가 없다. 남성들 가운데도 유교적 가치관을 갖고 살기 어렵거나 또는 그 영향력 아래서 괴로움을 당하는 사람들이 있기 때문이다. 예를 들어 노동시장 내에서 교육 수준이 낮은 사람, 또는 학연이나 기타 뒷받침이 될 수 있는 관계망 형성이 되어있지 않은 사람, 그리고 더 나아가 개인적으로 유교문화적 영향으로부터 의식적으로 벗어나기를 원하고 그래서 이를 시도하는 사람, 그리고 그로 인해 유교적 위계 내지는 유교적 인간관계 질서 규범을 따라가지 못하거나 하고 싶어하지 않는 사람들 등이다. 그럼에도 불구하고, 그리고 바로 그 점 때문에 뚜렷해지는 것은 남성들의 경우 이것이 삶의 태도와 연관된 '선택'의 차원에서 머무는 반면, 여성들의 경우에는 삶의 모든 국면과 연결되어 그 안에서 직면하는, 피할 수 없는 문제로 떠오른다는 점이다. 즉 여성들이 가장 힘들게 그리고 가장 흔하게 배제의 구조와 제외의 기제, 그리고 억압과 내면적인 주저에 맞닥뜨린다. 이러한 스펙트럼을 따라가면서 한국 젠더 관계의 원형을 구성하는 유교의 인간관계 규범과 이 규범이 사회관계로 확대되어가면서 구성되는 질서를 간략히 살펴보기로 한다.

1. 유교적 인간관계 규범과 사회질서

유교적 해석에 의하면 '오륜(五倫)'은 어떠한 의문도 허락되지 않는, 인간세계 특히 인간관계의 절대적 핵심 질서규범이다. 여기에는 다섯가지 의무관계와 함께 유교적 사고체계에서 인간관계의 기초가 강조되어 묘사되어있다. 여기서 군신(君臣), 부자(父子), 남녀(男女), 형제(兄弟) 그리고 친구 사이의 인간관계의 윤리가 명백하게 다루어진다. 이를 구체적으로 풀어서 살펴보면 다음과 같다.

우선 아버지와 아들의 관계는 한편으로는 상호 교환되는 사랑의 미덕을 통해, 다른 한편으로는 효(孝)와 그에 상응하는 권위를 통해 규정된다. 군주의 관용은 신하들의 충성에 상응하며, 형의 호의는 아우의 존경에 상응하고, 남편은 부인에 대하여 올바름, 정의를 표하고 부인은 이에 복종으로 답하는데 여기서 전제되는 것은 남녀유별은 변동될 수 없다는 점이다. 친구들 사이에는 상호 간의 대등한 관계에서 신의가 중요하다.

이 관계들 가운데 마지막으로 든 친구관계를 빼고는 불평등과 종속관계를 보이고 군주의 권위로부터 친족지도자와 가부(家父)의 권위를 거쳐 아내와 자녀들의 복종의 차원까지를 포함하는, 확고한 위계적 서열관계와 통제관계를 형성한다. 다만 친구관계 만이 결속과 신임의 미덕이 전제된 수평적 선 위에 놓여있다. 유교적 사회에서의 인간관계의 규범은 오직 각자가 자기 위치를 정확히 인지하고 그에 주어진 의무를 인정하고 따르는 상하질서를 통해서만 온전히 유지된다는 논리를 기초로 한다. 이러한 인간관계 질서 규범의 기반은 예절관에 있다. 앞에서 언급한 인간관계가 정해진 후에 비로소 예(禮)가 정립된다는 것이다.

예관(禮觀)에 따르면 하늘-땅, 남편-부인 (남성-여성), 부모-자식, 그리고 군주-신하의 관계는 '위'와 '아래'의 위계적 서열관계로 규정되고 이 위계의 기초 위에 예의규범이 결정된다. 이로써 사람 사이의 올바른 사회적 관계가 오로지 이 예의규범을 통해서 성립한다는 것이다. 즉 예의 규범은 사적이고 공적인 삶에서 사람들 사이의 사회적 관계의 기본 요소로 되어있다. 다섯 가지 기본윤리는 모든 인간관계가 변동될 수 없는 위-아래 위계관계에 고정되어 놓이는 하나의 질서 규범이다. 이로부터 유교의 여성관이 보여주는 성별분리의 위계적 특성이 자체적으로 설명된다.

위계적 성별분리의 분석을 위해서는 다음과 같은 네 가지 항목의 고찰이 중요하다: 1)남녀유별, 2)효(孝), 3)신의 4)나이에 따른 서열. 이는 일종의 역사적 의미에서 지나간 시대의 '전통적' 미덕이 아니고 오히려 60년대에 시작된 본격적 산업화 과정에서 남녀의 위계적 생산관계, 기업 내의 위계적 구조의 성립에 있어서도 영향력을 지속적으로 행사해온 문화—이 데올로기적 요소를 포함하고 있다.

1) 남녀관계

유교에서의 남녀관계는 음양론으로부터 출발하여 이해할 수 있다. 주역 (周易)에 의하면 하늘의 법칙, 즉 천도(天道)는 다음과 같이 규정된다: "하 늘이 도우면 길하지 않고 이롭지 않은 것이 없다. 하늘이 도와주는 것은 도리에 따르는 것이고 신의를 지키며 하늘의 법칙(천도)을 따르는 것이 다."[32] 이로써 하늘의 법칙과 합치되어야하는 예의 질서가 특징지워진다. 이와 상관관계에 있는, 법칙 복종에의 요구는 맹자의 저서에서도 읽을 수 있다: "하늘의 도리에 순종하는 자는 존립하지만 그에 거역하는 자는 멸 망한다".[33] 위의 두 인용구는 하늘의 법칙/질서가 기초하는 세계관을 보여 준다. 즉, 하늘은 특정한 원리를 갖고 자연과 인간의 관계를 영원히 규정 하는 우주의 절대적 규범이고 그러므로 인간과 사회는 비록 신유교적 해 석이 보여주듯이 인간이 우주의 규정에 함께 작용한다고 하더라도 이 규 범에 복종해야 한다는 것이다. 천도(天道)에 의한 세계관의 기초와 내용은 주역(周易)의 음양사상에서 찾아볼 수 있다. 주역에 설명되어 있듯이 세계 의 원리는 음양론의 기초 위에 구성되어있고, 그것들의 조합/합성에 의해

---

32) 周易, 한명숙(1986), "조선시대 유교적 여성관의 원리론적 고찰", 이화여대 대학원 석사학위 청구논문, 7쪽에서 재인용.
33) 孟子, 한명숙(1986), 앞글, 7쪽에서 재인용.

세계의 전체가 형성된다. 이 세계관에는 두 원리가 기본으로 되어있다고 할 수 있다: 첫째, 음(陰)요소, 양(陽)요소의, 변환과 유동적인 위치교환을 통한 '유통의 원리', 두 번 째, 두 가지 요소의 상호작용과 합성을 통한 '적응의 원리' 가 그것이다.

이 원리에 따르면 세상의 모든 사물은 서로 상응하여 서있는 관계에 따라 때로는 양, 때로는 음이 될 수 있다. 이 변환가능성을 토대로 하여 두 요소의 절대적인 구별화와 고정화가 원천적으로 부정된다. 그럼에도 그것은 인간 세상의 규범에 대한 설명에서 일관성있게 유지되지 못했고, 오히려 기존의 가부장적 인식틀을 통해 왜곡되었다. 특히 남녀관계에 있어서는 이 두 가지 요소가 이미 알려져 있는 대로 확고한 의미로 고정되었다. 이것이 의미하는 바는 원천적으로 변환 가능하고 상대에 따라 그 위치가 바뀌는 것으로 기술되어 있는 바와는 반대로 시대정신에 맞추어 적용된 해석이 모순적이었다는 것이다. 경직된 음-양 이원론 해석은 가부장주의의 합리화에 기여했고, 따라서 그의 결과로 남녀의 위치 내지는 특성의 고정화가 고수되었다. 이러한 이해를 바탕으로 성별분리를 이해하기 위하여 '음(부정적인 것)-양(긍정적인 것)' 의 이분법이 근본적인 요소로 설명되는 고전적인 유교문헌을 살펴보는 것이 필요하다.

유교적 여성관의 근원은 '오륜' 의 '남녀유별' 에 요약적으로 나타난다. 주역에서는 여성과 남성의 구별이 음(땅)-양(하늘) 의 대립된 개념을 가지고 이 구별이 우주의 강제적 법칙을 따른 것으로 설명된다.

> 하늘은 높고 땅은 낮아 건(乾)과 곤(坤)이 정하여졌다. 낮은 것과 높은 것이 진열되어 귀와 천이 자리를 잡았다. 동(動)과 정(靜)에 일정한 도리가 있어 강(強)과 유(柔)가 판연하게 나뉘었다. …건(乾)의 법칙은 남자를 이루고 곤(坤)의 범칙은 여자를 이룬다. 건(乾)은 만물창조의 대태(大胎)를 맡고 곤(坤)은 만물을

만들어 완성시킨다.[34]

이에 따르면 창조의 두 기본 요소인 음, 양의 특성과 기질은 다음과 같이 정리된다.[35]

양(陽): 하늘(天)−높음(高)−귀함(貴)−움직임(動)−견고함(剛)−〉남(男)
음(陰): 땅(地)−낮음(卑)−천함(賤)−고요함(靜)−부드러움(柔)−〉여(女)

세상의 모든 사물은 이 두 요소의 각각 고유한 특성에 따라 분류되고 두 요소의 합성에 따라 사물의 형성과 변화가 조화롭게 이루어지고 그 합성에 따라 위에 기술한 특성이나 기질이 부여된다는 것이 음양론의 기본 원리이다. 그런데 여기서 볼 수 있는 모순은 음과 양이 이분법적으로 대치되어 있으면서 또한 일종의 상호작용과 합성을 전제로 하고 있다는 점이다. 즉 한편으로는 두 요소의 상호보완성을 강조하면서 다른 한편으로는 두 요소가 엄연히 다르고 서로 섞이거나 위치가 이동될 수 없다고 고정되는 점이다. 그러나 만물의 생성에 있어 이 두 요소가 각기 알맞은 합성을 통해서 조화를 이루어간다는 전제가 기본적으로 깔려있기 때문에 이를 인간관계에 비추어 해석하면 남성과 여성의 관계에 있어서 두 성(性)의 조화로운 조합이 이루어질 때 비로소 각 성별이 갖는 특성이 각기 발현되고 이로써 세상이 하늘의 법칙에 맞는 조화로운 세상이 된다는 결론에 도달할 수 있다.

이러한 전제를 충실히 따르면서 음양론을 해석해 본다면 오히려 남녀관계

---

34) 周易, 박용옥(1985), "유교적 여성관의 재조명", 『한국여성학』 창간호, 19쪽에서 재인용.
35) 박용옥(1985), 앞글, 19쪽.

에 대한 경직된, 역사적으로 설정된 도식으로부터 벗어날 실마리를 제공받을 수도 있다. 다시 말하면 음과 양에 부여된 특성과 기질을 고정하여 남성과 여성의 기질로 고착화하지 않고 합성에 있어서 각 기질의 조합배율을 유연성있게 상정한다면 다양한 남녀관계 성립의 가능성을 열어놓을 수 있다는 것이다. 그러나 이러한, 음양론의 근본적인 합성원리에 입각한 가정이 남녀 간의 유연한 관계설정에 더 이상 유효하지 않은 이유는 다음과 같다. 즉 이 원리가 오랜 역사적 과정 속에서 실제 삶의 세계에서 그 본래의 논리에 따라 진행되지 않고 고착된 양성의 기질로 인식되어왔고 그에 따른 양성에 대한 차등적인 역할 기대가 현실생활에 적용되었고 또한 이용되었기 때문이다.

2) 효(孝): 신의의 기반

유교적 관점에서 보면 가족은 다른 사회적 공동생활을 위한 가장 이상적 기반이다. 왜냐하면 인간은 하나의 공동체적 존재이고 사회적 집단 안에서의 관계를 통해서만 그의 존재 의미는 달성되는데 그 사회적 집단 중 공동선(共同善)이 강조되는 유교문화에서 가족은 가장 기본적이고 중요한 집단이기 때문이다. 이러한 맥락에서 유교학자들은 위계적으로 연결된 사회를 표현하는 다섯 가지 관계 중 세 가지 관계가 가족적 관계에 기초한다는 점을 통해 사회 내에서의 가족의 중심적 의미에 대한 견해를 분명히 한다. 다섯 가지 기본 윤리 가운데서도 아버지와 아들의 관계가 군주와 신하의 관계보다 앞에 배열되어 있다는 점이 사람들 간의 가장 기본적인 위계화가 무엇보다도 가족 차원에서 형성되어야 한다는 점을 설명한다. 가족 구성원과 신하의 입장에서 행해지는 가부장과 군주에 대한 절대적 복종과 경외(敬畏)는 효와 신의 그리고 존경에서 기인한다. 이 관계를 고찰하면 이 관계가 위계적으로 구성되었다는 사실을 확연히 인식할 수 있다.

'음양' 원리는 인간적 차원에서가 아닌 우주론적 시각에서 형성된 질서법칙을 표방한다. 그에 상응하는 가족 내의 역할 분담에 대한 규정을 보더라도 이러한 가족구성원간의 명백한 역할분담과 위치설정, 남편과 아내의 활동범주의 고정이 인위적인 것이 아니고 인간이 함부로 바꿀 수 없는 하늘의 법칙에 의한 것이라는 우주론적 질서관을 보인다.

> 가인(家人) 은 여자가 안에 자리를 바로 잡고 남자는 밖에 자리를 바로 잡는다. 남녀가 모두 바른 것은 천지의 대의이다. 가인에게는 엄군이 있으니 부모를 이름이다. 아비는 아비로서 자식은 자식으로서 형은 형으로서 아우는 아우로서 남편은 남편으로서 아내는 아내로서의 자리를 각기 바로하면 가도(家道)가 바로 되며, 집을 바르게 해야 천하가 정해진다.[36)]

가족구성원 각자는, 아버지가 가족장의 위치에, 그외 사람들이 나이에 상응하여 위치지워지는 일종의 수직적 위계에 속한다. 가족구성원이 성별과 연령에 따라 위계적으로 놓여져야 한다는 점은 하늘의 의지에 따라 정해진 것이고 따라서 그 위계구조에 반하는 것은 바로 하늘의 뜻을 거역하는 일이기 때문에 절대로 불가능하다는 것이다.

효는 오륜에 기초한 관계들을 관통하는 중요개념이다. 이러한 맥락에서 베버는 이 오륜을 효 의무라고 지칭한다.

> 유교적 원리는 사람들을 고도로 의도적으로 그들의 자연발생적인 또는 사회

---

36) 박용옥(1985), 윗글, 21쪽에서 재인용.

적인 상위/하위 관계를 통하여 주어진 개인적인 관계에 놓이게 한다. 그 원리들은 이것들에, 단지 이것들에 윤리적으로 고정되었고 결과적으로 인간에서 인간으로, 군주에서 신하로, 고위에서 하위 관리로, 아버지와 형에서 아들과 동생으로, 교사에서 학생으로, 친구에서 친구로 이루어진 이러한 개인적인 관계를 통한 인간적 효 의무 외에 다른 사회적 의무는 알지 못했다.[37]

이 원리에 따르면 아내로부터는 남편에게의, 자녀들에게는 부모에 대한, 마지막으로 신하들에게는 군주에 대한 복종이 요구된다. '천권' 과 관련하여 군주, 즉 왕은 '하늘의 아들' 과 동일시되었다. 천권이 일종의 초인적인 사항이므로 지배자와 동시에 윗사람을 복종과 신의로서 섬겨야 한다. 이는 베버가 표현한 바와 같이[38] 개인과 국가의 관계가 개인 입장에서의 '효심가득한 (자기)접합' 으로 형성된다는 것을 암시한다. 베버에 의하면 '효심가득한 (자기)접합' 의 발현은 다음과 같이 진행되는 것으로 해석된다: "봉건영주적 신하정신의 기반으로서 조상숭배와 내면세계적 효의 기본적 의미에는 이제 또한 유교적 국가의 현실적인 관용의 가장 중요하고 절대적인 울타리가 놓였다".[39]

우리나라에서는 가족효성으로부터 인상적으로 표출된 조상숭배가 발달했다. 베버의 해석이 보여주듯이 전통적인 자녀교육은 '조상모방' 으로 볼수 있다. 조상숭배의 사회로의 편입 방식은 베버의 분석에 의거하여 행해진, 그러나 사회이론적으로 더 강화하여 강조된 메쯔거(Thomas Metzger)에 의해 다음과 같이 해석된다.

---

37) Weber(1920), 앞책, 527쪽.
38) Weber(1920), 앞책, 514쪽.
39) Weber(1920), 앞책, 499쪽.

지역적 공동체는 '인간적 전체'가 아니고 오히려 매우 특이한 방식으로 더 큰 사회와 경제적, 정치적, 기관적 또 상징적으로 엮여져 있었다. 조상숭배와 관련하여 기본적인 것은 어떻게 가족효성과 조상숭배가 하나의 체계로 번져나 가는 가치에 통합되었는가 하는 특이한 방식이다.[40]

이에 따르면 가족효성과 그에 이어 가꾸어져온 조상숭배는 공동생활의 가장 작은 단위-가족-를 넘어서서 공동생활과 집단생활을 조절하는 사회의 기본적인 성립요소였다. '생활태도에 영향을 미치는 힘'으로서의 가족효성은 일종의 확대된 가족으로 묘사되는 친척, 친족집단, 그리고 지역적 공동체 등의 사회적 집단의 결집에 있어서 가장 강력한 추진원리였다. 가족효성의 형태는 조상에 대한 모방이 시도되는 조상숭배에서 표출된다. 따라서 베버의 견해에 따르면 유교적으로 조직된 사회에서는 친족결합의 유지를 통해 순수한 의미의 객관화(Versachlichung)가 부족하다는 것이다.[41] 친족결합은 그러나 현대 한국 사회에서-개인적 차원을 넘어선 합목적적인 객관화가 하나의 중요한 전제조건인-경제적이고 정치적인 조직형태들에서 나타나는 인간관계에 중요한 요소로 특징지워진다.

조상숭배 전개의 배경에는 친족결합적인 사회가 있는데 여기서 친족결합은 오로지 부계적으로 작용한다. 즉 아버지 쪽의 뿌리만이 의미를 갖는다. 친족의 결집은 오랜 세월 끊이지 않고 지속해서 성립되어왔고 친족 대표는 친족 내에서 대단한 위치를 차지했다. 조선시대에는 친족의 의미가 최소단위의 지역적 통치, 경제적 협력의 형태와 아울러 정치에 영향을 미

---

40) Metzger, Thomas(1983), "Max Weber's Analyse der konfuzianischen Tradition: Eine Kritik", in Wolfgang, Schluchter(Hrsg.), *Max Webers Studie über Konfuzianismus und Taoismus : Interpretation und Kritik*, Suhrkamp, 248-249쪽.
41) Weber(1920), 앞책, 528쪽.

치는 공동체에도 전적으로 온존되었었다. 베버가 분석했듯이 "친족의 결집과 그의 유지는 의심할 바 없이 온전히 조상숭배의 의미에서 기인한다."[42] 이로써 조상신의 힘에 대한 믿음, 즉 그들의 의례적이고 문학적으로 만들어진, 후손들의 조상신에게 비는 소망을 위한 중재자 역할이 한국 사회에서 커다란 의미를 갖는다는 것을 알 수 있다. 이 의식의 구체적 형태가 조상숭배의 의식, 즉 제사이다. 이 조상에 대한 효성은 결국 가부장적 권력을 강조하는 사회적 영향력을 갖는다.

현대 직업세계에서는 친족 결합에서 기인하는 지역성이 그 발현성을 갖는다. 공개적이지는 않으나마 채용에 있어서 몇몇 지역에 기반을 둔 기업에서는 출신지역과 출신가족이 일정한 정도로 영향력을 미치는 것이 그것이다. 나아가 기업창설자의 출신지도 직원채용 때에 영향력을 미치기도 하고 더욱이 임원선임 같은, 회사의 중요한 직원구성 때에는 출신지역이 상당한 정도의 영향력을 끼친다. 그래서 특정기업 또는 그룹에 특정지역 출신들이 대거 입사하거나 재직하는 현상을 어렵지 않게 예로 들 수 있다. 여기에는 특정지역의 역사적인 반목도 작용하지만 무엇보다도 이러한 경향의 근본원천은 친족후원의 전통에 있다고 하겠다. 조선시대에 친족이 과거시험 준비에 있어서 경제적으로뿐 아니라 정치적으로 측면 지원하고 중요한 관직에 고향사람들을 우선하여 추천하였던 전통이 이와 유사하다.

위와 같은 혈연 중심의 지역성으로 인해 이러한 방식으로 직원을 채용하는 대기업 등에서는 혈연적 효성에 끌어들여진 가족 내에서나 친족 관계에서 상호의존으로 표현되는 업무분위기가 형성된다. 그 본질상 이러한

---

42) Weber(1920), 앞책, 528쪽.

과정에서 친족의 친족구성원에 대한 권력행사는 확연하게 가부장적 성격을 갖는다.

유교적 규범에 의하면 사람들 사이에서 예의 범절이 가장 완벽하게 완성되는 것은 사람들이 나이와 각각의 위치에 맞게 하나의 서열 질서를 이룰 때이다. 이는 인간관계의 질서 규범의 틀 안에서 예의의 전통이, 이미 언급했던 위계구조에 그 기초를 갖는 것으로 규정되어 있기 때문이다. 가족적인 관계규범은 사회의 기본바탕으로 간주되었고 특히 자녀들의 부모에 대한 신의는 인간성을 재는 척도였다.

2. 위계적 유교 직업관과 경제윤리

1) 직업적 서열과 정신노동 우위적 가치관

조선시대에는 시대적 가치평가에 따라 네 가지 위계적으로 정렬된 직업군이 있었다. 첫째로 관리(이에는 아직 관직 없이 머물던 선비 층도 잠재적인 관리로서 속한다), 그 다음에 농민, 수공업자들 그리고 상인층이 그 순서다. 이 서열은 또한 상층부터 평민까지의 그 당시 사회 계층이기도 하다. 선비 층의 직업적 목표는 과거를 성공적으로 치른 후에 오르게 되는 고위 관리와 정치가로서의 경력으로의 진입이었다. 과거시험은 고전에 대한 엄청난 박식, 역사에 대한 해박한 지식, 그리고 시적이고 서예적인 능력이 전제된 것들이다. 선비 층은 어릴 때부터 이러한 경력을 위해 준비하고 학문적인 일에 집중하여 자신을 바쳤다. 많은 사람들(남성들)이 때로 아무 성공 없이 헛되이 과거시험을 여러 차례에 걸쳐 도전하였던 엄청난 경쟁이 지배했다. 문인 층의 남성들은 거의 전 생애동안 다른 직업에 종사하지 않고 오로지 이 경력을 위해 노력했다. 그와 병행하여 문인 층에 있어서 농사를 짓거나, 수공업자로서 또는 상인으로서 돈을 버는 행위는 수치로 간주되었다. 앞에서 언급한 대로 이는 설혹 과거시험 합격이 결국은 포기되어야 하고 가족 부양을 위해 아무런 해결책도 발견되지 않는 경우에도, 농업이나 장사 등의 직업은 품격 있는 사람을 지향한 유교적 이상에 위배되는 것으로 되어있다.

　일반적으로 양반층은 토지를 소유하고 있어서 이것으로 다른 생계를 위한 일을 특별히 하지 않고도 가족 부양이 가능했었다. 그러나 조선 후기 양반층의 급속한 확대의 결과로 조금의 토지도, 어떠한 다른 생계수단도 없는 많은 양반들이 있었다. 양반으로서 토지 없이 산다는 것은 아무 경제적 소득이 없는 것을 의미한다. 이러한 상황에서 가족생계를 위해 어떠한 일이라도 하도록 강제되었다고 추측할 수 있는데 이러한 급박한 상황에서조차 양반으로서의 명예를 다치지 않기 위해서는 육체적인 노동을 하면 안되었다. 유교윤리에 따라 권해지는 삶의 기본 관념에 의하면 선비는 현실의 일상생활을 초월할 수 있어야 했다. 왜냐하면 일상생활은 '대인(大人)', 즉 '군자'의 과제가 아니고, 이는 선비가 개입하지 않아야 할 '사소한 것', '쓰잘 데 없는 것'에 속하는 것으로 되어 있었기 때문이다. 공자의 다음과 같은 표현이 유교적 직업관을 매우 확실히 묘사한다. "귀인(貴人)은 정의를 아는 반면, 천인은 실용적인 것을 안다."이 문장이 의미하는 바를 해석해 보면 다음과 같다. 문인은 손이나 육체를 써서 하는 어떠한 일에도 상관하지 말고 정신적 자기완성을 위해 노력해야한다.

책과의 지속적 관계, 그와 관련된 능력, 시짓기 그리고 미래의 과제를 위한 정신적 능력의 획득 등이 존경받아야 될, 확대된 의미에서의 '직업'으로서 간주되었다. 이는 육체노동에 대한 낮은 평가의 근원적 근거라고 하겠다. 이는 또한 현대 한국에서의 그리도 극단적인 교육열의 원인으로 간주될 수 있다. 설혹 이 육체노동과 정신노동에 대한 기준들이 원래는 단지 양반층에 국한되어 적용되었던 것들이기는 하지만 이는 평민들에게도 확산되었고 따라서 문인 층, 즉 선비 층의 규범이 이상적 삶을 향해 일반적으로 통용되는 소망과 척도가 되었다. 여기서 유의해야할 것은 육체적인 것과 정신적인 것은 유교적 원리에 의해 매우 양극화되어 평가되었다는 점이다. 음양론에서 정신은 하늘(양)의 위치에, 육체는 땅(음)의 위치에 놓였다. 이 양극화는 또한 성별 분업에도 원용되었다.

2) 정신노동과 육체노동의 이분법: 성별차등화된 분업의 양극화

이러한 가치관을 기반으로 하여 성별 분업은 인류학적-여성학적 연구들에서[43] 시도된 바 있는 '자연/문화' 의 개념을 염두에 둘 때 그 방식으로 양극화되어 해석될 수 있다. 성별분업에 관한 분석들에서 결과적으로 볼 수 있는 것은, 노동이 우선은 여성의 임신, 출산 능력에 의해 나뉘어지고 그 과정에서 무엇보다도 '자연친화성' 이 하나의 결정적 요소로 강조되었

---

43) 특히 참고할 연구들은 다음과 같다. Rosaldo, M. & Lamphere, L. (ed., 1974), *Women, Culture and Society*, Stanford: Stanford University Press; Reiter, Rayna R.(ed., 1975), *Toward an Anthropology of Women*, New York: Monthly Review Press; MacCormack, C. P & Strathern, M.(ed., 1980), *Nature, Culture and Gender*, London: Cambridge University Press.

다. 집안으로 제한된 여성들의 활동(노동포함)은 낮게 평가되었는데, 무엇보다도 그 일이 한편으로는 항상 육체와 직접 연관된 일과 – 예를 들어 임신, 출산, 수유 등 –, 다른 한편으로는 육체적 노력을 요하는 일들일 때다. 예를 들어 모든 가사노동, 자녀양육, 조리, 세탁, 봉제, 방적 등. 이로 미루어 볼 때 어떤 일이 '자연'의 개념과 가까울수록 더욱 낮게 평가된다. 그와 대조적으로 '문화'를 지향한 정신적 활동은 높이 평가된다. 이러한 양극화에 상응하여 유교적 고전을 갖고 하는 학문적인 일은 가장 높은 수준의 일로 평가되었고 현대 한국 사회에서 이러한 평가는 정신적 노동에 대한 높은 평가로 미루어 여전히 유효하다고 할 수 있다.

3) 교육과 직업관

자기완성에 도달하기 위해, 즉 '군자'가 되기 위해 조선의 선비층은 끝없는 문헌적 수련을 해야했다. 조선시대에는 교육을 통해, 그리고 그를 통한 과거시험을 통해 획득된 관직의 질이 한 사람의 사회적 위치를 결정했다. 이것이 의미하는 바는 조선이 중국과 마찬가지로 문헌적 교육 수련을 사회적 지위의 척도로 만든 나라였다는 사실이다. 문헌적으로 이루어진 문화는 그의 최종 목표를 지성(知性)에 두는데, 사람들은 이렇게 얻어진 지성으로 백성들의 복지를 정치적으로 보장받을 수 있다고 믿었다. 문헌적 교육은 무엇보다도 문자 중심의 지식을 의미했고 그로써 잘사는 가족의 남성들의 사회적 위치가 성립하였다.

선비들과 그들의 제자들은 과거시험을 통해서 관직을 둘러싸고 경쟁을 벌였고 그러면서 권력과 경제적 지위를 얻기위해 기회를 찾았다. 이러한 배경에서 교육내용과 교육의 목적을 바탕으로 하여 군부(軍部)층을 문부(文部)층과 같은 차원으로 놓고 평가하지 않고 일정한 정도로 낮게 평가하였다. 직업에 대한 평가는 현대 한국 사회에까지도 이 전통과 깊숙히 연관되어 나타난다.

이러한 문화화 교육(Pädagogik der Kultivierung)의 목표는 '고귀한 인간(군자)'에 대한 이상에서 볼 수 있는 것과 마찬가지로 한 인간을 특정한 내적, 그리고 외적 삶의 방향으로 계발하는데 있다. 과거시험은 한 사람에 대해 문헌적으로 계발된 정도에 대한 높은 가치척도와 그의 결과로 나타나는, 고귀한 인간에 적합한 사고방식을 요구한다. 문헌적 교육은, 한편으로는 순수하게 문학적이고 철학적이었고, 다른 한편으로는 정통적으로 해석된 고전들의 확고한 규범들에 연결되어 있었다. 이에 따라서 교육은 우선 서적의 내용에 의존적이었다. 베버는 이 순수하게 문헌적인 교육이 유교에 군인적인 것 대신 평화적인 성격을 부여한다고 해석한다. 이와 관련하여 짐작할 수 있는 것은 전통적인 교육의 성격과 유교적 사고방식이 한국 사람들로 하여금 군부(軍部)에 대하여 낮게 평가하는 계기의 하나가 되었다는 점이다. 더 나아가 이러한 경향이 현대 한국에서 많은 수의 학생들이 자연계보다 인문계의 전공을 선호하는 데 영향을 미쳐왔다.

4) '기능인 정신' 아닌 면학성

베버는 그의 저서에서 여러 번에 걸쳐 공자의 유명한 발언 – '군자는 도구가 아니다' – 을 인용하면서 이를 유교적 전통에 상응하여 행해지는, 신분에 맞는 생활태도와 문헌적 교육에 적당한 자기정립을 위협하는 위험이 등장할 수도 있는, 전공관련적인 전문화와 프로급의 기능 전문가형에 대한 거부로 해석한다. 베버의 해석을 계속 따라가 보면 자기완성을 위한 노력이 기능적인 전문지식의 종류와 얼마나 거리가 먼 것인가가 분명해진다.

> …전문인(기능인)은 그러나 유학자들에게는 또한 그들의 사회실리적 가치를 통해 정말 긍정적인 가치와 품위로 끌어올릴 수 있지 않았다. 왜냐하면… '품위 있는 사람(군자)' …은 그의 세계순응적인 자기완성에 있어서 하나의 마지막 자기목표였고, 어떠한 종류에서이건 즉물적인 목적을 위한 수단이 아니었기 때문이다. 유교적 윤리의 이 핵심 문장은 전공전문화, 현대적인 전공범주적 관료주의(Fachbürokratie) 그리고 전공 교육훈련(Fachschulung), 무엇보다도 돈벌이를 위한 경제적 교육훈련 등을 거부한다.[44]

이 견해에 동의하면서 베버-쉐퍼(Weber-Schäfer)는, 자신의 삶의 형태를 '품위있는 인간(군자)'에 목표를 두는 유학자에게는, 이상적인 신분적 삶의 태도와 교육이 유교의 특성에 의해 특징지워지는 한에서는 실질적으로 사용가능한 전문지식을 향해 자신을 이끄는 것은 적합치 않았을 것이라고 논증한다.

유교의 지적 지위가 형이상학적 정신태도로 특징지워지기 때문에 분업적인 전문기능지식은 논외였다. 유교적 교육은 그로부터 얻어진 세계경험을 보다 높은 수준에서-예를 들어 정치에-사용할 수 있기 위해 반복적인 독서와 그와 연관된, 계속 더 높은 의식태도를 통해 이루어졌다. 유교적으로 교육받은 군자는 원저자들의 교훈에 대한 철저한 학습을 통해 얻

---

44) Weber (1920), 앞책, 532쪽.

을 수 있는 예의 미덕의 모범이 되고 또 자신의 삶의 태도를 이 학습에 상응하는 교육 이상에 맞추기 위해 노력했다.

프랑케(Herbert Franke)는 그러나 베버의 해석 – 전공인정신(Fachmenschentum)에 대한 단념/거부 – 에 대해 문헌적 교육을 통한 지식도 일종의 전문가정신(Expertentum)으로 인정되어야 한다고 주장한다. 그는 논의하기를:

> "비록 일반적 통치사무의 대변자로서의 유교적 관리들의 '전공(Fach)'이 그 어떤 특별규율은 아니었다고 하더라도, 더 높은 수준으로 발달된 사회에서와 마찬가지로 경제에 있어서 농업적으로 규정된 사회에서 전공적 사고와 전공지식을 그렇게(베버가 해석한 대로) 완전히 포기/단념할 수는 없었다."

유교적 지식으로써 정치와 국가관리로의 통로는 보장되었었다. 이러한 의미에서 고위 관리직의 유학자는 한 사람의 전문가로 평가될 수도 있다. 그러나 베버와 베버-쉐퍼의 견해에서 쟁점이 되는 것은, 경제적 목적과 직접 연관된, 실질적으로 이용 가능한 '전공인정신'이다. 그렇기 때문에 유교적 지식과 그의 소유자는 기능의 의미로서의 '전공지식' 내지는 '전공인'으로서 지칭될 수 없다.

유교적 교육의 독특성을 살펴볼 때 짐작할 수 있는 것은, 부(富)가 교육을 위한 중요한 전제조건 중 하나였고 덕망있고 가치있게 살기 위한, 그리고 자신을 자기완성에 바칠 수 있기 위한 것이었다는 것이다. 이 맥락에서 공자의 '사람들을 더 낫게 하기위해 부(富)를 이루어라'고 한 대답을 주의할 필요가 있는데, 여기서 전제될 것은 이것이 지나친 부에 대한 지지로 이해되어서는 안된다는 점이다. 즉, 부는 가치있고 품격있는 삶을 위해 중요한 것일 뿐, 부에 대한 탐욕을 추구하는 것은 품위있는 사람에게는 일종의 수치라고 이해되어야 한다는 점이다. 이러한 의미에서 실제로 오직 부를 향한 직업종류는 속물적인 '전공정신'으로 간주되었다. 이러한 부에 대한 관념은, 비록 밖으로 표현되어 이야기되지는 않더라도 현대 한국에서도 여전히 유용하다. 어떤 사람이 예를 들어 장사나 어떤 사업을 통해 성공했을 때, 그가 자동적으로 존경받거나 귀히 여겨지지 않고 오히려 혹 그 부가 일종의 불명예스러운 방법으로 이루어진 것은 아닌가 의심스럽게 질문하게 된다.

이러한 부와 전문성에 대한 관념은, 설혹 현대 한국에서 자본주의적 가치관과 특히 산업화 과정에서 국제경쟁에 있어 독자적 기술력을 갖추기 위해 자연과학을 국가 차원에서 적극 후원했던 점을 어느 정도 유보를 갖고 생각하더라도 조선시대나 현대 한국 사회에서나 마찬가지로 강력한 반향을 가졌다.

3. 산업화 과정에서의 유교적 가부장주의

1) 유교적 사회 의식과 생활세계적 일상

사회의식이나 사회의 지식이 어떠한 방식으로 체계적인 이데올로기로 형성되는가에 관한 연구는 지식사회학의 중요한 과제다. 알뛰세(Louis Althusser)의 서술에 의하면 사회의식의 형태는 상부구조 형성의 기초인 하부구조의 물질적인 토대로부터 조건지워 지는데 현대사회에서는 주로 자본주의적 경제체계로서 특징지워진다. 이데올로기가 형성되고 기능하는 사회적인 환경은 두 범주로 분류된다: 하나는 공적 범주인 정치, 법체계 그리고 학문과 예술을 포함한 문화의 범주이고 다른 하나는 비공적인 범주, 즉 일상의 세계, 생활세계이다. 일상적인 범주에서의 의식은 예를 들어 가치관, 사고방식 또는 신앙을 표현한다.

국가가 산업화 과정에서 권위를 강하게 행사하고 그 기능을 관철시키면 일상적인 의식이 공적인 범주의 이데올로기의 형태로 목적 지향적으로 체계화되는 경향을 보인다. 한국의 산업화 과정에서 이러한 경향을 띠면서 등장한 이데올로기 중 지배적인 것은 반공주의, 민족주의, 발전-, 안정-, 지역이데올로기와 민주화-, 민중이데올로기 등이다.[45] 이들 이데올로기와 사회의식 들 간의 상호 작용과 후원 내지 상승작용은 위의 〈표1〉과 같이 해석될 수 있다.

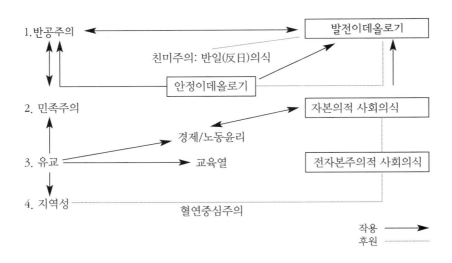

〈그림 1〉 산업화 과정에서 나타난 이데올로기와 사회의식 간의 작용과 후원

위의 도표에서 이탤릭체로 쓴 경제/노동윤리, 교육열 그리고 혈연중심주의가 유교적 가부장주의의 사회의식적 산물이라고 할 수 있다. 위에 언급한 이데올로기 중에서 외연적인 반공주의와, 겉으로 드러나지는 않고 오히려 전자본주의적 사회의식으로 분류될만한 유교는 한국의 산업화 과정에서 지배적인 위치를 차지하고 그에 걸맞게 커다란 영향력을 발휘해왔다. 많은 발전이론가들이 자주 지적한 바와 같이,[46] 그래서 이미 공인된 바와 같이 한국 정부는 산업화 과정에서 거대한 국가권력을 발휘했다. 정치적이고 법적인 권력행사의 도움을 받아 형성된 이데올로기들은 사회구성원들의 사회적 의식으로부터 일상의 차원에까지 영향력을 미쳤다. 이로써 알 수 있는 것은 자본주의적 생산관계가 전자본주의적 생산양식의 우위에 올라 자본주의적 산업화가 제대로 추진되자마자 봉건사회적인 관계의 잔재는 사라진다는 추정이 일반적인 것과는 대조적으로 한국에서는 유교적 사고체계가 산업화와 더불어 사라지지 않았다는 사실이다. 오히려 그와는 반대로 권위적인 국가와 군사정권의 권력행사로 유교적 사고체계는 매우 교묘한 방식으로 재활성화되었고, 재정비되었으며 따라서 강화되었다.

---

45) 임영일 (1991), "한국 사회의 지배이데올로기", 『한국 사회와 지배이데올로기 – 지식사회학적 이해 –』, 한국산업 사회연구회(편). 74쪽.
46) 예를 들어 시모니즈는 "강력한 국가없이는 성공적인 발전으로의 길은 논외이다" 라고 역설하였고 멘젤은 한국과 대만을 성공적인, 그러면서도 과도한 발전독재자의 사례들의 예로 들면서 "그들의 경우 국가가 거의 전능한(omnipotent)역할을 하였다"고 지적하였다. Simonis, G.(1981), *Der Staat im Entwicklungsprozeß päripherer Gesellschaften–Die Schwellenländer im internationalen System*, Habilitationsschrift (Konstanz), 206쪽. Menzel, U. (1985), 앞 책, 20쪽.

2) 산업화에 영향을 끼친 유교적 덕목

　유교적 질서가 지배하는 사회에서는 개인이 아닌 가족이 사회공동체의 가장 작은 기본 단위였다. 부자 관계로부터 출발하는, 인간관계의 위계화는 혈족집단과 마을의 생활공동체를 거쳐 국가에 이르기까지 확산된다. 여기서 기인하는 권위와 지배의 관계는 한국 사회질서의 특성을 이루는 것으로 간주된다. 이러한 맥락에서 국가는 확대된 의미에서의 혈족집단(Sippe)[47] 내지는 가족으로 해석할 수 있다. 여기서 주목할 만한 사실은 유교적으로 특징지워지는 사회에서는, 서구에서 시민계층이 봉건적 절대주의 신분국가에 대항한 투쟁에서 획득한 것과 같은, 국가와 사회 간의 명확한 구분이 추구되지 않는다는 점이다.[48] 유교적인 해석에 의하면 국가의 과제는, 각 사회구성원이 사회적인 위치를 갖고 그에 따라 행동하는 사회 내에서의 전통적이고 조화로운 관계의 지속을 보장해 주는 데에 있다.

　봉건영주적이고 도의지향적이며 또한 반공주의적인 사회윤리와 통치이데올로기는 박정희 대통령의 집권 중반부에 유신을 통해서 직접적인 국가 이데올로기로 널리 확산되었다. 이미 군사정권 초기부터 한국화된 민주화

---

47) 여기서 사용한 용어인 Sippe는 베버로부터 차용한 것으로 원래는 대가족이나 친척의 범주를 가리킨다. 이는 인류학에서 사용하는 clan이나 lineage의 의미(vgl. Eberhard, Wolfram (1983), *"Die institutionelle Analyse des vormodernen China. Eine Einschätzung von Max Weber's Ansatz"*, 84쪽, in *Max Webers Studie über Konfuzianismus und Taoismus: Interpretation und Kritik*.)와 Stammesgesellschaft 논의에서 하버마스가 사용한 Stamm의 의미가 함축된 용어로 간주하여 여기서는 Sippe를 그대로 사용한다. vgl. Habermas, J. (1988), 앞책, 253쪽.

48) Hwang, Byung-Duk (1989), *Nachholende Industrialisierung und autoritärer Staat*, Dissertation (Universität Berlin), 182쪽.

의 구상으로 후에 이어질 유신의 초석을 놓았고 그로써, '서구적인 형태로서의 민주주의가 무기력하다고 판정된다면 오로지 권위적인 통치형태만이 산업화와 민주화라는 급박하고도 민족적인 과업을 이룩할 수 있다'고 하는 합리화를 제공했다. 이 구상으로써 서구의 자유주의적인 민주주의의 상(像)은 전통으로의 숙고를 통해, 일시적으로 역기능적일 뿐만 아니라 고유한 전통에 대항하여 서있고 지속적으로 고유의 문화에 부적합한 것으로 묘사되었다. 한국화된 민주주의의 구상에서는 유교적인 도덕에 대한 경의가 부각되었고, 강조되었으며, 요구되었다. 또한 이를 통해 국가권력에 대한 충성이 요구되었다. 이 국가에 대한 충성은 부모에 대한 효성과 직접적으로 연결시켜졌고 그럼으로써 설득력있어 보이는 미덕으로 내세워졌다. 이 과정을 살펴보면 어떻게 국가적인 차원에서 형성된 이데올로기가 사회의식과 함께 일상생활에서 상관관계를 가지고 서로 상호작용하는가를 알 수 있다. 민족적인 과업으로서의 경제적인 민족주의가 군의 고위 간부들, 자본가들 그리고 관료들로 하여금 노동운동을 총체적으로 억압하는데 중요한 이데올로기로 작용해왔다는 점은 주지의 사실이다.

산업화 과정에서 권위적인 국가는 기업가와 신중산층을 후원하기 위해 발전이데올로기를 반공주의와 결합시켰다. 개인의 정치적이고 사회적인 권리는 산업화는 나라와 민족의 가장 급박한 과업이라는 슬로건 아래 묻혔다. 국가의 강제가 유교적 미덕을 내세워 합법화될 수 있고 개인적인 삶이 이러한 환경에 귀속되는 한에서는 여성들의 역할도 저임금의 노동자로서 또는 노동력 재생산의 책임을 지는 어머니와 아내로서의 역할로 제한적일 수 밖에 없다. 이러한 의미에서 발전이데올로기의 후원을 받아 재활성화된 유교적 가부장주의는 베어와 클라웁스키가 정의한 '국가적이고 가족적인 이차 가부장주의'[49]의 독특한 전형이라고 하겠다. 이는 다시 말하자면 봉건사회의 가족윤리와 현대사회의 국가윤리가 역사적인 거리를 뛰어넘어 결합하고 변형된 형태를 보여준다고 할 수 있으며 이 점에서 여성학적 사회비판의 관심을 불러일으키는 중요한 단초가 된다.

3) 교육열과 산업화와의 관계

앞의 그림에서 살펴본 바 같이 교육과 교육열은 유교적 전통에서는 사회 유지와 사회 변동를 위해서 필요한 기본적인 요소이다. 우리 사회의 전통적으로 높은 교육열은, 교육이 갖는 신분상승의 수단으로서의 일차적인 사회 기능 뿐 아니라 지금까지의 역사에서 보여주듯이 학연과 엘리트 의식의 결합으로서의 특징을 갖고 있다. 한국에서 '못배워 먹은 놈'이라든가 '무식쟁이' 라는 욕은 당사자 개인에 대한 모욕 뿐 아니라 집안 전체의 명예에 누를 끼치는 욕에 해당된다. 왜냐하면 유교 문화에서 교육은 단순히 지식 습득의 학교교육 만을 뜻하는 것이 아니고 전체적인 인간의 이상을 향한 인간으로서의 예(禮)의 전수까지도 포괄하는 활동이기 때문이다.

한국에서의 높은 교육열에 대한 이해는 교육과 연관된 유교적인 가치관의 발달을 되돌아보고 이러한 연관성의 설명이 우선되어야 가능하다. 왜 한국 사람들의 삶의 여정에 있어서 교육이 이토록 중요한가를 유교와 연

---

49) Beer, U./Chlaupsky, J. (1993), "Vom Realsozialismus zum Privatkapitalismus. Formierungstendenzen im Geschlechterverhältnis", 184–230쪽. in Aulenbacher, B/Goldmann, M. (Hrsg.), *Transformationen im Geschlechterverhältnis*, Frankfurt a. M.: Campus.

관하여 이해하자면 두가지 서로 결합된 가치관을 살펴보는 것이 유용하다. 원천적으로 유교적 교육의 목적은 자기완성과 군자가 되는 것으로, 이는 유교적 가르침에 대한, 평생에 걸쳐 수행되는 문헌적인 학습과 훈련을 요구했다. 다만 이렇게 해야만 인간의 가장 높은 이상을 실현할 수 있다고 믿었다. 교육에 높은 가치를 두는 또 하나의 이유는 현실적인 성격을 띠는데, 다름 아닌 조선 시대를 관통하여 통용된 과거시험과 그와 연관된 직업적인 서열에 관한 가치관이다. 이 과거시험을 통해서만이 그 시절 직업적으로 가장 높은 지위를 차지하던 각료와 관리가 될 수 있었다. 반면 상업, 수공업에 종사하는 이, 그리고 의사들은 그 다음 서열이었다. 오로지 이 과거시험을 통해서만 지위의 상승이 가능했는데, 생계를 스스로 해결해야 했던 사람들에게는 이를 통해서 사회적인 지위 상승을 꾀한다는 것은 학문적인 준비의 엄청난 부담으로 인해 거의 불가능했다. 이러한 역사적인 배경 때문에 다음과 같은 주장이 설득력 있다[50] : 전통적인 아시아의 유교는, 그 안에서 교육이 사회적 성공의 결정적인 중요성을 갖는, 사회적이고 정치적인 위계를 가진 통치원리였다.

　이 전통은 동아시아에서 아직도 매우 끈질기게 나타난다. 비록 유교적인 문헌중심의 교육이 추구하던 인간이상을 위한 미덕이 더 이상 전면에 서지는 못한다고 하더라도 현대 한국 사회에서 교육은 여전히 높이 평가받는 위치를 갖는데 이는 확장된 의미에서의 유교적 전통을 아직도 전수하고 있는 것으로 보인다. 왜냐하면 아직도 적용되는 직업적 서열과 정신노동 대 육체노동의 대비, 최고 교육기관 졸업생의 높은 비율이 유교적인

---

50) Park, Sung-Jo (1985), "The Importance of Europe for the Future of Asia", 127쪽. in Park, Sung-Jo (Hrsg.), *The 21st Century-The Asian Century?*.

사고방식의 재현으로 보여지고 있고, 학연을 통한 연결망의 효력이 그 영향력을 크게 미치는 사회적 현상으로부터 확장된 의미의 혈족연대성의 지속을 읽어낼 수 있기 때문이다.

한국의 성공적인 산업화를 분석한 발전이론가들의 견해에 따르지 않더라도 알 수 있는 바는 높은 교육열이 산업화를 가속화하는데 중요한 추진력이 되어왔다는 사실이다. 교육수준이 높다는 것은 산업화에 필수적인 고급노동력이 그만큼 많이 배출되는 것을 의미하기 때문이다. 높은 교육수준과 관련해서 60년대 이후 국가의 교육정책이, 한편으로는 노동자의 질적 수준의 측면에서, 다른 한편으로는 직업관 변화의 측면에서 살펴볼 만 하다.

계획경제적 산업화의 시작과 함께 한국은 노동력의 질을 높이기 위해서, 그리고 기술적인 전제조건을 창출해내기 위해서 기술정책과 인력정책을 펴나갔다. 국가의 교육/훈련 정책의 목적은 산업적으로 숙련된 고급노동자를 통해 숙련노동자의 부족을 메꾸기 위한 데 있었다. 그래서 기술고등학교의 수가 급격하게 많아지고 훈련체계(기술훈련원 등의 기관)가 제도화되었다. 그리고 60년대 후반에는 외국의 기술을 받아들이고 적용하고 개선하고 결국에 가서는 자체적으로 신기술을 개발할 수 있기 위해 고급두뇌의 자연과학자와 기술자를 양성하기 위한 국립기관들이 설립되었다. 전통적인 유교적 직업관의 영향을 받아 전통적으로 상대적 우위를 점했던 인문과학과 사회과학의 전공들에 비해 그리 높은 평가를 받지 못했던 자연과학적인 학과들이 국가적 차원의 지원을 받아 점차 괄목할만한 가치인정을 획득하게 되었다.

이상에서 살펴본 유교적 가부장주의와 산업화와의 상호작용은 구체적으로 유교적 경제/노동윤리의 작용 기재를 분석하거나 노동시장에서의 성별분업에 대한 연구, 그리고 기업내부 또는 노동과정에서의 성별위계적 분업과 인간관계 질서규범이 어떻게 여성들을 일터로부터 배제하는가 등을 연구하는데 중요한 단초를 제공한다. 기업 내의 차원에서는 유교적인 또는 전통적인 인간관계 질서규범이 유교적 덕목들—이를테면 효가 바탕이 된 충성심이나 신의, 신의에 대한 배려, 친족유대성, 조화의 유지 등—을 중심으로 해서 위계적이고 성별분리적인 문화를 만들어낸다. 이러한 기업내부의 문화 외에도 노동 외적인 차원에서 살펴볼 때 여성의 역할과 활동범주를 사적인 범주로 제한하는데 있어서 유교적인 남녀유별의 이분법이 아직도 폭넓게 통용되고 있으며 노동시장으로 유입하는데 있어서 중요한 자격요건을 형성해주는 교육 수혜의 기회, 그리고 전공과목 선택에 있어서의 성별분리적 관념 등이 전체 사회에서의 양성관계에 영향을 끼치는 요소들이다. 이러한 관점에서 볼 때 유교적인 성별분리의 이분법은 여성의 조건들이 자연친화성을 형성하는 것으로 간주되어온 관념때문이라는 폰 베얼호프의 지적[51]에 의거하지 않더라도 그동안 여성학계에서 논의의 초점이 되었던 자연/문화, 정신노동/육체노동 등의 논쟁을 정리하는데 있어 충분히 현실적인 논거를 제공해준다고도 할 수 있다.

자본주의적 구조가 노동과정에서 보여주는 위계적인 구조적 특징 때문에 조직 내의 위계적인 문화 형성의 원인을 또한 온전히 유교적인 사고방식에서만 찾는 데는 논란의 여지가 있고 서구의 여성학에서도 남성들 간의 연대가 주요 이슈[52]로 다루어지고 있는 상황이지만 한국의 양성관계의

---

51) von Wehrhof, Claudia (1983), "Zum Natur und Gesellschaftsbegriff im Kapitalismus", 142쪽, in v. Werlhof, C./Mies, M. (Hrsg., 1988, 2te Auflage), *Frauen, die letzte Kolonie*, Reinbek bei Hamburg: Rowohlt.

위계적인 구조는 그 문화적인 기반의 상당히 큰 부분을 유교적 가부장주의의 발현에서 찾을 수 있다.

---

52) Kreisky, E (1995), "Der Stoff, aus dem die Staaten sind. Zur männerbündischen Fundierung politischer Ordnung", in Becker-Schmitt, R./Knapp, G. (Hrsg., 1995), *Das Geschlechterverhaltnis als Gegenstand der Sozialwissenschaften*, Frankfurt a. M.: Campus.

3장 · 근대의 경계에 선 여성의 대자적 자아

한국 근대화 과정의 그림자에 가려진 주변에서 여성은 근대 남성주체의 즉자적 자아(an Sich)에 대비되는 대자적 자아(für Sich)로 존재해왔다. 이러한 존재의 대비적 관계 형성은 근본적으로 오랜 세월 한국인의 의식을 지배해온 유교적 질서가 현대 한국 사회의 자본주의적 본질과 맞닿으면서 그 기본적인 틀을 마련하는 데 기여해왔다. 또한 결과론적으로 볼 때 유교적 가부장주의는 자본주의와 만나면서 서로 대비되는 자아 형성의 원형을 구성해왔다.

유교적 가부장주의가 현대 한국 사회의 양성관계에 표출되고 작동되는 방식을 이해하려면 우선 유교적 사회윤리가 절대적인 규범으로 통용되던 시대와는 달리 근본적으로 생산양식의 변화를 가져온 자본주의라는 역사적 과정과 그 중 특히 60년대 이후의 산업화 과정이라는 커다란 틀이 유교적 가부장주의와 어떻게 충돌하고 결합하는가를 밝혀내는 것이 중요하다. 이의 전제로서 유교적 가부장주의가 어느 정도로 유교적 합리주의를 포함하는가도 밝혀야할 점이다.

1. 유교적 합리주의와 자본주의 간의 충돌과 화해

1) 권위적 국가의 등장–국가 가부장주의의 부활

60년대 이후의 산업화 과정에서 권위적 국가의 전면적인 부상(浮上)은 주지의 사실인데 여기서 주목할 점은 권위적 국가의 등장이, 통상적으로 자본주의적 체계가 확립되는 산업화 과정을 통해 획득하게 되는 합리적 사회의식과 근대적 개인주의 사고방식, 생활양식과는 일정한 거리를 둔 사회의식이 형성되고 확산되는 데 토대가 되었다는 점이다.

베버는 '프로테스탄트 윤리와 자본주의 정신'에서 근대 자본주의 사회를 특징짓고 있는 합리적인 생활양식을 주요 분석대상으로 삼았다. 권위적 국가의 등장을 가능케한 유교적 배경에 대해서 여러 연구[53]에서 밝혀지고 있듯이 충성으로 표현되는 공순(恭順 *Pietät*)이 기본적인 바탕요소이다. 다음의 지적은 가족차원의 공순인 효가 어떻게 가족효성으로부터 사회적인 차원으로 넘어가는지 잘 보여준다.

> 봉건영주에 대한 공순은 부모, 스승 및 관직 서열에서의 장과 관리 일반에 대한 공순과 더불어 받들어졌다. 왜냐하면 그들 모두에 대하여, 효는 원칙상 동일한 성격을 지니고 있었기 때문이다. 사실상 봉건적 충성은 관리들 내에서의 후원관계로 옮겨졌다. 그리고 충성의 근본적인 성격은 봉건적이 아니라 가부장적이었다. 부모에 대한 자식의 무제한적인 효행은 부단히 가르쳐진 바와 같이 모든 덕 중에서 절대적으로 근본적인 것이었다. 그것이 다른 덕들과 상충될 때에는 다른 덕들보다 우선시 되었다. … 효가 모든 복종관계에 전용되는 가산제 국

---

53) 독일에서 이루어진 대표적인 연구로는 Hwang (1989)의 앞 논문을 들 수 있다.

가에서는, 효를 그 밖의 모든 덕이 파생되는 덕으로 여겼으며 따라서 관리가 그러한 효를 지니는 것은 관료제의 가장 중요한 신분상의 의무, 즉 무조건적인 규율의 이행을 실증하고 보증하는 것이라고 간주하는 것은 상당히 이해할만한 사항이다.[54]

이러한 베버의 기술에서도 알 수 있듯이 동양의 유교권 국가에서는 국가 통치권자가 곧 군주로 인식되어왔는데 오륜에 명시된 인간관계 중에서 군주의 서열이 가장 높기 때문이다. 근대국가의 출현 이후에도 이러한 기본적인 구도는 크게 바뀌지 않았다. '국가 가부장'[55]이라고 칭할 수 있을 정도로 권위적 국가의 등장에는 불안정한 정치적 상황도 비중있게 작용했지만 유교적 전통도 크게 작용했다. 서구의 개인주의적 사고방식과 비교해 볼 때 동아시아에서 유교적 전통은 국가로 하여금 상대적으로 커다란 권위행사를 가능케했다. 그렇다면 한국의 산업화 과정에서 나타나는 위계적 성별분업 현상에는 서구의 개인주의적 전통에 뿌리를 둔 자본주의 논리와 유교적 가부장주의의 윤리가 어떻게 결합되어 나타나는 것인가 하는 의문이 제기된다. 이러한 의문에는 산업화 과정에서 유교적 가부장주의가 재활성화했다는 점이 전제된다.

이와 같은 맥락에서 한국 60년대 이후 권위적 국가의 등장은 산업화의 성격을 규정하는 두드러진 특징 중 괄목할만한 것이다. 문화해석적 시각에서 보면 권위적 국가의 등장과 지배는 한국 사회에서 산업화의 전제조건과는 서로 상반되는 사회의식이 발전되는 쪽으로 몰고 갔다. 권위적 국

---

54) Weber (1920a), 앞책, 231쪽.
55) 이에 관한 논의는 다음의 글에서 참조할 수 있다. Kreisky, Eva (1995), 앞글.

가 자체가, 한편으로는 당시 처했던 정치적 상황의 한정된 발전잠재력을 바탕으로, 다른 한편으로는 서구의 개인주의적 사고체계와 비교하여 볼 때 국가로 하여금 상대적으로 커다란 권위를 행사할 수 있도록 한 유교적 전통의 배경 하에 성립될 수 있었다. 후발 산업화 기간 동안의 권위적 국가의 등장은 이와 같이 동아시아 중진발전국가들에서 공통적으로 나타나는 현상으로 파악할 수 있다.

2) 합리주의를 매개로 결합된 근대와 유교문화

발전이론에서 기본적으로 사용되는 발전과 저발전의 개념을 베버 식의 해석에 의거해서 찾아보면 다음과 같이 정리될 수 있다: 발전된 사회는 '자본주의적'이고 따라서 '합리적'이고 '근대적'이다. 그와 반대로 '저발전된' 사회는 '전(前)산업적'이고 따라서 '비합리적', '전통적' 또는 '원시적'이기까지 하다.[56] 이 논제를 따라가면 자본주의적인 발전의 맥락에서 '합리주의'와 '전통주의'에 대한 논의가 필요하게 된다. 발전이론에 따르면 개발도상국에서의 서구 문화의 결손은 저발전을 야기한다. 문화와 발전의 종합적인 영향과 설명의 연관성은 기본적으로 베버의, 전통주의와 합리주의 간의 구분에서 비롯된다. 베버에 따르면 사회적 행위의 합리화는 자본주의의 기본 조건이다. 다시 말하자면 합목적적 행위는 자본주의

---

56) 동아시아의 중진국들의 등장으로 뚜렷해진 것은 이러한 도식이 한국을 비롯한 몇몇 나라들에 서는 통용되기 어렵다는 점이다. Menzel/Senghaas (1985), "Indikatoren zur Bestimmung von Schwellenlandern; Ein Vorschlag zur Operierung", 22쪽, in Nuscheler (Hrsg., 1985), *Dritte Welt-Forschung. Entwicklungstheorie und Entwicklungspolitik.*

의 계기를 마련한다.[57] 이 설명에 따르면 자본주의는 합리주의의 기초 위에 성립하고 발전하며 따라서 자본주의는 추구된 합리화의 하나의 결과물이다. 즉 "결국 끝에 가서 자본주의를 달성해 내는 것은 합리적인 지속운영, 합리적인 회계, 합리적인 기술, 합리적인 정신, 인생살이의 합리화, 합리적인 경제윤리 등이다."[58] 이러한 시각에 따르면 자본주의는 전통주의와 대치되어 있는 개념이다. 따라서 "자본주의 정신이 특정한, 우선적으로 윤리의 형태로, 규범에 연관된 삶의 방식의 의미에서 싸우는 적은 전통주의로 지칭할 수 있는, 예의 감정과 처신의 형태로 남는다."[59]

베버의 이러한 도식에 의하면 전통주의는 합리주의와, 그리고 동시에 자본주의와 대치되어 있다. 여기서 베버가 프로테스탄트적인 합리주의를 '세계정복의(die Beherrschung der Welt)' 합리주의로, 유교적 합리주의를 '세계에의 적응(die Anpassung an die Welt)'의 합리주의로 구분하여 대치시킨 점을 상기할 필요가 있다. 비록 각기 다른 합리화의 형태를 갖더라도 이로 인해 유교가 은폐된 방식으로 일종의 합리주의를 내포하고 있다는 점을 추정할 수 있다. 베버의 서술에는 "유교적 합리주의적 윤리가 내면세계적 경제의 합리주의를 끝까지 관철한다고 한다면"[60]이라는 유보가 함축되어 있다. 베버는 원래 이 가능성을 단지 개신교적 합리적 윤리에서만 보았는데, 그러나 좀더 확장된 의미에서 본다면 유교적 윤리로부터도 경제적 합리주의의 맹아가 싹틀 가능성을 볼 수 있다고 가정할 수 있다. 이 가정에 대한 증명은, 6, 70년대 한국 사회 산업과 과정에서 베버가

---

57) Weber (1921), 앞책 12쪽.
58) Weber (1920; 1981:6te Auflage), 앞책, 360쪽.
59) Weber (1920; 1981:6te Auflage), 앞책, 49쪽.
60) Weber (1920), 앞책 534쪽.

자본주의로의 가능성의 확증으로 지적했던 바, 산업화를 위한 중요한 추진력이었던 거대한 노동력 투입과 일에 대한 열정, 그리고 프로테스탄트적 경제윤리의 핵심이었던 저축에 대한 강박으로부터 찾아볼 수 있다. 이러한 맥락에서 황병덕은 다음과 같이 유교적인 경제/직업윤리의 출현을 서술하고 있다.

> …저개발(여기서는 후발 산업화의 폭넓은 의미로 해석할 수 있음)을 오로지 전통적인 비합리성에 돌려야한다는 설명은 타당하지 않다. 그 이유는 다음과 같다: 유교적 사고방식이 적어도 일본의 경우를 통해 보여주는 바에서 알 수 있듯이, 서구의 세계정복의 합리성만이 생산력 향상을 위해 유일하게 고려될 수 있는 요소가 아니다. 이를 넘어서 경제와 유교적 조건들이 특수한 노동윤리 간의 관계를 표출한다. 현대적인 것과 전통적인 것 간의 접속관계는 여러 가지 다른 표출양식을 통해 나타날 수 있다.[61]

이로써 그가 지적하고자 했던 사실은, 80년대 발전이론에서 행하던 가설−비서구적인 문화들이 산업화 과정에서 극복하기 힘든 발전저해적 역할을 할 것이라는 일반화−이 적어도 동남아 몇 개 국가와 한국 사회에는 그대로 수용될 수 없다는 점이다. 그러면 여기서 이러한 지적이 타당한지 살펴보기로 한다.

---

61) Hwang (1989), 앞 논문, 166쪽.

2. 발전은 항상 전통이라는 사슬로부터의 해방을 의미하는가?

문화적 전통의 연관 하에 소위 발전도상국가의 산업화의 전제조건을 찾는데 있어서 발전이론가들은 베버에 의거하여 다음과 같은 논제를 세운 바 있다:

> 해당 사회들이 정체나 퇴행으로 기울기 때문에 생산성, 사회적 상호작용, 동기, 그리고 소통, 역동성 들은 그에 준하여 저개발된다. 현대화는 오로지 발전도상의 사회들이 지체시키는 전통의 사슬로부터 해방되어야만 도달될 수 있다. 전략적인 귀결로서 경제적, 사회적 그리고 정치적 맥락에서의 저발전의 극복은 발전된 서구국가들로부터 개발도상국으로 향하는 현대적인 것의 이식과 대체를 통해서 이루어질 수 있다.[62]

여기서 적어도 80년대 중반까지 발전이론이 견지했던 논제의 문제점이 주목된다. 즉 이 논제가 동아시아의 중진국의 발전을 설명하는데 있어서 그 경계선에 부딪친다. 이 가설을 정리하면 다음과 같다: 첫째, 저발전된 (발전도상의) 나라들 내지는 후발적으로 발전된 나라들은 위에 언급한 바 있는 자본주의의 목표들—기업가정신, 이윤추구 동기, 경쟁, 물질적인 것의 확보 등—에 아직 도달하지 못했다는 것이다. 둘째, 서구적인 기준과 목표의 맥락에서의 현대화는 전통의 사슬로부터 해방되어야만 이룩할 수 있다.

---

62) 이 논의의 자세한 전개는 Hwang (1989), 앞 논문 126쪽 참조.

그런데 이와 연관하여 오히려 이의 반대 논제, 즉 동아시아 국가들의 발전은 전통의 도움으로 가속화되었다는 논제가 상당히 설득력있게 받아들여졌다.[63] 왜냐하면 이 국가들에서는 국가의 권위를 위한, 유교에 기반한 조건이 이미 있었고 유교적 삶의 방식과 연관된 노동윤리가 발전을 촉진시켰다는 논리가 해당 국가의 사회이론가들을 중심으로 해서 제기되기 시작했고 80년대 후반부터는 서구 학계에서도 일반적으로 수용되고 있기 때문이다. 비록 유교적인 특성의 공통점을 제외하고 다른 문화적인 기반들과 산업화의 조건들이 다르기는 하지만 이의 전형적인 사례가 일본, 한국 그리고 대만의 발전 도정이다. 즉 이 나라들의 산업화가 서구적인 기술, 동양적인 도덕을 모토로 하여 이루어졌다고 평가되는 것이다. 한국에서 경제와 관련된 도덕이라고 할 수 있는 것은, 우선적으로 유교적인 가치관과 그와 긴밀히 관계맺는 삶의 방식, 그리고 여기서 비롯된 노동윤리―비록 유교적으로 각인된 경제/노동윤리가 내부노동시장에서의 여성들의 상황에 일정한 모순점들을 보여주고 있기는 하지만―등이다. 여기서 위의 논의를 중심으로 총체적으로 정리하자면 다음과 같이 요약된다. 한국에서의 발전(산업화)의 핵심적인 추진력은 정치-경제적인 조건에서 뿐 아니라 사회구성원들의 유교적 사고방식과 행동방식, 그리고 그에 기반한 경제/기업/노동 윤리등의 사회-문화적인 의식형태들에서도 찾아야한다.

---

63) 이로써 발전이론의 논제가 전면 부정되는 것은 아니다. 왜냐하면 소위 제3세계의 몇몇 사례들에서 일정한 범위에서 그 이론이 적합성을 갖는 모순점들이 보이기 때문이다. 그렇더라도 라틴아메리카, 동남아시아 그리고 아프리카의 일반적인 개발도상국들을 간단히 비합리적이고 원시적이라고 지칭할 수 없다는 사실에 주목할 필요가 있다. 왜냐하면 그 나라들의 저개발이 문화나 전통보다는 역사적이고 정치적인 환경에 더 많이 기인하기 때문이고, 또한 경제적인 발전의 수준이 무조건 전체 문화의 척도가 될 수 없기 때문이다.

유교적 교육열의 측면에서 본다면 한국인의 교육이 전통적인 유교적 기반 위에서 예나 지금이나 마찬가지로 커다란 의미를 지니고 있고 이러한 과도한 교육열은 자본주의적 현대 한국 사회에서 물질적 안락함에 대한 소망을 통해 또 다른 후원을 받게 되었다. 산업화 과정에서의 유교적 가치관의 재활성화는 그러나 여성들에게는 일련의 부정적 결과들을 가져왔다. 사회적 차원에서는 교육에 대한 열정적 갈망과 산아제한으로 인해 오히려 더 커진 아들 선호가 직업생활은 물론 일상생활에서도 여성들의 삶을 고달프게 하는 조건을 성립시키는데 커다란 역할을 한다. 남성문화에 기반을 둔 직업윤리와 유교적 가부장주의의 전수, 그리고 기업 내의 인간관계 질서 규범의 유교적 뿌리들이 기구화된 체계와 함께 여성들을 직업세계로부터 배제시키고 사회적으로 정착된 여성 고유의 역할로 되돌리는 데에 하나의 결합된 기제를 이룬다.

IMF 관리체제와 같은 경제적 위기와 연관하여 대량실업에 대한 압력이 심해지고 고용에 관한 총체적 불안이 지배하고 있는 상황에서 여성 노동력에 대한 노동시장에서의 일차적인 배제는 또 다른 형태로 유교적 가부장주의가 부활하여 발현되는 것이라고 할 수 있겠다. 여성에게는 그들이 본래 몸담아야할, 돌아갈 가정이 있고 가정에서의 주부역할이야말로 여성이 본래 담당해야할 사회적 기능이라는 구조기능주의적 논리와 더불어 실업위기에 처한 남편들의 기 살리기와 절약생활까지 모두 여성이 담당해야 할 몫으로 규정되면서 여성이 가정주부로, 남성이 생계부양자로 규정되는 가부장적 역할분담이 강화되고 이러한 보수화 경향이 뚜렷해지는 상황에서 노동시장에서의 성별분업 뿐 아니라 사회 전체에서의 성별분업이 더욱 공고해지는 규범적 기반을 유교적 가부장주의가 제공하고 있다. 물론 최근에 와서 아시아의 여러 나라들에서 금융위기를 맞으면서 소위 '아시아적 가치'에 대한 근본적인 의문이 제기되기도 했다. 그러나 한국의 경우 국제적으로 경제적 위상이 위태로워진 IMF 체제 이후 여성들에게 있어서 유교적 가부장주의의 적용은 그 어느 때보다도 활발하게 이루어져 왔다는 점을 감안한다면 적어도 여성에게 있어서 유교적 직업윤리는 여전히 그 효력을 발휘하고 있다고 본다.

여기서 이러한 보수화 경향의 규범적 기반을 유교적 가부장주의에서 찾는 문화비판적 접근에 대한 문제제기가 대두될 수 있다. 일반적으로 전자본주의적 생산양식이 지배하던 사회의 사회의식이었던 유교적 사회 의식과 규범이 현대 자본주의적 한국 사회에서 여전히 주목할 만한 정도 의 영향력을 발휘하는가 하는 문제가 제기될 수 있다. 왜냐하면 생산양 식의 변화와 더불어 여타 사회구조적 기반이 이전 사회와 비교해서 전면 적으로 차이를 드러내는 것이 일반적인 경향이기 때문이다. 다시 말하자 면 자본주의적 한국 사회에서 유교적 사회의식이 사회구성원들의 일상 생활에 거의 영향력을 미치지 않는다는 추정이 일반적으로 이루어지고 있다.

그러나 근대화과정에서 한국의 경우 전통이 완전히 사라졌다는 주장이 적어도 젠더논의에서는 상당부분 설득력이 없다는 논의가 지배적이다. 이 는 또한 유교가 주요 사회철학 내지 사회윤리로 통용되었던 조선시대와 비교하여 이른바 '근대화' 이후의 한국 사회구성원들이 어떻게 근대적 주 체로 형성되어왔는가 하는 점과 밀접히 연관되어있다. 또한 과연 여성들 이 남성들과 비슷한 정도의 근대적 주체로 구성되어 왔는가 하는 의문이 제기된다. 서로 상반되는 통제와 자유, 규율과 해방의 명제들이 요구되는 가운데 근대사회에서 주체로 형성된다는 것은 다름아닌 능동적 주체로, 스스로를 자율적으로 규제할 수 있는 주체로 구성하는 것을 뜻한다[64]고

한다면 과연 여성은 사회 각 분야에서 능동적 주체로 형성되었는가 하는 문제가 제기된다. 이는 또한 보다 근본적으로는 유교가 합리주의적 성격을 과연 가졌는가 하는 질문과 연결된다. 유교적 합리주의라는 용어가 성립한다면 서구에서 근대 주체 형성의 밑바탕이 된 합리주의와는 그 영향력에 있어서 어떠한 차이점을 갖고 있으며, 그렇다면 유교적 합리주의가 통용되는 사회에서 근대적 여성 주체 형성이란 근본적으로 아무 모순없이 가능한 것인가 하는 의문이 떠오른다.

지금까지 성별분업의 중요한 토대로 유교의 가부장적 전통이 지적되고 그 양자간의 유의미성이 지적되기는 했으나 구체적으로 어떠한 가치가 기업 내의 위계구조에 그 토대를 제공하고 그 작동방식이 어떠한가에 대한 분석은 거의 이루어지지 않아 왔다. 여기서는 위에 언급된 일반적인 전제를 보다 구체화하여 유의미성에 대한 확인과 그 작동방식을 살펴보았다. 이러한 목적에 따라 여기에서는 인식론적 측면보다는 유교의 사회규범적 가치들이 중점적으로 다루어졌다. 이로써 유교적 가부장주의, 유교적 합리주의가 중요한 사회의식으로 작용하는 한국 사회에서 근대적 여성 주체 형성에 관한 논의는 어느 정도까지 가능한가 전망해보았다.

---

64) 이러한 의미의 근대적 주체는 베버식 분석에 따른 정의이면서 동시에 마르크스와 푸코의 이해와도 상통한다. 박대호(1997), "근대적 주체의 역사이론을 위하여", 49–61쪽, 『근대 주체와 식민지 규율권력』, 김진균/정근식(편저), 서울: 문화과학사. 참조.

3. 근대성의 가부장적 관철과 여성 욕망의 타자적 성립

아시아적 가치의 부상은 동아시아 국가들의 발전이 전통의 도움으로 가속화되었다는 논제를 설득력있게 만들었다. 즉 '근대적인 것'과 '전통적인 것'간의 접합 관계는 여러 가지 다른 표출양식을 통해 나타날 수 있다는 점을 증명하는 것이다. 유교적 생활양식과 사회윤리를 관통하는 원칙을 일종의 합리주의로 해석하는 베버의 논의는 아시아적 가치에 대해 긍정적으로 받아들이는 최근의 아시아 학자들 사이에서도 대체로 동의를 얻고 있다. 다만 이를 서구적 이성주의와 구분해야할 필요성에 대해서 전제를 요구한다. 특히 유교의 인간관계 형성의 근본원리인 위계와 공순(恭順)의 원칙이 서구적 근대성이 표방하는 자유와 평등의 원칙에 합치되지 못하는 측면이 유교를 합리주의의 틀에서 이해할 수 있는가 하는 의문을 제기한다.

그러나 이 글에서는 일단 논쟁적인 문제제기의 차원에서 유교적 합리주의를 페미니즘과 대치되는 합리주의의 표상으로 상정하였다. 다시 말하자면 유교적 합리주의의 표출로 인정되고 있는 80년대 이후의 동아시아권 국가들의 경제성장이 구체적으로 유교적 경제윤리의 관철의 결과라고 한다면 이러한 설명구도 속의 유교적 합리주의의 가부장성은 이미 충분히 입증되어 왔다. 이러한 분석은 근대성이 고도로 요구되는 산업화 과정에서도 여성에게 있어서는 이러한 근대성이 철저하게 관철될 필요가 요구되지 않았다는 점을 보여준다. 이로써 여성들이 유교적 합리주의에 적합한 한에서만 선택적으로 근대화에 유입되었고 따라서 여전히 근대의 언저리에 걸쳐진 타자적 존재라는 사실이 입증된다.

한국 사회가 경험한 산업화는 고도 경제 성장 위주의 압축적 근대화였고 서구에서 역사적으로 시간적 여유를 두고 경험된 근대화와는 달리 파행성이 심하다. 이 파행성은 당연히 남성과 여성에게 그 경험의 폭을 달리 진행시켰다. 해방 이후 지금까지 성별에 구분없이 지속적으로 국가발전에 기여해왔지만 해방과 전쟁 이후 남성들에게는 국가재건의 중추적 역할이 일관되게 강조된 반면 여성들에게는 기본적으로는 모성이 강조되면서 국가의 주요 변화 국면에 따라 다른 역할이 요구되었다. 즉 한국전쟁 직후의 재건기에는 재건에 참여하는 동시에 국가의 인적 자원을 충원하는 역할을 적극적으로 수행하기 위해 출산과 육아에 전념해야했다. 이때의 여성은 강인한 모성의 소유자로서 이른바 '아이를 등에 업고 벽돌운반 리어커를 밀고있는' 이미지로 형상화되었다. 산업화가 본격적으로 추진되던 60년대로 들어서면서 경공업위주의 산업체로 구성된 노동시장에 여성들이 유입되면서 임신, 출산의 역할은 축소되고 이는 가족정책으로 간접 표현되었다.

그 대신 여성들은 노동력 제공자로서의 역할에 충실해야했고 이러한 노동참여는 그러나 자율적 인간의 형성과는 거리가 있었다. 왜냐하면 미혼 여성이 주류를 이루던 당시의 여성 노동자들이 노동을 통하여 획득하고자 했던 노동자의 자율적 삶의 권한은 끊임없이 축소되고 이들의 노동을 매개로 하여 남성들의 근대 주체는 보다 견고하게 보장되었다. 즉 산업화의 진전에 따라 남성들의 교육수준이 높아지고 보다 근대화된 직종들이 개발되었으며 산업 자본주의 사회의 경쟁은 지속적으로 성별 위계적인 취업구조/노무구조를 촉진시켜왔기 때문이다. 이러한 가운데에서도 여성들의 성찰적 자아획득에 대한 노력은 지속적으로 있어왔다. 70년대 후반에 정점을 이룬 여성 노동자들의 치열한 노동투쟁이 그것이다. 그러나 이러한 노력들도 별로 획기적인 변화를 가져오지는 못했고 산업화의 필연적인 결과인 소비사회의 도래는 또다시 여성들을 산업 자본주의의 대자적 자아로 위치지웠다.

한국 사회에서도 남성들은 근대화에 적극적으로 개입할 기회를 주면서 '계몽적' 주체로서 비교적 자율적 인간관에 충실한 주체로, 서구의 근대주체가 형성되는 궤도를 밟도록 했지만 여성들의 경우에는 산업화에 노동력으로 유입하는 측면에서는 근대사회의 성원으로서의 자아실현의 경로가 열렸지만 효용성에 따라 선택적으로 개입되는 타자적 입장을 벗어나지 못했다. 결론부터 말하자면 한국의 근대화는 서구적 의미의 이성중심적 합리성이 기초가 되어 진행되어 온 근대화과정과는 기본적으로 이성의 원천이 다른 근대화였다.

근대적 사회체계가 요구하는 내부준거성(internal referentiality)은 인간을 끊임없이 규범이라든가 규칙등 외부의 준거틀을 내면화하거나 내재화하는데 중요한 기준으로 작용해왔다. 그런데 이러한 내부준거틀이 산업화과정에서의 한국 여성들에게는 사회의 공동선을 위하여 개인의 권리와 욕망을 유보시키거나 나아가 삭제시켜야한다는 방향으로 형성되어 왔던 점은 부인할 수 없는 사실이다. 예를 들어 유교적 전통에 의해 이미 전통적으로 높은 교육열의 열기에도 여성들은 한동안 배제되는 상황이었다. 여성 노동자들을 일정기간 공장에 묶어두는 방편으로 산업체 학교가 생겨난 것도 따지고 보면 여성들의 내부 준거틀과 실제의 욕망 사이의 갈등이 지속적으로 타협점을 찾아온 궤적의 하나라고 할 수 있다. 여기서 언급되는 욕망은 상당히 중첩적으로 형성된 욕망이다. 그것은 사회적으로 평균화되고 권장되는 욕망이면서 동시에 여성들에게는 제한적으로만 그 충족이 허용된 욕망이다. 지금의 현실에서 여자고등학교 졸업생들이 대학에 진학하는 길에 필요한 조건은 단지 돈과 실력 뿐이지만 여성들의 교육이 필수적으로 인식되지 않던 근대 초기의 한국에서는 사회를 거슬러 올라갈 용기가 가장 커다란 조건이었다. 왜냐하면 교육은 바로 남성들의 전용구역으로 구획지워진 이성적 판단과 공적 영역으로의 유입을 가능케 했기 때문이다. 남성들의 전용구역에서 통용되던 규범은 여성들과의 소통의 통로를 찾게 하는 데 있어서 방해가 되었다. 이는 여성들의 이 구역으로의 진입을 일종의 틈입 정도로 귀찮게 인식하도록 하였다.

여성의 존재양식에 있어서 의무와 권리의 측면에서 사회적 역할을 수행하는 과정은 물론이거니와 개인적 차원에서의 여러 가지 욕망 발현은 후기산업 사회로 넘어서면서 본격적으로 감지되기 시작했다. 더욱이 지구화의 전개에 따라 욕망하는 여성 주체로서의 새로운 존재양식은 구체성을 더하고 있다.

4장 · 몸-섹슈얼리티 - 노동

근대적 주체가 초월적 존재로서 정의될 때 이는 일반적으로 남성주체를 의미해왔다. 초월적 주체의 구성에 있어서 가장 중요한 조건은 합리적 사고와 객관성이며 이러한 조건이 형성하는 주체는 탈육체화한 주체다. 페미니즘에서 본격적으로 여성의 주체에 대해 논의하면서 가장 핵심으로 떠오른 논제가 바로 주체 형성과 육체와의 연관성이다. 이는 페미니즘을 비롯한 최근의 이론들이 이루어낸 성과 중의 하나이기도 하다. 다시 말하자면 여성 주체성에 대한 논의는 육체의 물질성을 간과하지 않는 것을 전제로 할 때 가능하다.[1] 여성 주체가 형이상학적으로 규정되지 않고 실제로 일상생활의 영역에서 활동하면서 생각하는 사회적 존재로서 파악되어

---

1) 성차를 여성 주체성 논의의 출발점으로 삼음으로써 육체의 물질적 측면을 부각시킨 대표적 이론가로 이리가라이를 들 수 있다. Braidotti, Rosi (1991), *Patterns of Dissonance*, Lordon: Polity Press, 특히 248−263쪽 "Irigaray"중에서 253쪽 참조.

야한다는 것이다. 또한 여기에는 다만 노동을 수행하는 데에 '사용'하는, 몸과 정신이 이원론적으로 작동하는 존재가 아니라 양자가 적극적으로 통합하여 이루어내는 주체적인 삶의 방식을 만들어가는 존재로 정의되면서 동시에 욕망하는 주체라는 총체적인 인식도 포함된다. 몸과 성담론 속에서 노동을 해석하는 방식은 생산과 소비의 자본주의적 구도 속에서 노동을 이해하는 방식이나 또는 금욕적이고 의무와 권리를 연상시키는 계몽주의적 방식과는 거리를 둘 수 밖에 없다. 따라서 몸이 섹슈얼리티의 장(場)이면서 동시에 노동을 수행하는 주체이면서 또한 노동이 수행되는 장이라는 인식을 바탕으로 몸과 노동을 여성주의 문화분석의 방법론으로 읽어내는 방식이 되어야한다.

최근에 와서 활발하게 시작된 섹슈얼리티와 성정체성 논의의 중심축은 정신분석학에 뿌리를 둔 프랑스 여성학자들을 중심으로 형성된 페미니즘에 놓여있는데 그 논의의 출발점은 프로이트(Sigmund Freud)의 성획득이론이다. 프로이트에 의해 여성성은 결핍된 성으로 폄하되면서 팔루스로고스(phalluslogos) 중심적 성정체성 형성이 정당화되고 이로써 남성은 이성적이고 근대적 주체로 확고하게 존재를 인정받는 반면, 여성은 남성적 주체에 대자(對自 für sich)적인 입장에서 대상화되고 타자화되었다. 정신분석학적 페미니즘은 이러한 타자화의 부정(否定)을 시작으로 여성성의 주체적 위상을 찾아가는 작업에 있어서 일정한 성과를 거두었다. 이러한 성과에 힘입어 여성주의적 성적 주체를 밝혀나가는 작업이 가능하게 되었는데 이 작업은 성 정체성과 섹슈얼리티 탐구에 덧붙여 사회적인 존재로서의 여성의 역할과 위치를 염두에 두고 여러 각도에서 이루어져야 한다. 이를 위해서는 한편으로는 정신분석학적 페미니즘이 제공하는 여성성과 섹슈얼리티 담론을 토대로 하고, 다른 한편으로는 노동하는 존재로서의 여성 주체 형성에 관해 논의하는 접근방식이 요구된다. 따라서 이 글에서는 여성을 노동과 생산을 담당하는 존재로, 그러나 자본주의적 생산양식을 토대로 한 사유방식의 틀을 넘어서서 좀더 근원적인 의미에서 '일'을 수행하는 존재로 상정한다. 또한 이 글은 남성들과 비교했을 때 좁은 의미의 생산을 뛰어넘어 생명생산을 담당하는 존재로서, 즉 더 적극적이고 필연적으로 몸을 노동과 결부시켜서 사유할 수 있게 하는 존재로서의 성적 주체라는 전제로부터 출발한다. 이러한 논의를 위해 이 글에서는 몸 또는 성담론에서 주로 다루어져 왔던 여성의 섹슈얼리티와 성정체성이, 좀더 확장된 의미에서의 노동과 어떻게 유기적으로 관계를 맺는가, 또 이 과정에서 여성주의적 성적 주체 형성의 지평은 제시될 수 있는가를 몸과 섹슈얼리티, 그리고 노동의 삼각구도를 통해 추적해보기로 한다.

이러한 맥락으로 여성에게 특별히 할당되는 노동의 중심에는 보다 적극적으로 사유된 여성성[2]의 개념이 자리잡고 있다. 그렇다면 여성성은 노동의 개념들과 어떻게 연계되면서 사고될 수 있을 것인가? 또한 섹슈얼리티와 여성성이 노동의 범주에서 논의될 때 새로운 사유방식이 필요하다면 그 모양새는 어떠해야할 것인가? 여성의 노동과 생산을 통한 성적 주체의 형성을 언급할 때 다양한 변수들이 매개하는 다양성의 결집으로 보아야하는 점에서는 이리가라이(Luce Irigaray)가 제시하는 다중적인 여성성에서, 또는 크리스테바(Julia Kristeva)의 '진행 중인 주체'의 개념에서 그 시사점을 얻을 수 있을 것이다. 한편 초도로우(Nancy Chodorow)와 길리건(Carol Gilligan)의 설명구도에서 여성 주체가 성역할과 성별분업에 투영되는 방

---

2) 여기서 '보다 적극적으로 사유된 여성성'은 초기 정신분석학적 정의에 따른 여성성과 구분되는 여성성으로 이 글의 전개과정에서 구체적으로 제시될 것이다.

식에 대해, 그리고 미즈(Maria Mies)와 폰 베얼호프(Claudia von Werlhof)로부터는 생산의 보다 적극적이고 확산적인 개념정의와 양성간의 노동 수행 양식의 차이를 이해할 수 있는 틀을 제공받을 수 있을 것이다.

1. 여성성 탐구의 출발점: 정신분석학과 페미니즘의 만남

정신분석학과 페미니즘 이론의 관계는 한마디로 규정할 수 없을 만큼 복잡하다. 특히 페미니즘의 입장에서는 정신분석학에 대해 한편으로 저항하고, 유혹하고 그러면서 다른 한편으로는 끊임없이 전복을 꿈꾸는 입장을 취해왔기 때문에 지속적으로 변증법적 긴장이 감도는 관계를 유지하고 있다.[3] 통일되고 합리적인 자아 형성이 주창되는 합리주의적 시대정신 속에서 일관되게 여성의 억압을 드러내고 이의 해소를 위해 투쟁하는 것에 일차적인 목표를 두어온 초기 페미니즘의 입장에서는 정신분석학이 프로이트의 이론으로부터 비롯된 남성의 욕망, 아버지의 법을 중심으로 하는 담론을 형성해 온 사실에 기본적으로 저항하여 왔다. 그러나 한편으로는 페미니즘의 이론적인 전개와 발달에 따라 여성성, 성 정체성을 밝혀가는 방법론과 주체에 관한 새로운 사유방식을 가지고 '억압된 것의 회귀', 무

---

3) Gallop, Jane (1982), *The Daughter's Seduction : Feminism and Psychoanalysis*, Ithaca: Cornell University Press, 특히 Introduction 참조.

의식, 권리와 병치되는 개념으로서의 욕망 등의 개념적인 정의에 대한 지속적인 열림의 가능성을 보면서 이론적으로 유혹하고 유혹당해 왔다. 그 결과 특히 프랑스 페미니즘을 중심으로 하여 여성성의 새로운 정의와 이의 발현을 위해 기존의 정신분석학적 설명구도를 모방(mimesis: 이리가라이)을 통해서, 또는 대타자(the Other)로 군림하는 아버지의 질서를, 진행중인 주체(subject in the process: 크리스테바)의 입장에서 전복하는 여러 과정을 중층적으로 진행하여 왔다. 이러한 과정의 필연성은 가부장제 문화의 주변에 비가시적으로 존재하는 세력들을 언표화해주는 무의식, 타자 등의 범주가 정신분석학에서 지속적으로 논의되어 온 점이 합리적이고 통합적인 근대적 사고를 해체하여 새로운 패러다임을 추구하는 페미니즘 이론의 목적에 유효하게 맞아 떨어졌다.

그러면 여기서 이러한 과정에 이르기까지 정신분석학과 페미니즘이 유지해온 긴장관계를 간략히 살펴보자. 정신분석학이 섹슈얼리티 및 젠더와 관련된 쟁점들을 가장 설득력있게 설명해내고 있다고 보기는 어렵겠지만 남성성/여성성을 중심으로 한 성적 정체성 획득에 관하여 지속적으로 논의를 전개해왔고 이러한 논의가 후기 구조주의적 여성해방이론에 일단의 새로운 사유의 실마리를 제공해 왔음은 주지의 사실이다. 특히 프로이트와 라깡(Jacques Lacan)에 의해 언급되고 논의의 계기를 제공하기 시작한 여성성은 팔루스 로고스 중심주의를 설명하는데 있어서 중요한 설명틀로 상정되어 왔다. 성별획득에 관한 프로이트의 이론은 성 분화된 주체성이 개인 정체성의 핵심을 이룬다는 이론을 중심으로 하고 있다.

프로이트에 의하면 남근이 없다는 사실이 자동적으로 여성 주체성 형성에 심리적으로 중요한 결과들을 가져온다. 성획득 이론에서 프로이트가 상정한 여성성이란 남근을 '결여한 성', 따라서 '완전한 것으로부터 결여된 성', '어두운 대륙'으로 개념화된 부정적 정체성이다. 이에 따르면 여성이 된다는 것은 자신이 남성이 아니라는 것을, 완전한 성이 영원히 될 수 없다는 것을 받아들이는 것이며 따라서 이것은 매우 힘겨운 인식 과정이다. 프로이트 이론에서 남근을 남녀간 성차의 가장 중요한 기표로 설정한 것도 가족을 포함한 모든 사회제도를 남성이 통제하고 지배하는 사회 안에서 권력을 나타내는 기표로 성기를 제시한 것으로, 즉 상징적인 개념으로 해석할 수 있는데 이러한 맥락에서 보면 프로이트에 있어서 남근은 권력을 나타내는 상징적인 기표로서 라깡에 있어서의 팔루스와 의미에 있어 크게 다르지 않다.[4]

성별 분화된 주체성을 획득하게 되는 과정에 대해 거울단계를 빌어 설명한 라깡에 의하면 상상계로부터 상징계로의 진입은 바로 주체를 획득하는 과정을 뜻한다. 그에 의하면 아기가 여성적이지도 남성적이지도 않은 상태에서 성별 분화된 주체성을 획득하고 상징체계에서 자신의 위치를 얻게되는 긴 여정이 거울단계를 통해 이루어지는데 바로 이 거울단계가 전(前)외디푸스 단계에서 외디푸스 단계로의 전화 과정을 매개하며 이 단계가 상상계에서 상징질서로의 편입, 성별을 의식하지 못하던 존재로부터 성별분화된 주체로의 변화가 시작되는 단계이다. 라깡에 의하면 이 과정에서 개인이 주체성의 구조를 만드는데 이 구조란 개인이 자기자신을 말하는 주체로 만들고 사실상의 거대한 타자(the Other)로 자기 자신을 오해하게 되는 구조를 말한다. 라깡은 인간의 삶에 있어 가장 원동력이 되는 원리로 본 욕망(désir)의 문제를 이 '거대한 타자'와 연결시켜 설명한다.

---

4) 위던 (1993), 조주현 (역), 『여성해방의 실천과 후기 구조주의 이론』, 서울: 이대출판부. 70쪽.

남근(phallus)은 욕망충족을 지배하는데 그것은 상징 질서 안에서의 권력과 지배를 의미하며 여기서 지배는 아버지의 위치와 동일시되고 남근에 의해 상징적으로 구현된다. 라깡의 이론을 보면 실제의 음경(penis)과 상징적 의미의 남근(phallus)을 연결함으로써 욕망과 성을 지배하는 가부장제적 조직이 필연적임을 전제하고 있다. 이로써 남성은 자신이 남근을 갖고 있음으로써 상징질서 안에서의 권력과 지배의 위치를 바라볼 수 있는 반면 여성은 상징질서 안에서 자신의 위치가 없는 존재로 규정된 것을 알 수 있다. 라깡이 "앙코르(Encore)"라는 제목의 세미나에서 여성적 쥬이상스(jouissance) 문제와 관련하여 언급하면서 여성적인 것을 팔루스적인 것이 '박탈된' 어떤 것이라기 보다는 그것에 '부가된' 것으로[5] 묘사했는데 이리가라이는 이러한 라깡의 쥬이상스 논의에 주목하면서 여성의 몸으로부터 여성 쥬이상스의 근원을 찾아내고 이를 여성의 성적 주체 형성의 출발점으로 삼는다.

2. 다중성과 유동성으로 새롭게 정의되는 여성성

이리가라이에 의하면 여성 본능은 프로이트의 이론에서처럼 결핍에 근거하여 이루어진 것이 아니고, 남성 섹슈얼리티와는 완전히 다른 것으로

---

5) 뤼스 이리가라이 외(1997), 권현정(편역) ,『성적 차이와 페미니즘』, 서울: 공감. 68쪽.

서의 여성 섹슈얼리티에 근거하여 이루어진 것이다. 이리가라이는 『하나이지 않은 성 *Ce sexe qui n'en est pas un*』에서 여성의 성이 지금까지 가부장제적으로 규정됨으로써 여성은 자신의 본래적 여자다움을 느낄 수 없게 되었고 단지 남성다움의 매개변수를 통해 이론화되어 왔다고 주장한다. 이리가라이가 주장하는 본래적 여성성은 여성 몸의 독특한 다중적 구조에 그 기반을 두고 있다. 이러한 특성으로 인해 여성의 쾌락도 다중적이며 중첩된 성격을 지닌다는 것이다. 여기서 언급되는 다중적이며 중첩된 것으로 특징지워지는 여성성이 몸의 구조와 연결됨으로써 탈육체화하지 않으면서 구체성을 띠게되는데 이것이 바로 이리가라이가 여성성을 가지고 말하고자하는 여성 문화의 특성을 단적으로 보여준다.

이리가라이의 이론이 함축하는 여성성이란, 한편으로는 라깡의 개념을 확장시키면서도 다른 한편으로는 라깡 식의 쥬이상스를 넘어서서 여성 쥬이상스의 형태로부터 여성의 표현방식과 문화 창조방식에 있어서 중요한 토대를 제공하는 개념이다. 라깡의 정신분석학에서와 마찬가지로, 이리가라이의 이론에서도 여성은 언어를 사용할 수 있게 되면서 욕망을 갖게 되고, 여성의 언어는 욕망을 충족시키려는 노력에 의해 자극을 받는 것으로 이해된다. 그러나 앞에서도 언급했듯이 여성본능이 남성 본능과 다른 것처럼, 여성언어도 남성언어와는 필연적으로 다른 것으로 해석된다. 이로써 이리가라이는 프로이트에 의해 규정된 '결핍된 성'의 개념에 정면으로 도전하면서 여성성을 여성 몸의 개별성과 중첩성에 초점을 맞추면서 정의한다. 이리가라이에 의하면 언어가 성적 욕망에 의해 자극을 받고, 주체성은 언어를 통해 얻어지는 것이다. 이러한 점에서 이리가라이는 라깡보다 신체와 정체성 간의 연결에 대해 더 분명한 입장을 취하고 있다. 남성 욕망의 기표인 남근을 중심으로 조직된 외디푸스 컴플렉스의 위치에서 여성의 성적 쾌락의 위치로 이동함으로써 여성은 자신의 몸을 더 긍정적으로 해석할 수 있다. 이러한 맥락에서 여성의 몸은 더 이상 결핍된 성의 장소라든가 텅빈 어두운 구멍으로 규정될 이유가 없다.

이리가라이는 '능동적/수동적'이라는 이원론적 개념이 지속적으로 문제가 되는 이유가 출산에서의 남성과 여성 각자의 역할을 결정하는 것처럼 계속해서 남성적/여성적 특성의 차이를 특징지우는 데에 있다고 본다. 이러한 질문으로부터 출발하여 정신분석학이 이론적, 실천적 영역의 한계를 딛고 넘어서서, 역사/문화적으로 견고하게 통용되어 온 소유의 조직화, 남성중심적 철학체계들, 종교적 신화들 속에서 여성의 역할이 재할당되어야 한다는 것이다. 따라서 그녀는 다음과 같은 질문을 한다. "우리는 팔루스가 그것의 특권을 질투하는 신의 현재적인 형상은 아닌지 의심해 볼 수 있다. 그것이 이런 기초 (위에 언급한) 위에서 모든 담론의 궁극적인 의미, 진리와 정당성의 기준, 특히 성과 관련해서는 모든 욕망의 기표 그리고/혹은 궁극적인 기의이기를 주장하고 있지는 않은지, 뿐만 아니라 그것이 가부장제의 상징과 대리인으로서 아버지의 이름을 계속 떠받치고 있지는 않은지 의심해 볼 수 있다."[6] 이러한 이리가라이의 인식방식은 식수나 크리스테바의 여성적 글쓰기와 이의 확장된 지평을 제시하는 여성문화론과 연결된다.

여성적 글쓰기와 사유양식에 있어서 식수는 또 하나의 독특한 전범을 보여준다. 식수가 '가부장적 이항대립적 사유'라고 통렬히 비판한 가부장적 사유방식이 상정하는 여성성은 『새로 태어난 여성 *The Newly Born*

---

6) Irigaray, Luce (1977), "Retour sur la theorie psychanalytique", in *Ce sexe qui n'en est pas un*, Paris: Edition de Minuit, 219-220쪽. 뤼스 이리가라이/권현정 (엮음:1997), 앞책 참조.

Woman』[7]에 수록된 논문 "출구들(Sorties)"에서 지적되어 있듯이 이항대립의 항목에 열거되어 있는 부정적이고 무기력한 가치를 부여받고 있다. 능동성/수동성, 해/달, 문화/자연, 낮/밤, 아버지/어머니, 머리/감정, 지성/감성, 로고스/파토스 등의 이항대립에서 가치의 위계를 보는 것은 아마도 문화를 초월해서 적용되는 보편적인 시각일 것이다. 식수는 "출구들"에서 이러한 가부장적 이항대립적 사유방식 자체가 이성중심적이고 남근중심적인 사유로 규정된다고 보고 이러한 이항대립과 이의 가치평가의 해체를 이론적 기획으로 삼는다. 그런데 한편으로는 이러한 이항대립에서 여성성에 해당된다고 간주되는 항목으로부터 그 쌍이 되는 항목과 비교하면서 열등성을 감지하는 인식과정이 자동적으로 작동하는 기제 자체가 우리의 사고가 얼마나 이성중심적, 남근중심적으로 구성되었는가를 보여주는 역설이라 할 수 있다. 새로운 패러다임을 만들어 나가야한다는 당위성에 비추어 본다면, 이성중심주의가 이항대립적 항목에 부여한 가치의 우열을 그대로 수용하는 무의식적인 인식과정 자체를 문제시해야 할 것이다.

이러한 이의제기는 예를 들어 자연/문화, 지성/감성의 이항대립에서 설득력을 가질 수 있다. 오트너(Sherry Ortner)는 여성 대 남성을 자연 대 문화의 이항대립으로 이해하는 보편적인 현상을 들어 이를 여성에 대한 '보편적인 평가절하'의 적극적 표현이라고 비판한다.[8] '자연' 개념이 '존재의 저차원적인 단계'를 재현하는 개념으로 이해되었다면 '문화'는 존재를 저차원으로부터 지속적으로 고차원으로 끌어올리는 과정, 또는 고차원 그

---

7) Cixous, H.&Clément, C.(ed,. 1986), *The Newly Born Woman*, Minneapolis: Minnesota University Press.
8) Ortner, Sherry (1973), "Is Female to Male as Nature Is to Culture?", 67–87, in Rosaldo, M.Z. & Lamphere, L.(ed.), *Woman, Culture, and Society*, Stanford: Stanford University Press.

자체라고 할 수 있을 것이다. 그러나 과연 자연이 저차원의 단계인가, 그리고 어떠한 단계를 고차원으로 규정할 것인가 하는 문제들은 후기 근대적 시대상황의 맥락에서 새롭게 생각해봐야 할 문제다. 서양의 합리적 전통의 관점에서 본다면 자본주의적 생산양식이 지배적인 사회에서는, 특히 중심과 주변부의 위계적 구조에 대한 인식이 첨예했던 70, 80년대적 상황에서 자본주의적 '발전'이 최고의 모토였고, 한편 환경이나 생태주의적 관점이 널리 유포되지 못한 상태였기 때문에 '자연'이 미개발 또는 저개발의 상태로 이해되었고 따라서 '자연'의' 문화'에 대한 일방적인 하위개념화가 지배적이었다고 할 수 있다. 이런 식의 하위개념화는 여타의 개념들이 변화하고 있는 상황에서 맥락에 맞게 새롭게 해석되어야 할 것이다. 로고스/파토스의 이항대립에서 서구의 이성주의가 로고스를 형이상학적 현존으로서 특권화함으로써 파토스에 비해 상대적인 우위를 가진 이상으로 표상화해 왔던 것이 사실이다. 그러나 모더니즘의 시대를 넘어서서 새로운 패러다임의 등장을 거부할 수 없는 시대적 상황은 로고스의 파토스에 대한 무조건적인 상대적 우위 설정에 대해 근본적인 이의제기를 가능케 한다.

여성 주체를 규정하는 또 하나의 중요한 개념은 크리스테바의 '진행 중인 주체' 개념이다. 크리스테바에 따르면 상징질서의 구조는 초월적이고 자기 구현적인 주체를 상정하고 있는데 그것은 라깡의 '거대한 타자'에 상응하는 것으로서, 주체 자신이 상징적 의미의 근원이 되는 것을 말한다. 초월적인 주체란 기본적으로 남근 중심적이고 말 중심적인 담론의 산물이며 여성적인 것을 억누름으로써 획득되는 속성을 지니고 있다. 이를 단정적 주체성(thetic subjectivity)이라고 한다면, 크리스테바는 이러한 단정적 주체성과 대비되는 주체성을 상정하고 있는데 그것이 바로 '진행 중인 주체성(subjectivity in process)'이다. 여기서 주체는 안정된 것이 아니며, 언어 안에서 구성되고 언제나 진행 중에 있는 주체이며 항상 통합되고 절제된 모습으로 존재하는 인본주의적 관점이 상정하는 주체성과는 다른 대안으로서 개인이 지닌 서로 모순되는 성질들과 결코 개인이 의미의 근원이 될 수 없는 수많은 주체의 위치로 흩어진 개인들의 모순성을 이해할 수 있게 해준다.

크리스테바에 의하면 주체성이라는 것은 기본적으로 특정 담론 틀 안에서 생성된 역사의 산물이며, 결코 단 하나의 고정된 구조를 가질 수 없다는 점은 자명하다. 바로 이점이 '진행 중인 주체성'의 설정을 가능케 하는 기반이기도 하다. 이러한 관점에서 본다면 합리주의와 정신분석학이 제시하는 것과 같은 단 하나의 미리 정해진 보편적 주체성의 구조를 부정하는 크리스테바의 주장이 타당성을 갖는다. 위던(Chris Weedon)에 의하면 크리스테바의, 진행 중인 주체 개념은 무의식의 형성도 각기 다르게 이루어짐을 인정함으로써 확장될 수 있다는 것이다. 각기 다른 주체성의 유형들은 여러 담론에 내재해 있는 상태로, 주체를 구성하고 관리하는 사회제도들과 실천들 안에 담론적으로 자리잡고 있다. 포스트 모던적 사유방식을 연상케하는 '진행 중인 주체'에 관한 개념정의는 앞서 살펴본 이리가라이와 식수의 여성성에 기반한 여성적 글쓰기라든가 여성적 언술방식과 직접적이지는 않으나 공통성을 지니고 있다. 이리가라이의 여성문화론이 신체로부터 출발하되 신체에 머물지 않는 여성성의 다중적인 발견을 중시하는 방식, 그리고 식수가 물과 바다의 상징성으로부터 암시하는 여성성의 유동적인 언술방식은 정형화되기를 거부하는 '진행 중인 주체'가 이루어낼 수 있는 독특한 여성성이라고 하겠다.

3. 성별분업과 어머니됨(Mothering)

남성성과 여성성이 성별 역할에 반영되는 역학관계로부터 성별 정체성과 성별분업의 연결고리를 이끌어내는데 있어서 논의의 출발을 제공하는 학자로는 초도로우를 들 수 있다. 그녀의 연구[9]는 프로이트의 기본 범주와 그에 기초한 인류학적 가설들을 변형시키면서 출발한다. 그녀는 전(前) 외디푸스 단계 과정이 끼치는 심리적 효과와 모녀관계에 초점을 맞추면서 전(前) 외디푸스 단계에서의 양성성을 인정하고 이 단계에서 아이들이 가장 처음에 관계를 맺는 사람이 여성이라는 사실이 주는 의식적, 무의식적 효과에 초점을 맞추고 있다. 풀어서 말하자면 여성이 일반적으로 갓난아이의 양육을 책임지며 후에 여성으로 사회화시키는 일을 담당한다는 사실과 이 점이 여성에게는 모녀관계의 가장 중요한 내용이라는 것, 그리고 이러한 여성의 역할이 성역할 사회화에 중요한 영향을 미친다는 점이다.[10]

초도로우는, 여성은 어머니됨을 통해 자신의 어머니와 동일시하기도 하고 자신의 아이와 동일시하기도 하면서 그녀 자신이 아이로서 어머니와 맺었던 동일시 경험을 반복한다고 말한다. 이 과정에서 딸과 어머니 사이가 아들과 어머니 사이보다 밀착된 관계를 갖게 되고, 동시에 딸이 독립을

---

9) 낸시 초도로우의 이론은 Rosaldo, M. Z. & Lamphere, L. (1974), 앞책 "Family Structure and Feminine Personality", (43~66쪽) 라는 제목의 논문으로 수록되었고 후에 The Reproduction of Mothering(어머니됨의 재생산) 이라는 제목의 책으로 발표되었다. Chodorow, Nancy (1978), *The Reproduction of Mothering*, Berkely: University of California Press.
10) Chodorow (1974), 윗글, 44쪽.

이루기가 더 어려워짐으로써 결과적으로 딸이 아들에 비해 더 유동적인 자아의 경계를 이루게 되어 남성에 대한 여성 종속의 재생산에 필요한 심리적 기제를 갖게 된다는 것이다. 딸의 경우와 대조적으로 어머니는 아들이 자신에게서 분리되는 것을 장려하며 아들이 아버지나 아버지를 대응할 수 있는 것에 근거한 남자다움의 정체성을 발전시키도록 장려한다. 여기서 아들에게는 남자다움의 정체성을 획득하기 위해 그 모델이 되는 아버지와의 동일시가 이루어지는데 여기서 '개인'으로서의 아버지가 아니라 아버지라는 '위치'에 대한 동일시가 이루어지면서 남성으로서의 역할을 학습하게 된다. 이러한 '위치'에 대한 동일시를 통해서 여자다움과 남자다움이 서로 다르게 획득된다. 이렇게 다른 경로를 통하여 형성되는 성정체성은 또다시 성역할과 밀접하게 연관된다.

초도로우에 의하면 여성이 어머니됨을 행함으로써 딸에게 어머니되기에 적합한 심성과 자질을 만들어 놓으며, 반대로 아들에게는 이러한 자질과 심성을 꺾어버린다. 여성에 의해 키워진 어린 시절의 경험을 통해 딸과 아들 모두는 어머니 또는 여성이란 아이와 분리된 자기만의 관심거리가 없는 사람이며 아이의 행복이 관심의 모두인 사람이라는, 여성에 대한 기본적인 기대구조를 갖게된다. 이러한 기대구조는 여성이 자녀를 돌보는 것이 자연스럽다는 것으로 일반화되며, 여성이 지닌 '모성적' 자질은 어머니됨과 관계없는 일에까지 확장될 수 있고 또 확장되어야한다는 믿음으로 일반화한다. 이러한 믿음과 기대심리가 사회적 노동시장에서 어머니됨의 연장선에 있는 노동을 여성들에게 할당되도록 하는 기제가 된다. 여성의 어머니됨에 따른 이 모든 결과는 다시 여성이 갓난아이들을 돌봐야하고 그 이후의 시절까지 돌볼 책임이 있음을 확신시켜 주고 이는 동시에 여성이 자녀양육을 책임짐으로써 사적 영역의 노동을 담당하는 것을 당연하게 만드는 성별분업의 기반을 제공한다.

　이상의 논의를 살펴보면 어머니됨의 재생산이 집안에서의 여성의 위치와 책임의 재생산 기초를 이룬다는 것을 쉽게 알 수 있다. 어머니됨과 그것을 통해 집안에서의 여성의 구조적 위치로 일반화되는 것이 현대의 성별 사회 조직 및 생산 영역의 사회 조직과 연결을 이루며 각각의 영역의 재생산에 영향을 끼친다. 즉 여성이 어머니되기를 행하는 것이 성별 체계의 가장 기본적인 조직의 특징을 이룬다. 여성이 어머니되기를 하는 것이 성별 노동 분업의 기초를 이루며 여성의 성격과 능력에 관한 이데올로기뿐만 아니라 남성 지배에 관한 이데올로기와 심리학을 퍼뜨리는 데에 기초를 이룬다. 여성은 아내 역할과 어머니 역할을 통하여 남성 노동자를 사회에 배출하며, 사회에 배출된 남성 노동자의 신체적이고 심리적인 건강을 재생산해낸다. 이를 통하여 자본주의적 생산양식을 재생산해내고 이로써 어머니됨과 자본주의 생산양식은 굳건한 유기적 연관틀을 이룬다. 초도로우의 설명구도에 의하면 여성의 어머니되기가 남성중심적 가족을 재생산하고 무엇보다도 성별 노동분업의 기본적인 구도를 만들어냄으로써 심리형태와 기질에서의 성별분화와 자본주의적 생산양식에 긴밀하게 매개역할을 하는 것을 알 수 있다. 또한 이의 연장선 상에서 비대칭적인 이성애적 관계가 형성되는 기초가 마련된다. 이러한 구도 안에서 지속적인 순환이 이루어진다.[11]

　초도로우는 여자다움과 남자다움의 심리구조를 부모 역할을 실제적으로 누가 하느냐의 맥락에서 형성되는 것으로 이론화시켰다. 초도로우에

---

11) Chodorow (1978), 윗글, 208−209쪽 참조.

따르면, 어린이 양육에 남성이 실질적으로 많이 참여함으로써 남자다움과 여자다움의 심리-성 구조의 모습이 상당히 바뀌어질 수 있고 기존의 성별 노동 분업이 폐지될 수도 있는 전제가 생긴다. 그런데 이러한 초도로우의 전제가 갖는 문제는 성 분화된 주체성을 다루는 데 어머니되기의 수행에 너무 많은 비중을 둠으로써 주체성을 이루는데 영향을 미치는 다른 모든 과정들조차 필연적으로 양육에 요구되는 어머니 역할에 따른 성차별의 구조화라는 문제로 귀속되고 있다는 사실이다. 초도로우의 이론에 대하여 자주 지적되는 비판 중에서, 현존하는 가부장적 사회관계와 자본주의적 생산양식에 따른 성별분업의 커다란 이론적 울타리를 심리-성 구조에 지나치게 의존적으로 귀속시킴으로써 생기는 이론적 구성의 긴밀도가 떨어진다는 점은 위던이 지적한 바[2]와 같다. 이러한 지적이 증명하는 바 성역할의 현상과 이의 정신분석학적 설명만으로는 성별분업의 원초적인 극복을 위한 대안제시가 불가능하다. 따라서 성별분업의 구도와 성적 주체성과 성 정체성, 섹슈얼리티의 역사적인 전개와 통합이 함께 논의되어야 할 것이다. 초도로우의 어머니되기의 재생산이 사회 문화적으로 성역할이 고정되어 전수되는 역사적 과정을 설명하면서 동시에 남성성/여성성이 생산과 노동에 갖는 함의를 예시하면서 성별분업의 고착화의 고리를 설명하고 있다고 한다면 이에 더 나아가 우리가 설정하고 있는 감성과 문화의 21세기를 전망하는 데에 유용한 또 하나의 설명구도로 캐롤 길리건의 관계 맺기의 윤리, 보살핌의 윤리를 들 수 있다.

---

12) 위던 (1993), 앞책, 79쪽.

4. 보살핌의 윤리: 성별분업의 고정화 논리인가?

성별에 따라 성심리가 다르게 발달하고 그로써 성적 정체감이 다르게 형성되는 과정이 길리건에 있어서는 양성이 인간관계에 갖는 태도와 삶의 가치를 다르게 설정하도록 한다는 논지로 발전된다. 보살핌의 윤리에 관한 논의에서 초점은 남성들에 있어서는 사회적 정의와 권리에서 도덕의 기준이 설정되는데 반해 여성들의 경우는 인간관계의 핵심인 관계맺음, 보살핌, 타인에 대한 배려에 보다 집중된다는 점이다. 길리건의 논의는 초도로우의 논의와 일맥상통하는 점이 있다.

남성성/남성다움이 어머니로부터의 독립을 바탕으로 규정되고 여성성/여성다움이 애착관계를 통해 규정되므로 남성적 정체감은 친밀성에서 위협을 느끼는 반면, 여성적 정체감은 다른 사람들로부터 분리되는 상황에서 위협을 느낀다는 논리가 그것이다.[13] 이에 따르면 남성들은 대체로 친밀한 관계를 맺는데 어려움을 느끼고, 여성들은 개인화되는데 어려움을 느끼며, 따라서 남아와 여아가 서로 다른 인간관계적 태도(interpersonal orientation)와 사회적 경험을 가지고 사춘기에 이른다는 것이다. 그러므로 여성들은 인간관계 속에서 자신을 규정지을 뿐 아니라 보살핌의 능력을 기준으로 자신을 판단한다.

남성의 삶의 순환에서 여성이 담당하는 역할은 양육자, 보호자, 보조자

---

13) Gilligan, Carol (1982), *In a different Voice: Psychological Theory and Women's Development*, Boston: Harvard University Press, 캐롤 길리건 (1994), 허란주 (역), 『심리이론과 여성의 발달』, 서울: 철학과 현실사, 23쪽.

등인데, 이것은 여성 자신의 자아를 규정하는 데 영향을 미치는 인간관계들을 짜나가는 직조자로서의 역할이다. 그러나 이러한 여성의 관계중심적인 역할이 그 가치를 제대로 인정받지 못하고 경제구조 속에서나 사회일반의 차원에서 경쟁력이 요구되는 게임법칙 속에서 장려받지 못하는, 주변적인 속성으로 치부되는 점이 문제이다. 왜냐하면 지금까지의 가치기준에 의하면 개인화와 개인적인 성취에 대한 강조가 성인기 분석에까지 이어지고, 성숙이 개인적 자율과 동일시되는 이론 체계 하에서 여성들이 인간관계에 대해 관심을 갖는다는 사실은 그들의 강점이 아니라 약점으로 보이기 때문이다.[14]

인간관계 형성에 있어서의 이러한 양성 간의 차이에 대한 가치부여는 성역할에 대한 고정관념의 논리적 토대를 제공한다. 성인다움의 필요조건으로 생각되는 여러가지 덕목들, 예를 들면 자율적인 사고능력, 명료한 판단, 그리고 책임감있는 행위 등은 남성다움과 관련된 것들이며 여성들과는 별로 상관없는 것으로 여겨지거나, 또는 여성적인 특성으로는 권장되지 않아 왔다. 이러한 고정관념들은 자동적으로 사랑과 관련된 일이나 자기표현의 능력들은 여성에게 속하며, 근대적 의미로 규정된 직업 세계와 이에 관련된 도구적 능력들은 남성에게 속한다는 것을 암시한다. 이러한 설명구도는 또한 즉각적으로 파슨스(Talcott Parsons)의 표현적/도구적 역할의 이분법을 연상시킨다.

논지가 충분히 이해되지 않고 차이만 강조되다 보면 결국은 보살핌의 윤리, 인간관계를 중시하는 여성의 도덕적인 태도가 성역할의 고정화를

---

14) Gilligan (1994), 앞책, 37쪽.

옹호하는 설명구도로 읽힐 염려가 있는 것도 바로 그 때문이다. 더 나아가 이러한 원리가 표출되는 감정노동, 인간관계에서의 배려가 요구되는 직업의 종류가 아무런 전제조건이나 유보없이 여성들의 몫으로 할당되는 한편, 그러한 분할이 결과적으로 노동시장의 위계적 구도에서 여성들의 상대적인 하위를 가져오는 밑그림이 되는 데에 있어서 중요한 논리적 토대를 제공하는 것으로 이해될 수 있는 것이다.

5. 노동/일/작업/행위/활동과 신체

여기서 노동, 일, 행위, 활동, 문화가 그 의미에 있어서 유동성있게 통합될 필요가 있다. 노동이란 아렌트(Hannah Arendt)가 구분한 노동과 '작업', 즉 '노동하는 신체와 작업하는 손'[15]으로부터 더 확장해서 쉬츠(Alfred Schütz)의 '일'에 대한 개념의 범주로 이해되는 노동[16]을 말한다. 쉬츠가 정의하는 '일(Work, das Wirken)'은 아렌트가 정의하는 노동(Arbeit)과 작업/제작(das Herstellen)과 개념이나 포괄하는 의미영역의 층

---

15) 아렌트는 노동과 작업의 구별에서 '노동하는 신체와 작업하는 손'이라는 록크의 구별을 차용하여 설명한다. Arendt, Hannah (1967), *Vita activa. oder Vom Tätigen Leben*, München: Piper, R & Co. 참조. 특히 제3장 Arbeit(노동)와 제4장 das Herstellen(작업)을 비교.
16) Schütz, Alfred (1971), *Gesammelte Aufsätze*, Bd. I, The Hague: Martinus Nijhoff, 212쪽. 강수택(1998), 『일상생활의 패러다임』, 민음사, 162쪽에서 재인용.

위가 다르다. 루크만(Thomas Luckman)이 정리한 유고집[17]에 따르면 쉬츠에 있어서 '일'은 노동보다 포괄적인 개념이다. 그의 정의에 의하면 일이란 "어떤 기획에 기초한 외부세계에서의 행위로서, 신체적인 운동을 통하여 그 기획된 사태를 일으키려는 의도를 특징으로 하는 행위"이다. 이에 비해 노동은 일 중에서도 특별히 일상생활의 실천적인 목표에 부합하여 외부세계를 변화시키는 일이다. 그리고 일 중에서 특별히 노동을 구분하는 것은 행위의 외적인 특징보다도 행위자에 대한 의미라는 주관적인 측면이다.

노동을 이렇게 파악할 때 비로소 이 단어의 일상 언어적인 용법과 크게 대립되지 않는다. 뿐만 아니라 노동 개념의 역사나 이 개념에 대한 비교 문화적인 분석을 통해서 보더라도 노동이란 분명히 특정한 시대, 특정한 사회의 구성원들의 독특한 경험, 독특한 이해방식과 밀접히 연관된 현상임을 알 수 있다. 노동개념을 이런 방식으로 파악하게 되면 그것은 경제적인 의미에서의 생산활동 뿐만 아니라 사회 세계에서 어떤 변화를 초래하는 모든 형태의 사회적인 행위도 포함하게 된다.

한편 아렌트에 있어서 노동과 작업은 행위(das Handeln)와 함께 활동적 삶(vita activa)의 필수조건들이다. 그녀에게 있어서 노동(Arbeit)은 고통과 수고가 동반하여 생존하는 데 필요한 재화를 생산하는 행위로서 '인간신체의 생물학적 과정에 상응하는 활동'이다. 그러므로 노동은 자연이 제공하는 것을 '채취/수집하여 신체와 결합시키는' 활동이다. 이런 의미에서 노동은 개념에 있어서 소비와 하나의 쌍을 이루고 여기에 필연적으로 소

---

17) Schütz, A. u. Luckmann, T. (1984), *Strukturen der Lebenswelt*, Bd. II, Frankfurt a.M.: Suhrkamp, 23쪽. 강수택(1998), 앞책, 162쪽 참조.

유가 동반한다. 한편 작업(das Herstellen)은 장인들의 물건제작같이 재료를 사물화하여 지속성을 부여하는 활동이다. 아렌트의 정의대로 한다면 '인간실존의 비자연적인 것에 상응하는 활동'이다. 이 활동을 통해 인간은 제작인(homo faber)이 되고 이 제작품은 '사용을 위해 존재하지 않는' 예술작품도 포함한다.

노동이나 작업과 구별되어 '행위(das Handeln)'는 '사물이나 물질의 매개없이 인간사이에 직접적으로 수행되는 유일한 활동'이다. 따라서 궁극적으로는 노동과 작업이 행위로 통합되어야한다고 함으로써 행위 자체를 인간활동의 규범적 토대로 제시한다. 여기서 아렌트가 정의하는 '행위'는 노동과 일정한 거리를 유지하는 개념이면서 동시에 여성이 일상생활 속에서 구축하는 관계망에 초점을 두는 초도로우나 길리건의 '관계맺기'와 일맥상통한다는 점에서 주목할 만 하다. 또한 아렌트는 이 세 가지 활동이 탄생성(Natalität)에 뿌리를 두고 있다고 지적함으로써[18] 탄생성이 인간실존의 근본적인 조건임을 강조한다. 여기서 탄생성이 논의되는 것으로 인간의 생명생산이 중요한 사회적 행위임을 다시 한번 상기시킨다.

아렌트의 노동 개념이 인간 생존을 위한 실제적인 활동으로, 비교적 협소하게 정의되는 반면 헬러(Agnes Heller)는 '노동'을 '일(Work, das Werken)'의 범주에 들어가는 포괄적 의미로 해석함으로써 대조를 이룬다. 그녀는 '노동'을 분업의 구조와 연관시켜서 '사회의 재생산을 위해 필요한 사회적인 모든 행위 내지 객체화'로 정의한다.[19] 그러나 보다 구체적

---

18) Arendt(1967), 앞책, 15쪽.
19) Heller, Agnes (1978), *Das Alltagsleben: Versuch einer Erklärung der individuellen Reproduktion*, H. Joas(Hrsg.), Frankfurt a. M.: Suhrkamp, 109쪽.

으로는 '일'이 전체사회를 위하여 실현하는 활동과정이라면, 노동은 개별자(Einzelner)에게 의미있는 행위이다.[20] 헬러는 여기서 주목할 만한 지적을 하는데 바로 일상적 소통으로서의 '관계'에 관한 논의다. 개인적 교통, 일상적 교통이 다른 모든 사회적 교통의 기초가 된다는 전제하에 헬러는 일상적 교통의 형태 중에서 가장 의미를 갖는 것을 특히 '관계' 속에서 오가는 감정의 교통이라고 보았다. 이는 보살핌의 윤리에 따라 여성의 특성을 관계 속의 배려로 본 길리건의 시각과 매우 가깝게 닿아있다.

6. 몸을 통한 세계인식 – 섹슈얼리티와 노동의 이원적 토대

역사적으로 여성의 세계인식은 육체적 경험과 밀접하게 연결되어 있다. 왜냐하면 근대 이전까지 여성이 사회와, 또는 세계와 직접적으로 연결되는 공식적인 통로는 대부분 단절되어 있었기 때문이다. 다만 세대 재생산을 통하여 모성의 이름으로 사회에 편입되는 과정과 대부분이 육체적으로 이루어지는 노동을 통해서 사회의 극히 작은 한 부분과 연결될 뿐이다. 농경시대를 거치면서 농업생산의 가장 기초단계를 담당하던 기본 노동력으로서의 여성들의 역할은 산업화 초기까지만 해도 공장노동에 대거 유입되

---

20) Hauser, Kornelia (1987), *Strukturwandel des Privaten: Das 〈Geheimnis des Weibes〉 als Vergesellschaftungsrätsel*, Berlin: Argument Verlag, 65–71쪽 참조.

면서 사회적 영역에 적극적으로 접합되는 것 같아 보였다. 그러나 19세기를 거치면서 특히 산업화가 본격적으로 이루어지던 나라들에서 기계화로 인한 대량생산이 가속화되면서 수공업적 단계를 벗어나자 여성들은 대거 가내노동으로 후퇴하면서[21] 세계가 근대로의 완성을 향해 달려나가던 시점에 여성들의 생활과 의식은 근대 이전의 단계로 거슬러 올라가고 있었다. 그나마 간접적으로 외부 세계와 통해 있는 부분은 노동력 재생산, 그 중에서도 특히 세대 재생산 영역이었고 이러한 재생산의 여성적인 실현은 온전히 여성성을 표방한 육체적 노동을 통해서만 가능했다.

이러한 의미에서 여성 주체에 대한 개념적 정의는, 순전히 정신적이고 형이상학적인 이성 중심의 근대적 주체 개념과는 일정한 부분 거리를 둘 수 밖에 없다. 즉 역사적으로 여성들에게 있어 자신을 인식하는 방식은 적극적으로 몸을 통한 사고가 주류를 이루었기 때문에 코기토(cogito)적 주체와는 그 성격이 다를 수 밖에 없다. 또한 근대 주체 형성의 필요조건인 자율과 자유는 여성에게 있어서 억압적이고 비자율적인 섹슈얼리티를 매개로 한, 몸을 통한 여성의 세계인식의 방식을 통해서는 재현될 수 없는 덕목이었다. 이러한 맥락에서 보면 여성 주체를 몸과 노동의 통합적인 담론 속에서 해석하려고 할 때 성담론 속에서의 노동읽기는 한편으로는 몸을 기호화하는 작업이다. 정신노동과 육체노동의 경계선에서 머리(기획)와 손(조립), 가슴(감정노동), 배(노동력 재생산), 다리(이동) 등은 노동과 생산의 구체적인 도구이자 그 노동을 통해 세계를 인식하는 각 개인의 문화적인 통로이자 코드가 된다. 이렇게 몸을 노동의 도구로 해석하는 것은 근대철

---

21) Pinchbeck, Ivy (1930, 1980: 3rd), *Women Workers and The Industrial Revolution 1789–1859*, London: Cass. 참조.

학에서 이미 많이 이루어진 작업인데 페미니즘의 시각에서 성정체성과 성별 노동방식을 연결하여 해석해내는 작업으로 새롭게 시도해볼 만한 흥미 있고 유용한 작업이다.

7. 여성의 몸: 정복되어야할 자연인가?

남성성/여성성이 대립되는 개념으로 상정될 때 이와 연결하여 떠오르는 또 하나의 이분법적인 관계는 자연과 문화의 관계이다. 여성성과 남성성 또는 젠더가 자연과 문화의 이분법적 논리 안에서 수용되는 방식은 성정체성과 젠더 형성의 관계를 중심으로 전개된다. 이 관계에서 필연적으로 드러나는 성역할의 사회화, 이의 사회적 실천인 생산과 노동에서의 양성관계, 그 과정에서 개입되는 육체의 실현성이 자연과 문화의 이분법에 대한 관심의 초점이다. 자본주의적 생산양식이 보편화된 사회에서의 생산개념은 잉여가치를 창출해내는 생산을 중심으로 정의된다. 이러한 노동을 수행하는 과정에서 가장 핵심적인 역할을 하는 육체의 중요한 부분은 머리와 손이다. 이중에서 머리는 전통적으로 합리주의적 자아, 초월적 자아를 실현시켜주는 중요한 신체기관이다. 따라서 머리는 근대적 주체형성의 중심에 있는 기관이며 잡다한 일상을 뛰어넘은 저 지평선 너머의 초월적 현상, 정신활동의 진원지이다. 이러한 유추가 의미하는 바는 머리가 전형적인 남성성을 상징하는 근대적 주체의 중심이며 거의 몸이라는 틀거리를 떠난 것으로 보이는, 탈육체화하고 탈현실화하여 상징적이고 선험적으로 존재하는 기관으로 간주된다는 점이다.

이와는 대조적으로 여성의 고유한 생산은 재료에 노동을 가하여 생산품을 만들어내는 '가공'의 개념보다는 말 그대로 생산을 뜻한다. 즉 여성이 행하는 노동이 성 정체성과 직결되어 표출되는 것이 가사노동이라고 한다면 신체적인 구조와 특성이 생산과 연결되어 언급되는 것은 생명재생산의 경우이다. 그런데 이는 자본주의적 생산양식의 범주 밖에서 이루어지는 것으로 간주되기 때문에 여성의 가슴이나 자궁 등을 통한 노동의 수행은 자본주의적 생산양식의 개념으로는 적극적으로 사고되지 않을 뿐 아니라 통상 생산의 범주에서 벗어나 있는 것으로 간주된다. 섹슈얼리티와 연관된 노동이면서 한편으로는 자본주의적 노동의 범주에 들어가지 않고 재생산에도 포함되지 않으면서도 여성들이 대표적으로 행하는 노동이 성적 서비스 노동이다. 가장 극단적인 형태가 매춘이겠으나 근래에 들어서 매춘까지 가지 않더라도 이와 유사한 효과를 가져오는 서비스노동 중 성적인 매력과 실질적인 노동력을 혼합하여 얼핏 보기에는 자본주의적 원리에 충실한 것으로 보이는 노동의 형태가 있다. 예를 들면 각종 행사장에서 일하는 도우미들이 행하는 노동이 그것이다. 이러한 노동으로부터 추상화된 성적 욕망이 충족되기가 기대되고 이의 충족은 여성들이 행하는 노동 그 자체로부터 제공되기보다는 여성적인 존재로부터 부가적으로 제공된다.

능동적으로 노동을 수행하는, 근육이 활용되는 몸이 아니라 수동적으로 '쓰여지는' 몸(예를 들면 성적 서비스 노동에서의 몸)의 논리는 또다시 그러한 몸에 깃든 섹슈얼리티를 수동적으로 정의한다. 따라서 생명재생산이라는 그 어떠한 능동적 노동보다도 능동적일 수 있는 생산이 지극히 수동적으로 사회의 보수성을 유지시키는 도구적인 수단으로 인식되고 여성들 스스로도 대를 이을 아들을 낳아 '주기' 위한 도구, 다만 몸을 '빌려주고', 생명을 '실어나르는 수레'[22], 원래는 비어있는 나룻배 노릇을 하는 것 이상의 어떤 것도 상상하지 못하는, 다만 원초적인 모성이 강조되는 자연의 일부로 정의된다.

성적 서비스 노동은 섹슈얼리티가 노동의 사회적 개념정의와 통합되어 나타나는 거의 유일한 형태의 노동이다. 그런데 이 노동의 형태에는 몸으로부터 유추되는 물적 기반은 섹슈얼리티이고, 노동의 요소로부터는 생산이라는 긍정적인 결과가 결여되어 있다. 이러한 의미에서 본다면 성적 서비스 노동은 몸담론에서 논의되는, 몸이 담지하는 사회적 요소 중 극히 작은 한 부분인 섹슈얼리티, 성 담론에서 중심을 차지하는 욕망의 자발적인 부분, 자기중심적 욕구의 가장 핵심적인 부분이 배제된 채 섹슈얼리티의 사용, 비주체적인 '쓰임'이 전면에 부각되는 노동이다. 또한 노동의 정의에서 볼 때 신체의 각 부분이 적극적으로 사용되어 고전적 의미에서 '만들어내는' 의미가 배제된, 따라서 생산이라기 보다는 소비의 개념에 가까운, '욕망의 왜곡된 전유' 행위에 근접해있다. 이와 대조적으로 감정노동은 섹슈얼리티와는 거의 무관하게 성 정체성과 결합되어 있다. 이런 측면에서 보면 감정노동은 성담론에서도 특히 성정체성과 노동이 유기적으로 관계 맺는 형태이다.

자본주의 사회에서 지금까지 통용되던 이러한 생산과 노동의 개념적 설

---

22) 비릴리오는 여성의 생명생산을 직설적으로 표현하지는 않았지만 "남성은 여성의 승객이며… 여성은 인류최초의 운송수단, 최초의 수레이다"라는 은유를 통하여 이를 간접적으로 시사한다. Virilio, Paul(1984), *L'horizon negatif*, Paris: Editions Galilee, 독일어번역본 Virilio, Paul/Weidmann, Brigitte(1989), *Der negative Horizont*, Wien: Carl Hanser Verlag, 29쪽.

명틀 내에서는 초도로우나 길리건이 논의의 핵심 축으로 삼고 있는 어머니되기의 재생산이나 여성의 배려적 윤리는 원래의 논지와는 정반대로 성별분업을 더욱 고착화시키는 논리에 선별적으로 적용되어 이용될 위험을 안고 있다. 그렇다면 차이의 문화를 포기하지 않으면서 위계를 거부할 수 있는 패러다임의 수립은 과연 가능한가? 생산과 노동의 새로운 개념정의를 시도해온 미즈와 폰 베얼호프의 논의[23]는 바로 이러한 가능성의 맥을 짚는데 유용하다. 가사노동과 자녀양육이 여성의 '자연적인 본성'의 귀결로 인식될 때 자연 개념 속에 지배관계, 즉 여성적 자연에 대한 남성적 인간의 지배라는 관계가 은폐되어 있다고 보는 것이 성별분업을 보는 유물론적 페미니즘의 일반적인 관점이다. 다시 말하자면 성별분업의 개념이, 남성적 활동들은 진정으로 남성적인—의식적이고 이성적이고 계획적인—활동으로 간주되는 반면 여성적인 활동들은 주로 그녀들의 "본성(자연: *Natur*)"에 의해 규정되는 것으로 보인다는 사실을 은폐한다는 것이다.

　문화인류학에서 자연과 문화의 이분법이 추상적인 상징체계로 설명되는데 반해 유물론에서는 인간과 자연이 상호작용하는 관계를 노동을 매개로 하여 구체적으로 파악한다는 점에서 좀더 현실적 접근을 용이하게 한다. 사적 유물론에서 인간적 본성을 연구한다는 것은 인간의 자연과의 상호작용이 역사적으로 어떠한 궤적을 그어오면서 인간의 삶을 규정해왔는가를 연구하는 것을 의미한다. 또한 인간이 자연과 상호작용을 하는 과정에서 얻어지는 결과물이 바로 삶의 생산이라고 한다면 이러한 삶의 생

---

23) v. Werlhof, C., Mies, M. & Bennholdt-Thomsen, V. (Hrsg.: 1983), *Frauen, die letzte Kolonie*, Reinbek bei Hamburg: Rowohlt. 이 책에 수록된 미즈의 논문에서 특히 성별분업의 기원과 전개가 양성이 자연과 갖는 관계 속에서 통찰력있게 다루어지고 있다. 앞책, Mies, Maria(1983), "Gesellschaftliche Ursprünge der geschlechtlichen Arbeitsteilung", 164-193. 참조.

산은 어느 시대에나 일상적 생활수단 생산과 생명재생산의 두 차원을 갖는다.

마르크스(Karl Marx)는 이러한 삶의 생산을 인간이 노동을 통하여 자연을 정복하는 과정이라고 보았다: "노동은 우선 인간과 자연 간의 과정인데, 이 과정에서 인간은 자신의 행위를 통하여 자연과의 신진대사를 매개하고 통제하며 조정한다. 인간은 자연 재료 자체와 자연력으로써 맞서 있다. 그는 자연 재료를 자기 삶을 위해 이용할 수 있는 형태로 변화시키기 위하여 자신의 육신에 속한 팔, 다리, 머리, 손 같은 자연력들을 작동시킨다."[24]

이와 같은 마르크스의 '자연의 정복'에 대한 기술에서 미즈는 그러나 '팔, 다리, 머리, 손' 등으로 외부의 자연에 행위를 가하는 남성적 인간을 보면서 성별분업 연구를 위해서는 여성과 남성이 질적으로 서로 다른 육체를 수단으로 자연에 작용하며 자연을 정복한다는 사실에 주목할 필요를 역설한다. 이를 위해 미즈가 중요한 분석도구로 삼는 것이 바로 자연에 대한 여성/남성의 대상관계, 여성적 생산성/ 남성적 생산성, 그리고 마지막으로 여성과 남성이 생산에 사용하는 도구의 차이다.

인간 육체의 생산성은 여성의 경우에 출산이라는 경험을 통해 구체적으로 구현된다. 미즈에 의해서 자기 육체의 정복으로 표현되는 이러한 생산력이 남성의 경우 손과 머리를 이용해 도구를 창조하고 다루는 데 이용된 것과 대비해서 여성은 출산을 담당해내는 자기 육체를 정복하고 그 육체로 할 수 있는 능력을 정복한 것으로 해석된다. 또한 미즈는 자연에 대한

---

24) Mies (1983), 앞글, 163쪽에서 재인용.

여성의 상호관계는 남성에 비해 보다 사회적이라고 보는데 그 이유는 여성들은 자기 자신 뿐 아니라 자기 아이의 양식까지도 채집활동을 통해 조달해야 했었기 때문이라는 것이다. 생활주변의 일상적인 자연을 대상으로 행해지는 채집활동은, 간헐적으로 이루어진 수렵이라는 남성들의 활동과 그렇게 얻어진 양식이 배타적으로 소비되는 것과 비교하면 훨씬 더 사회적이라는 해석은 설득력이 있다. 이와 대비되는 남성의 자연과의 관계는, 남성이 육체의 생산성에 있어서 여성과 결정적으로 다른 점, 즉 생명생산을 할 수 없다는 점에서 근본적으로 여성과는 다른 면모를 보인다. 따라서 남성적 생산성은 외부의 기구나 도구의 매개 없이는 실현되지 않는다.[25] 자기 신체 및 외부의 자연에 대한 남성의 관계가 도구적 경향을 지닌 관계가 될 수 밖에 없다는 이 성찰은 파슨스가 남성의 성역할을 도구적 역할로 정의한 것과 일맥상통한다.

자연을 정복하는 과정에 있어서의 남성과 여성의 근본적인 차이는 이처럼 도구를 사용하는 것과 여성의 경우 특히 자본주의 사회에서는 남성으로부터 육체가 '사용되고 정복되는' 도구가 될 수도 있다는 점을 들 수 있다. 그렇다면 도구는 남성들의 독점물인가? 미즈는 수렵활동을 주로 하던 남성들이 쓰던 도구와 채집활동 내지 농경을 주로 하던 여성들이 사용하던 도구는 근본적으로 달랐다는 점을 지적함으로써 각 성별이 자연을 대하는 태도와 방식의 근본적인 차이를 드러내 보여준다. 즉 남성들이 자연을 '정복'하는데 쓰던 도구들, 예를 들면 창이나 화살, 도끼, 덫 등 수렵도구들과 여성들이 주로 식량을 모으고 이를 보존하기 위해 쓰던 도구들,

---

25) Mies (1983), 앞글, 174쪽.

예를 들면 나무껍질로 된 광주리라든가 좀더 나중에 사용된 항아리, 호미, 괭이 등은 뚜렷한 변별성을 보인다. 여기서 가장 핵심적인 차이는 수렵에 쓰이는 도구, 좀더 엄격히 말하자면 살생무기들은 삶의 생산 도구가 아니고 파괴하는 도구인데 반하여 채취와 농경에 쓰인 도구들은 흙에서 새로운 것을 만들어 내는 도구라는 점이다. 미즈의 관점에서는 바로 이 점이 남성과 여성의 자연을 대하는 관계의 차이이면서 동시에 역사적으로 양성이 갖는 생산관계의 차이이다.

8. 감성의 문화와 패러다임의 전환

페미니즘 이론은 드 로레티스(Teresa de Lauretis)가 지적한 바대로 '여성으로 성별화된, 혹은 여성으로 육체화된 사회적 주체에 대한 발전 중인 이론'[26]이며 따라서 그 구성과 사회적이고 주체적인 존재양식들에는 명백히 성과 젠더, 인종과 계급, 그리고 다른 중대한 사회문화적 분할과 재현이 포함되어 있다. 이러한 사회적 주체 형성에는 또한 시대와 지역, 생산양식의 편차가 개입된다. 차이를 중요하게 부각시키는 성차이론에서는 페

---

26) Teresa de Lauretis(1990), "Upping the Anti(sic) in Feminist Theory," in Hirsch, M. & Keller, E.F. (eds.) *Conflicts in Feminism*, New York: Routledge, 266쪽, 로지 브라이도티, "새로운 노마디즘을 위하여: 페미니즘의 들뢰즈적 궤적 혹은 형이상학과 신진대사", 『문화과학』, 1998, 154쪽에서 재인용.

미니즘 사상의 목표를, 새로운 여성 페미니스트 주체성을 위한 기반을 위치짓는 것으로 규정하면서 존재론적 욕망의 정치적 중요성과 주체구성에서 욕망이 하는 역할을 강조해왔다. 이의 예는 브라이도티가 패러다임의 변화를 전제하면서 제시하는 '욕망하는 새로운 주체'[27]라는 정의에서 찾을 수 있다. 한편 성차이론을 통해 생산되고 정비된 여성성을 여성 주체의 중요한 요소라고 한다면 지금까지의 여성 노동담론에서 기존의 젠더구분에 따라 규정된 여성성이 단지 수동적으로 이용되거나 노동시장 내에서 형성되는 위계구조의 구성요소로 파악되던 고정 틀을 뛰어 넘어야할 필연성이 제기된다.

앞으로의 노동의 양태가 근대적 의미의 노동개념과 확연히 구별될 것이라는 예측이 최근 들어 이론적 논의를 통해서 활발히 이루어지고 있다. 굳이 노동거부사상 논의[28]에 의하지 않더라도 노동을 최대한 많이 하는 것이 미덕이라는 윤리는 인류가 원초적으로 가져온 욕망에 기초한 것이 아니라 근대이후, 즉 자본주의 사회 형성 이후에 노동자에게 주입되어 형성된 윤리라는 점은 이미 주지의 사실이다. 근대적인 사회윤리가 그 물질적

---

27) Braidotti, Rosi (1994), "Toward a New Nomadism: Feminist Deleuzian Tracks; or, Methaphysics and Metabolism," in Constantin V. Boundas & Dorothea Olkowski, (eds.) *Gilles Deleuze and the Theater of Philosophy*. Routledge, 159–186쪽, 로지 브라이도티 (1998), 앞글, 150–152쪽 참조.

28) 노동거부에 대한 논의는 이미 1세기 전부터 있어왔지만 최근에 와서는 21세기를 전망하면서 노동거부를 넘어서서 노동이 사라져서 수동적 실업이 아닌 긍정적 의미의 대량실업이 이루어지는 사회에 대한 전망까지도 이루어지고 있다. 노동거부사상은 Gorz에 의해 본격적으로 논의되기 시작했다. Andre Gorz (1989), *Critique of Economic Reason*, Verso. 참조. 대량실업을 논의의 실마리로 하여 노동이 사라지는 사회에 대해 긍정적인 시선으로 그 전망을 다룬 책으로는 Jean Onimus (1997), *Quand le travail disparait*, Paris: DDB가 있다. 노동거부와 관련된 국내 논문으로는 강내희(1998), "노동거부의 사상-진보를 위한 하나의 전망", 『문화과학』1998년 겨울호 참조.

토대를 잃어가는 측면과 함께 한편으로는 테크놀로지의 발달로 인해 노동의 절대적 시간과 육체노동의 양이 점차 줄어들고 다른 한편으로는 대체인간인 로봇이나 사이보그가 부상하는 앞으로의 사회에서 노동양태, 생산양식의 전면적인 변화가 필연적인 현상으로 나타날 것이다. 이러한 현상에 수반되는 결과로서, 현재까지는 젠더구분에 따른 성별분업의 논리에 따라 사회적 노동의 범주에서 전통적으로 여성이 주로 담당하던 직업군의 범주를 넘는, 일의 양식이 새롭게 정의되어야할 것이다.

다시 말하자면 감성노동(emotionale Arbeit)이 지금까지의 협소한 개념 정의를 넘어서 그 위상을 달리하면서 앞으로의 사회에서, 보다 바람직한 노동양식으로 자리잡게 될 것이라는 예측은 얼마든지 가능하다. 지금의 성별분업에 따르면 여성 일반의 '일'은 고정된 성역할을 축으로 하여 분할되는 노동시장에서 간호사, 유치원 보육교사 등 협소한 의미에서, 나아가 여성의 특성이 특정부분만 강조되고 왜곡되어 발휘된 영역의 '일', 여성의 모성이 전면에 부각되어 여성에게 배정되는 '일'이었다. 그러면서도 표면적으로는 여성들이 상대적으로 많이 갖고있는 '감성'이 이 일들을 여성들에게 할당되도록 한다는 논리가 지배해왔다. 그러나 여기에서 언급되는 감성노동은 이렇게 전반적으로 하위노동의 영역으로 규정되어 온, 여성의 일로 영역화되고 게토화된 일련의 직업군을 뜻하는 것이 아니다.

이성이나 합리적 냉철함이 강조되고 끊임없이 요구되던 근대사회로부터 기든스(Anthony Giddens)가 지적하듯이 친밀성의 구조변동[29]이 실질

---

29) Giddens, Anthony (1992), *Transformation of Intimacy: Sexuality, Love and Eroticism in Modern Societies*, London: Polity Press. 배은경/황정미 역(1995), 『현대사회의 성, 사랑, 에로티시즘』, 새물결. 참조.

적으로 진행되고 있는 후기 현대 사회로 접어들면서 감성노동의 가치는 재평가되어야 한다. 친밀성이 사회구성의 주요 동인이 되는 사회에서는 사적 영역이 공적 영역과 갖는 관계가 더 이상 위계적으로 구조화되지 않는다. 이러한 사회는 다양한 특성을 가진 사람들 간의 관계맺기와 배려의 윤리가 중요해지는, 다시 말하자면 이성과 계산된 합리성보다는 감성이 중시되는 사회다. 그렇기 때문에 이러한 사회에서의 감성노동은 근대적 의미의 노동의 개념을 벗어나 포괄적인 생활양식의 변화, 문화생산의 감성적 전개라는 측면에서 새롭게 정의되어야한다. 직업이나 생산노동의 좁은 의미로부터 벗어나고, 노동이라기보다는 전반적인 문화활동으로 그 폭을 넓혀갈 '일' 이 필요해지는 사회가 오고 있기 때문이다.

육체를 통해 구현되는 여성과 남성의 서로 다른 생산성은 여성성과 남성성의 상이한 성심리구조와 상당히 밀접하게 맞닿아 있다. 여성성의 단선적이지 않고 다중적인 특성, 하나로 고정되지 않고 진행의 과정에 있음으로 해서 변화가능성이 열려있는 주체성, 그리고 사회의 중심을 사람에 놓고 그 사람들 간의 관계맺기에 있어 배려의 윤리가 통용되는 여성성. 이러한 여성 주체의 특성이 노동과 생산의 핵심에 제대로 발현될 때 성별정체성과 여성의 몸에 관한 담론이 노동과 연결되면서 새로운 패러다임의 정립이 본격적인 궤도를 찾을 것이다. 새롭게 사유되는 여성성은 문화양식 뿐 아니라 노동의 방식, 더 나아가 삶의 방식에 있어서 다중적이고 다양한 가능성을 열어준다. 그 가능성의 맥을 제대로 짚어나가는 작업이 앞으로 전개될 양성관계의 문화를 긍정적인 방향으로 이끄는데 중요한 역할을 할 것이다.

5장 · 노동의 도구에서 욕망의 터전으로

　최근 들어 보이는 한국 여성학계의 학문적인 특성을 살펴보면 무엇보다도 먼저 성에 대한 담론이 풍성해지고 이에 대해 다각도에서 본격적인 연구가 활발해진 점을 들 수 있을 것이다. 이와 더불어 몸에 대한 관심도 지속적으로 높아지고 이러한 경향의 자연적인 귀결로서 여성 주체[30]에 대한 논의가 중요해지고 있다. 산업화라는 사회적 당위의 관철에 우선 순위를 두었던 7, 80년대에는 계몽주의적 발전론이 지배적이었고 이러한 제3세계적 시대 상황은 여성학의 학문적 관심을 노동하는 여성의 권리신장으로 집중시키는데 한 몫을 해왔다. 80년대의 노동연구로부터 출발한 한국 여성학의 주된 학문적 관심이 90년대에 들어서 성과 몸을 중심으로 한 문화

---

30) 여성을 주체라는 개념으로 접근할 때 사용하는 용어로는 여성 주체, 여성주의적 주체, 여성주의적 성적 주체 등이 있는데 각 용어는 나름대로 설명하는 범주와 층위, 내포하고 있는 문화적인 의미에 약간씩 차이가 있다.

분석적 주제로 무게중심을 옮기게 된 배경에는 여러 가지 시대적 조건들이 중첩적으로 작용했다.

주목할 조건 중 하나는 생산중심의 발전지상주의가 팽배해 있던 80년대로부터 현실사회주의가 무너지는 90년대로 접어들면서 소비중심의 후기산업 사회의 사회문화적 징후들이 본격적으로 드러나고 이러한 징후들은 사회구성원 대다수의 존재론적 관심이 사회로부터 개인에게로 전화되면서 구체화되어왔다. 또한 이러한 사회문화적 조건들은 사회를 변화시키는 주요동인을 더 이상 모더니즘적 기획으로 인식하기보다는 포스트모던한 사회의 여러 특징들에서 찾기에 알맞도록 재편되기 시작했다. 다시 말하자면 80년대 후반에 있은 소비사회로의 전환의 계기들이 노동이라든가 생산, 나아가 사회적 권리 등의 당위론적 거대담론으로부터 담론분석을 중심으로 한 문화연구로 학문적 관심의 무게중심을 옮겨놓았다고 하겠다. 이러한 사회적 배경과 시대적인 관심이 90년대 문화연구의 발화지점을 폭발적으로 성과 몸으로 집약시키면서 여성학에서 끊임없이 언급되어오던 패러다임 전환에 한 획을 긋기 시작했다.

따지고 보면 성과 노동이라는 학문범주의 연결이 새롭게 등장한 것이 아니라 사실상 서구에서 여성학이 학문으로 정착되기 시작한 이래 특히 초창기의 유물론적 페미니즘에 입각한 연구들에서 지속적으로 관심을 끄는 탐구과제였다. 이 연구들은 성별분업의 사회적 영역에로의 확산이 여성의 성정체성과 더불어 생물학적 조건과 무관하지 않다는 점들을 지적해왔고 그래서 유물론적 페미니즘과 정신분석학적 페미니즘의 결합이 끊임없이 시도되고[31] 이러한 시도들은 성별분업에 대한 심층적 연구의 단초를 제공해왔다.

여성학 뿐 아니라 인문사회과학의 각 분야에서 90년대로 들어서면서 몸이 새롭게 중요한 화두로 등장하게 된 배경에는 거대담론의 설명력 상실과 개인적인 삶, 일상적인 삶의 정치적 의미를 되새겨야할 시대적 필요성이 서로 맞물린 점을 들 수 있다. 여기에 성정체성, 섹슈얼리티와 성별분업 등 양성관계의 총체적인 재현 공간인 몸이 그 중요성을 새삼스럽게 부과받은 것이다. 한편으로는 20세기를 총괄적으로 되짚어 볼 필요성이 대두하게 되었다. 즉 근대정신의 완성과 탈근대로의 이행 또는 그 이행의 징후 등이 등장하면서 페미니즘의 이론적 지향도 상당히 영향을 받으며 변화하였다고 할 것이다. 그런데 한편으로는 페미니즘의 이론적 진전의 과정을 보면 반드시 모더니즘의 기획으로부터 포스트모더니즘으로 옮겨갔다고 보기 어려운 점을 발견할 수 있다. 이는 페미니즘이 근본적으로 모더니즘적인 기획과 패러다임 전환의 급진성을 함께 띠고 있다는 점에서 더욱 그러하다.

포스트모더니즘 이론들이 덜 총체적인 이론의 개발에 공헌할 수도 있다는 사실에 프레이저나 니콜슨 같은 페미니스트 이론가들이 주목하기는 했지만[32] 이들이 보다 관심을 갖는 부분은 페미니스트 정치학이 띠는 모더니즘적 성격에 포스트모더니즘이 제시하는 다양성의 추구라든가 결정론의 유보 내지 거부 등이 첨가될 수 있는 가능성이다. 이러한 여러 가지 시대적 상황과 인식변화와 더불어 사회와 역사의 커다란 틀을 전제로 하는 총체적 이론으로부터 좀더 미시적이고 개인의 욕망을 전면으로 드러내는

---

31) 유물론적 페미니즘의 물적 토대에 대한 관점과 섹슈얼리티, 성정체성과 남근중심주의의 기재를 밝혀내고자 하는 의도로 진행된 정신분석학적 페미니즘의 결합 가능성은 줄리엣 미첼로부터 시작하여 미셸 바렛, 아네트 쿤등에 의해 적극적으로 시도되었다. Mitchell Juliet (1974), *Psychoanalysis and Feminism*, Vintage Books. Barrett Michèle (1980), *Women's Oppression Today*, Verso Editions and NLB. 아네트 쿤 (1988), "가족에 있어서 가부장제와 자본의 구조", 강선미 (역), 『여성과 생산양식』, 서울: 도서출판 한겨레.

32) 프레이저, 낸시 & 니콜슨, 린다(1992), "철학없는 사회비평-페미니즘과 포스트모더니즘과의 만남", 이소영·정정호 공편, 『페미니즘과 포스트모더니즘』, 서울: 한신문화사, 118-144쪽.

문제의식이 중요하게 부각되기 시작했고 이러한 문제의식이 여성학에서는 성과 몸에 대한 주제의식으로 전개되었다. 성과 몸에 대한 주제의식의 전개는 다른 말로 하자면 성적 주체로서의 여성에 관한 논의가 활발해졌음을 의미한다. 따라서 90년대의 여성주의 문화분석의 중요한 틀거리인 성과 몸, 그리고 노동의 세 가지 범주가 어떻게 교집합적으로 해석될 수 있는 지, 그리고 이러한 해석이 여성주의 문화분석의 이론적인 정립에 어떻게 유용하게 작용할 것인 지에 대해 고민하는 하나의 방식으로 이론적 논의의 형식으로 이 글을 구상하였다.

1. 여성주의 문화론을 위한 범주설정의 필요성

이 글에서 사용하는 문화 개념은 광범위한 개념으로서 인간의 삶의 양식과 사유체계를 포함하는 개념이다. 따라서 좁은 의미의 재현체계로부터 이의 역사적 확산까지도 염두에 둔 개념이다. 여성주의 문화연구는 공식화된 문화적 접근들이 헤게모니화하는 함축들을 지적하는 데 특별히 도움이 되어 왔다. 따라서 확장된 문화개념을 사용한 문화연구는 문화적 의미와 실천이 탈중심화하는 것을 돕는다. 이러한 맥락에 따르면 여성의 몸과 섹슈얼리티가 나타내는 표상체계와 의미를 해석해낸다는 것은 몸과 섹슈얼리티가 사회적으로 실천되고 저항하고 의미화하고 재현되는 방식에 대해 분석하는 것이기 때문에 여성주의 문화연구의 중심적인 과제로 중요하다.

여기서 시대별로 여성학의 중심 과제가 서로 병렬적으로 배치되어온 상황을 간략히 점검하는 것은 문화론적 범주설정의 배경을 이해하는데 있어서 유용하다. 한국의 경우 70년대와 80년대에 여성학에서 주도적인 위치를 차지한 논의가 생산관계와 계급을 중심으로 한 젠더 논의, 특히 여성 노동에 연관된 이슈들이었다고 한다면 90년대 이후에는 몸과 섹슈얼리티에 관심이 모아지면서 섹슈얼리티의 사회적인 재현을 중심으로 한 문화연구가 활발해져왔다. 성별분업의 기원에 대해서, 또 이의 사회적 실현이 초래하는 노동시장에서의 성별분리적이고 위계적인 분업체계에 대해 분석할 때 여성의 생물학적 조건에 대해 언급한 방식에는 분명히 어느 정도는 여성의 몸과 노동이 연관되어 이루는 노동의 수행성이 포함되어 다루어져왔다. 이는 다시 말하자면 여성의 노동과 생산을 주요 테제로 하는 연구에서 몸과 섹슈얼리티가 노동과 생산이라는 범주와 갖는 유기적 관계에 대한 고려와 분석이 비교적 주의깊게 들어있었다는 것이다. 그러나 80년대 후반을 지나 90년대로 들어서면서 성담론이 본격적으로 하나의 독창적인 분석범주로 자리잡으면서 노동에 관한 연구영역과 성이나 몸에 대한 연구는 마치 전혀 다른 학문의 뿌리를 갖고 있는 것처럼 각각의 영역을 구축하고 심도를 더해가고 있다. 이렇게 분절화된 세부영역화가 이루어지는 가운데 유기적 관계를 지속적으로 환기시키고 연결시켜줄 수 있는 개념이 바로 성별분업이라고 할 수 있다. 이 개념이 성립하고 정의되어온 과정 자체가 또한 앞서 언급한 양대 영역이 결코 양분화되어서 독자적인 영역으로 분절화되면 안되는 당위성을 역설적으로 보여주는 증거이기도 하다.

여성의 노동과 생산에 관한 유물론적 페미니즘의 성과는 높이 평가받을 만한 것이다. 비교적 초기의 단계에서는 생물학적 성과 생명재생산, 그리고 이와 연장선상에서 부여되는 양육의 역할이 갖는 유기적 관계에 대한 천착이 활발했고 이 논의가 단순히 노동의 차원에서가 아니라 이데올로기와 문화의 설명틀을 가지고 이루어졌다. 그러한 논의의 결과로서 성별분업의 역사적이고 개념적인 정의가 이루어진 것은 유물론적 페미니즘이 이루어낸 커다란 성과이기도 하다. 그러나 80년대에 한국의 여성학계를 풍미했던 여성 노동에 관한 연구에서 이러한 상호연관된 논의의 여파가 남아있었던 것과는 대조적으로 90년대에 들어서서는 양대 영역의 교집합적인 논의는 더 이상 보이지 않고 포괄적인 의미의 성은 섹슈얼리티논의의 심화와 확산으로, 노동이 전제되지 않은 상태에서 권력이 행사되는 문화의 아비투스로 이해되기 시작했다.

노동의 영역에서는 성별분업의 이념적, 역사적 기원과 이의 사회적 적용에 있어서의 왜곡 등이 지속적으로 논의되기보다는 보다 경제학적인 개념과 이론으로 노동시장의 논리를 분석하고 그 안에서의 여성들의 하위화와 빈곤화 현상에 대한 진단적인 연구가 활발해졌다. 이렇게 각각의 영역이 분절화되는 상황에서 여성학의 논점을 재정비하고 새로운 패러다임의 정립이라는 과제를 수행하는 하나의 작업으로 여성주의 문화론에 입각한 제반 범주의 설정과 탐구의 방법론이 정비되어야할 필요성이 대두된다.

2. 여성 주체/여성주의적 주체/성적 주체

여성 주체의 형성을 논의할 때 가장 중심에 들어서야 할 논제는 무엇보다도 성과 몸이다. 그런데 여기서 몸 논의의 전개를 포스트모던적인 사유방식에 의해서 이루어진 것으로만 볼 수 없고 필연적으로 노동이나 생산의 의미체계 속에서 이해해야만 하는 당위성은 주체이론의 역설적인 수용과도 긴밀하게 연결되어 있다. 다시 말하자면 거대이론과 합리적이고 보편적인 이성을 강조하는 계몽주의적 세계관의 연장선상에 있는 주체라는 용어를 사용하면서도 이 논리 속의 주체는 그 개념의 본원인 데카르트적 초월적 주체나 합리주의적 이성을 발판으로 하는 계몽주의적 주체가 극복되고 해체되어야만 진정한 의미의 여성 주체로 정립될 수 있는, 여성학에서 해방의 미학이 추구하는 특유의 역설적인 논리 속의 주체다. 다시 말하자면 주체와 객체로 엄격히 구분되고 이 구분에 따라 서열이 매겨지는 근대적 논의에서의 주체가 아니라 객체를 대상화하지 않는 주체를 말한다. 따라서 이 글에서는 섹슈얼리티의 담지자로서, 문화의 매개로서의 몸이 다른 한편으로는 역사성을 갖는 이유를 노동과 생산의 의미체계 속에서 파악하고 이 양측의 역설적인 접합점의 인식론적 의미를 찾아보려 한다. 이는 또한 몸이 갖는 어쩔 수 없는 물질성과 사회적 관계의 재현성, 몸의 수행성과 상징적 의미들을 교차하여 읽어냄으로써 여성 주체 형성에 대해 문화이론적 해석의 가능성을 타진해보려 한다.

이 글에서는 몸을 섹슈얼리티 담론과 노동 개념이 체화되는 장소로 전제하면서 여성 주체 형성의 가장 근본적인 계기를 몸으로부터 찾는다. 이는 달리 말하자면 여성 주체 형성에 있어서 인식론적 기반과 여성의 경험, 이 경험이 각인되는 육체, 그리고 사회역사적 토대가 서로 이율배반적인 뿌리를 극복하고 함께 논리적인 연관성을 찾아가는데 있어서 구심점이면서 무대가 되는 것이 바로 몸이라는 점을 인식하는 것에서 논의의 출발을 삼는다는 뜻이다. 섹슈얼리티는 욕망(desire)으로, 실제와 행동의 시리즈로서의 행위(act)로, 그리고 정체성의 맥락에서 이해된다.[33] 따라서 이 글에서는 성과 노동이 공존하는 공간으로서의 몸이 갖는 물질성을 간과하지 않는 육체유물론에 이론적 기반을 두고 출발한다. 한편 주체에 대한 논의에서 간과할 수 없는 것이 페미니즘과 근대성의 관계이다. 그러나 이 문제는 근대성 자체가 페미니즘과의 관계에서 모순과 양가성을 띠고 있다는 점과 페미니즘 또한 모더니즘의 연장선상에 있는 이론으로 볼 것인가 포스트모더니즘의 한 줄기로 볼 것인가[34]에 대해서는 좀더 자세한 논의가 필요하겠지만 여기서 간략하게 살펴보면 다음과 같다.

근대성과 페미니즘의 역동적인 관계에 대해서는 펠스키(Rita Felski)의 논의가 시사점을 준다. 그녀는 역사에 대한 남녀의 서로 다른 해석은 주체의 성별에서 중대한 영향을 받는다고 지적한다. 그 한 예로 남성적 특성의 지배 패러다임으로 합리화, 생산성, 억압등을 든다면 근대적 주체성의 수동적이고 쾌락적이며 탈중심화된 성격은 서구 사회의 여성화를 입증한다는 점을 들어 근대성과 페미니즘의 복잡하고 다양한 갈등을 설명하고 있다. 특히 아도르노와 호르크하이머의 『계몽의 변증법』을 통해서 '남성적인' 합리화와 '여성적인' 쾌락이 정복과정을 통해 근대적 주체성을 구성하는 완벽한 지배의 논리라고 지적함으로써 근대적 주체가 하나의 단일한 성격을 띠고

---

33) Grosz, Elizabeth (1994), *Volatile Bodies－Toward a Corporeal Feminism*, Bloomington: Indiana University Press, 8쪽.

34) 이에 대한 대표적인 논의는 Braidotti, Rosi (1991), *Patterns of Dissonance*, Cambridge: Polity Press에서 특히 "7. Feminist Discoursive Tactics in Philosophy, or: I Think Therefore He Is"를 참조. 또한 페미니즘과 포스트모더니즘의 공통적인 과제를 새로운 문화정치학으로 상정하고 이의 제휴가능성을 타진해보는 논의들을 모은 책으로는 이소영, 정정호 (편역, 1992), 『페미니즘과 포스트모더니즘』, 서울: 한신문화사 가 있다. 또한 푸코의 담론적 분석을 포스트모더니즘의 범주에서 해석하면서 이의 페미니즘과의 연결가능성에 대해 타진하는 논의로 자네트 랜섬(1997), "페미니즘·차이·담론", 『푸코와 페미니즘』, 서울: 동문선 참조.

있는 것으로 간주하는 것에 대해 조심스러운 태도를 취한다. 왜냐하면 이렇게 역사를 단일한 서사구도로만 바라보게 되면, 역사를 이끄는 집단적 주체의 역할을 떠맡는 존재는 어김없이 남성이 될 수 밖에 없으며, 여성은 역사적 서사의 주체라기 보다는 대상으로서, 즉 타자로서만 존재할 수 있다.

한편 페미니즘의 이론적 과제의 성격을 모더니즘적인 기획으로 볼 것인가 또는 포스트모더니즘적인 기획으로 볼 것인가는 다루는 영역과 방법론, 그리고 분석의 목표에 따라 달라질 수 있다. 사회현상에서 나타나는 여성의 불평등한 위치에 대해 이념적인 입장이 개입되어 행해지는 분석에서는 모더니즘적인 목표가 분명히 개입될 것이다. 그런데 문화연구에서와 같이 성차의 재현방식이나 상징에 대한 분석에서는 포스트모더니즘이 표방하는 다양한 해석의 가능성의 제시 또한 가능하기 때문에 페미니즘은 어떤 의미에서는 학문적인 목표와 새로운 패러다임의 창출 사이에서 양가적인 모습을 나타내기도 한다.

이러한 논의를 바탕으로 하여 여기서는 여성의 주체형성 과정에서 범주설정과 그 범주의 조건, 그리고 주체형성의 전망에 따라 조금씩 논의의 차원을 달리 하는 여성 주체와 여성주의적 주체, 그리고 성적 주체의 변별성을 따라가면서 몸논의와 맺는 관계를 짚어보려 한다.[35]

---

35) 논의의 순서를 여성 주체, 여성주의적 주체 그리고 성적 주체로 잡은 이유는 첫째, 각 범주가 70년대 이후 현재까지 여성학에서 관심을 집중시키게 된 시간적인 순서와 일치하고, 둘째, 실제로 해당되는 여성들의 범위가 큰 순서대로이며, 셋째, 보편적 중심주제로부터 구체적이고 세부적인 주제를 담지하는 주체의 순서에 따라 기술하려는 의도에서다.

1) 이분법적 성별체계 속의 여성 주체

여성 주체라고 했을 때는 여성을 남성집단과 대비되어 이분법적으로 분류한 성별체계에 따라 상정하고 지칭하는 의미가 강하다. 따라서 여성을 하나의 사회적 집단으로 설정하고 이 집단 내의 개별적인 차이에 집중하기 보다는 집단이 갖는 대표적 특성, 개연적 가능성을 염두에 두는 개념이다. 다시 말하면 여성이라고 했을 때 기존의 성별체계 속에서의 성정체성을 갖는 존재로서 이 존재가 사회 안에서 살아가는 데 있어서 영향을 받는 모든 체제, 법, 제도적 장치의 역사적 구성에 의해 규정될 수 있는 존재다. 즉 그 사회 속에서 규정한 여성이라는 범주로 이해하는 개념이다. 따라서 여성 주체라고 했을 때는 성별체계 내에서의 여성을 집단적으로 보는 시각을 무시할 수 없는데 이런 의미에서 여성 주체는 역사적/사회적 주체의 의미가 강하다. 여성을 보편적인 하나의 집단으로 칭한다고 하더라도 지금까지의 절대적 주체의 개념이 아니라 사회적/역사적 실천을 전제로 하는 주체로 규정될 수 있다. 이러한 맥락에서 본다면 여성 주체는 오히려 "종전의 중심적 주체 내지 정신의 탈중심화"[36]가 이루어지는 포스트모더니즘적인 맥락에서 논의가 가능할 것이다.

한편 여성 주체는 근대적 기획을 포기할 수 없는 페미니즘의 맥락에서 이해된다. 특히 몸을 노동 또는 생산의 개념과 연결시켜서 논의할 때 이러한 맥락을 완전히 포기할 수 없다. 그런 점에서는 인식적·도구적 합리성으로부터 소통적 합리성으로의 전이를 전제로 하면서 하버마스(Jürgen

---

36) Jameson, Frederic (1991), *Postmodernism, or the Cultural Logic of Late Capitalism*, Durham and London : Duke University Press, 14–15쪽.

Habermas)가 제시하는 '상호주관적 주체', 또는 '사회적 행위의 주체'[37] 와 그 기본적인 전제가 합치한다.[38] 예를 들어 노동쟁의를 진행하는 과정에서 같은 노동현장에서 일하는 남녀 노동자들간의 권리에 대한 해석이 다를 경우에 이들이 각각의 성별에 기초한 이해관계를 드러내면서 투쟁의 방향이 갈라지게 된다면 이런 경우 이들을 각기 사회적 행위의 주체로 규정할 수 있을 것이며 이때의 여성 주체는 성별에 따른 각 집단의 이해를 추구하는, 대체적 주체[39]의 한 전형으로 말해질 수 있다.

2) 여성의 경험을 토대로 한 여성주의적 주체

여성주의적 주체는 여성 주체가 기본적으로 전제하고 있는 성별에 대해 회의하면서 새로운 가능성으로서 제시되는 주체다. 보르도가 제기하는 성별 회의주의(gender scepticism)[40]에 의하면 성별체계가 내포할 수 있는

---

37) 하버마스가 소통행위이론에서 말하는 소통적 이성이란 목적론적 절대 이성이 사회적 이성, 즉 "상호 주관적 합의"를 위한 잠정적 이성으로 치환된 것을 말한다. Habermas, Jürgen (1981), *Theorie des kommunikativen Handelns*, Bd.1, Frankfurt a. M.: Suhrkamp, 336쪽.

38) Habermas (1981), 앞책, 440쪽.

39) 60년대 후반의 사회적 상황에서 등장하던 대체적 주체들의 대표적인 예가 여성, 유색인종, 제3 세계 등이다. Jameson (1991), 앞책, 348쪽.

40) 70년대 서구의 여성주의자들은 성별(젠더)가 역사와 문화 속에 감추어진 남성중심적 가치와 세계관을 밝혀낼 수 있다고 보고, 여성주의는 비평의 대상을 남성 지배적 원리와 남근 중심적인 이야기들에 두었다. 그러나 현대 여성주의는 젠더화된 독해가 단순화와 일반화의 경향을 띤다고 본다. 따라서 성별을 분석적 범주로 이용하는 것에 대한 새로운 회의가 다양한 형태로 일어나는데 이 회의를 보르도는 '성별회의주의'라고 칭한다. 보르도, 수잔(1992), "페미니즘, 포스트모더니즘, 그리고 성별-회의주의", 이소영·정정호(편역), 『페미니즘과 포스트모더니즘』, 서울: 한신문화사, 313-349쪽. 이 논의에 대해서는 고갑희의 논문을 참조. 고갑희(1999), "여성주의적 주체 생산을 위한 이론", 여성문화이론연구소(편), 『여/성이론』통권 1호, 서울: 도서출판 여이연, 24-25쪽.

단순화와 일반화가 여성들간의 개인적인 차이를 무화시킬 수 있는데 이러한 맥락에서 볼 때 여성주의적 주체의 구성은 기본적으로 여성의 경험을 토대로 하여 이루어져야 한다. 왜냐하면 경험은 모든 사회적 존재의 주체성이 구성되는 과정이고 그 과정을 통해 사회적 현실에 자신을 위치지우거나 위치를 부여받기 때문이다.

드 로레티스에 의하면 젠더와 섹슈얼리티 모두가 기본적으로 재현이며 나아가 자기재현인데 이때의 재현이란 언어나 담론체계를 통해서 생산되는데 여기서 섹슈얼리티처럼 젠더는 속성이나 인간에게 원래부터 존재하는 본질적인 어떤 것이 아니라 '육체들, 행위들, 그리고 사회적 관계들에서 생산되는 효과들의 묶음'이다.[41] 따라서 드 로레티스는 여성의 육체 자체가 담론의 효과일 뿐 아니라 구성이라는 점에서 여성 주체가 재현을 통해서 자신의 육체적 경험과 협상하는 과정을 강조한다. 이러한 논의에 따라서 "여성주의 이론은 여성이 아니라 여성들에게 말을 걸어야하며 정확하게 여성다움을 여성 주체의 경험으로 구성하는 섹슈얼리티와의 특정한 관계를 질문해야 한다"[42]고 주장한다. 이러한 논리에 따라 여성주의적 주체의 중요한 토대가 몸이라는 점을 알 수 있다.

스콧은 이에서 더 나아가 '주체는 결국 경험의 역사다'[43]라는 명제를 가지고 여성 주체와 여성주의적 주체의 경계를 설명한다. 그런데 이러한 논쟁들을 뛰어넘어서 드 로레티스는 페미니즘적 사고를 "갈등적 역사에 기

41) de Lauretis, Teresa (1987), *Technology of Gender: Essays on Theory, Film and Fiction*, Basingtoke: MacMillan Press, 3쪽.
42) de Lauretis, Teresa(1984), *Alice Doesn't: Feminism, Semiotics, Cinema*, Bloomington: Indiana University Press, 184쪽.
43) Scott, Joan(1993), "Evidence of Experience", Abelove, Henry etc. (eds.), *The Lesbian and Gay Studies Reader*, London and New York: Routledge, 442쪽.

반을 둔, 여성으로 성별화된, 혹은 여성으로 육체화된 사회적 주체에 대해 발전중인 이론"[44]으로 정의함으로써 여성 주체와 여성주의적 주체의 명확한 경계긋기가 사실상 중요하지 않음을 보여준다. 이러한 이론적 지형을 대체로 수용하는 브라이도티는 중심외적인(eccentric)[45] 페미니즘적 지식 주체, 다시 말하면 여성주의적 주체를 상호연결망 안에서 기능하는 강렬하고 다중적인 주체라고 정의한다.

3) 욕망하는 인간으로서의 성적 주체

성적 주체는 앞에서 언급한 여성 주체와 여성주의적 주체의 개념 사이에서 성을 매개로 하여 정의되는 개념이라고 할 수 있다. 이성애 중심적 사회구조 속에서 여성의 성이 대상으로만 인식되는 것에 문제제기를 하는 것으로부터 시작하여 성 연구를 통하여 개인들이 자신들을 성의 주체로서 인식하게 되는 과정 속에서 성적 주체는 형성된다. 여기서 성적 주체란 욕망하는 인간으로서의 여성이며 성적 주체로 만드는 것은 자율적이며 능동적인 성과 이에 대한 인식이다. 여기서 성적 주체를 논의하는데 있어서 성별체계 자체를 의문시할 때 타자화된 성, 재생산적인 성으로 구성되는 여성의 성을 다른 여러 사회관계들과의 연관 속에서 어떻게 드러낼 수 있는가 하는 문제가 대두된다.

---

44) de Lauretis (1990), "Eccentric Subjects: Feminist Theory and Historical Consciousness," in *Feminist Studies*, vol.16, no.1, 브라이도티, 1998. "새로운 노마디즘을 위하여: 페미니즘의 들뢰즈적 궤적 혹은 형이상학과 신진대사," 문화과학 1998년 가을호 266쪽 참조.
45) de Lauretis (1990), 앞글 참조.

여성 주체를 섹슈얼리티에 집중하여 정의하는 성적 주체 분석은 한편으로는 차이를 극대화하여 정치세력화하는 의미가 있지만 다른 한편으로는 여성 주체를 국지적, 특수한 경험을 가진 소수 집단의 한정된 주체로 규정하면서 페미니즘 내부의 연대보다는 갈등을 야기할 위험도 갖고 있다. 이것은 일종의 딜레마라고 할 수 있는데 그 이유는 타자화된 성, 재생산적인 성으로 구성되는 여성의 성에 주목할 때 여성간의 '차이'를 무화시킨다는 비판의 소지가 있기 때문이다. 이러한 관점은 성적 주체의 논점을 극대화시키는 데 있어서 효과적이고 또한 현실적으로 여성들의 성정체성을 다양하게 규정할 수 있는 가능성을 열어준다는 점에서 여성학의 중요한 논제라고 하겠다. 그러나 여성들이 처한 현실의 복합적인 문제를 이해하고 해결하는데 있어서 결집된 힘을 발휘하게 하는 중심이 되기에 어려운 점도 보여준다. 따라서 성적 주체의 개념은 여성학의 모더니즘적 해결방식보다는 포스트모더니즘적 이해와 '차이'를 드러내는 정치학으로서의 의미를 더 강하게 갖고 있다.

이러한 개념상의 문제점들을 놓고 볼 때 단일한 양식으로 정의되는 주체가 아니라 계급과 인종, 성적 선호라는 다중적 차이들을 수용하는 여성주의적 주체는 아마도 가장 적절한 개념이 될 것이다.[46] 이러한 사유방식에 따라 육체를 재사고하는 인식론적 출발을 육체로부터 잡는 것은 바로 여성주의적 주체의 존재론적 욕망을 드러내는 일이 된다. 여성 주체 형성을 논하면서 몸과 노동을 결합시키려하는 시도는 기본적으로 육체 유물론

---

46) Braidotti, Rosi (1994), "Toward a New Nomadism: Feminist Deleuzian Tracks; or Methaphysics and Metabolism", Constantin V. Boundas Dorothea Olkowski(eds.), *Gilles Deleuze and the Theater of Philosophy*, London: Routledge, 152쪽.

을 기반으로 하는데 이의 중심에는 이리가라이와 미즈, 그리고 해러웨이가 있다. 이는 또한 어느 의미에서는 정신분석학적 주체, 예를 들어 라깡의 '진행 중인 주체'와 유물론적 주체, 즉 역사적 실천의 주체를 하나로 묶으려는 시도라고 하겠다.

3. 몸담론의 탈근대화: 노동의 도구로부터 욕망의 터전으로

몸에 대한 인식의 변화는 섹슈얼리티에 대한 시각과 인간 욕망의 변천사를 대변해준다. 여성학에서 여성 주체의 근본적인 터전으로 삼고 있는 몸에 대한 담론의 시발점은 노동에 대한 성찰을 통해 몸을 통한 여성의 근본읽기를 시도한 아렌트로부터 시작하여 중세 이후 근대화 과정의 가장 커다란 희생대상으로서의 여성의 몸에 대해 역사적, 사회학적 분석을 이끌어낸 미즈에 그 유물론적 토대를 두고 있다. 아렌트와 헬러, 그리고 미즈가 비교적 근대성에 토대를 두면서 몸을 노동 수행의 터전으로 인식하는 것에 초점을 둔 것과는 대조적으로 최근의 육체유물론적 몸 논의는 포스트모던 몸담론으로까지 이어지면서 폭넓은 논의의 지평을 보이고 있다. 이리가라이의 전략적 본질주의와 육체유물론을 본격적인 출발점으로 하여, 문화적인 재현과 역사적 각인이 동시에 이루어지는 장소로서의 몸을 통해 육체유물성(corporeality)을 재정의하려 시도하면서 성차의 유동성과 몸의 유동성(volatile body)을 강조하는 그로츠를 거쳐, 해러웨이(Donna

Haraway)의 사이보그 유물론과 병행하는 브라이도티의 유목적 여성 주체의 토대로서의 몸논의 등의 전개가 이러한 분석을 뒷받침한다.

1) 근대적 의미의 몸-노동하는 몸, 현존하는 몸

우선 몸에 대해서 노동과 근대성의 맥락에서 논의했던 아렌트와 미즈를 중심으로 살펴보자.[47] 아렌트는 노동, 일, 행위, 활동, 문화 등의 의미를 구별하면서 이 개념들이 활동적 삶(vita activa)에 있어서 필수적인 조건으로 작용하는 이유를 설명하는 것으로 논의를 시작한다. '일'은 노동보다 더 포괄적인 개념으로서 쉬츠에 의하면 일이란 '어떤 기획에 기초한 외부세계에서의 행위로서 신체적인 운동을 통하여 그 기획된 사태를 일으키려는 의도를 특징으로 하는 행위'이다. 이에 비해 노동은 일 중에서도 특별히 일상생활의 실천적인 목표에 부합하여 외부세계를 변화시키는 일이다. 아렌트는 우선 노동과 작업을 신체와의 연관성 속에서 '노동하는 신체와 작업하는 손'이라는 표현을 써서 구분한다. 그녀에게 있어서 노동(Arbeit)은 고통과 수고가 동반하여 생존하는 데 필요한 재화를 생산하는 행위로서 '인간신체의 생물학적 과정에 상응하는 활동'이다. 그러므로 노동은 자연이 제공하는 것을 '채집/수집하여 신체와 결합시키는' 활동이다. 물론 이 과정에서 인간의 신체가 사용된다. 인간의 생명생산은 여성이 주로 담당했던 일일의 노동력 재생산과 더불어 여성이 독점적으로 담당했던 세

---

47) 이를 위해 앞장의 논의를 상기시켜 본다.

대재생산 활동이다. 진정한 의미의 생산(production)이 수반되며 아울러 섹슈얼리티가 매개가 되어 일어나는 행위인 것이다.

논의의 기본적인 맥락은 아렌트와 상통하면서 본격적으로 유물론적 관점에서 성별분업을 분석하는 입장을 미즈로부터 찾아볼 수 있다. 미즈는 기본적으로는 '자연재료를 자기 삶에 이용할 수 있는 형태로 획득하기 위하여 자신의 육체성에 속하는 자연적 힘들, 팔과 다리, 머리와 손을 움직여서 행하는 자연정복의 한 과정이 노동'[48]이라는 마르크스의 노동관에서부터 출발하면서 육체성(Körperlichkeit)의 성차에 주목한다. 육체성의 성차는 세분화해서 보면 자연에 대한 여성/남성의 대상관계, 여성적 생산성/남성적 생산성, 그리고 마지막으로 여성과 남성이 생산에 사용하는 도구의 차이로 나타난다. 인간육체의 생산성은 여성의 경우에 출산이라는 경험을 통해 구체적으로 표현되는데 미즈에 의해서 자기 육체성의 정복으로 표현되는 이러한 생산력이 남성의 경우 손과 머리를 이용해 도구를 창조하고 다루는데 이용된 것과 대조적으로 여성은 출산을 담당함으로써 자기 육체를 정복하고 그 육체로 할 수 있는 능력을 정복한 것으로 해석된다. 미즈의 성별분업에 관한 유물론적 분석은 특히 여성의 몸을 노동수행 과정과 직접적으로 연관시켜서 이해하려 노력한 점에서 탁월한 통찰력을 제공해준다.

원시공산사회에서의 여성과 남성의, 자연에 대한 서로 다른 대상관계와 여성적 생산성과 남성적 생산성의 차이, 생산에 사용하는 도구의 차이 등은 특정한 역사적 시기에만 적용되는 논리를 제공하는데 그치는 것이 아

---

48) Mies, Maria (1983), "Gesellschaftliche Ursprünge der geschlechtlichen Arbeitsteilung", in von Werlhof, C., Mies, M. & Bennhodlt-Thomsen, V. (Hrsg.), 앞책 168쪽에서 재인용.

니고 근대 이후 현재의 국제 성별분업을 설명하는 데에도 통용될 뿐 아니라 에코페미니즘에서의 자연관과도 연결되어 있다. 머천트의 연구를 토대로 하여 미즈는 근대 자본주의적 가부장제에 의해 자연에 침투 정의된 대표적인 세 가지를 대지, 여성 그리고 식민지로 들면서 이들 '자연' 의 파괴와 정복이 서구 사회를 근대로 발전시키는데 필요한 주요 대상이었다는 점을 지적한다.[49] 한편 미즈는 중세에서 근대로 넘어오면서 서구의 근대 과학이 탄생하는 과정에서 여성의 육체가 사용되고 수탈당해 온 역사를 연구함으로써 몸에 관한 역사유물론적 이론을 만들어왔다.[50]

　아렌트와 미즈의 논의에 있어서 공통점은 몸을 노동이라는 틀을 매개로 이해하면서 동시에 여성의 몸이 자본주의적 근대화과정에서 물질화되고 대상화되어 왔는지에 대한 비판을 담고 있다. 아렌트는 인간이 몸을 통해서 노동 뿐 아니라 작업의 단계를 거쳐서 행위를 수행할 때 비로소 인간다운 삶을 살고 여기에 탄생성이 생성될 수 있다는 점을 강조한다. 아렌트의 이 논의에서 여성주의적 의미로 볼 때 비교적 직접적인 정치철학적 비판이 유보되고 있는 듯 보이지만 바로 이 탄생성의 개념이 후대의 여성주의자들에게는 중요한 개념으로 작용하고 있다. 미즈의 논의에 연결됨은 물론이거니와 이리가라이, 해러웨이 등 육체유물론을 논의하는 여성학자들에게 몸의 물질성의 논거를 제공해주고 있다. 이렇게 볼 때 노동과 몸이 결합되어 온 역사적 과정은 성차라는 프리즘을 통해서 여성이 처한 현재적 상황 뿐 아니라 새로운 세계관 구성에 커다란 역할을 하고 있음을 알 수 있다.

---

49) Mies, Maria (1989), *Patriarchat und Kapital*, Zürich: rotpunktverlag 제3장 "Kolonisierung und Hausfrauisierung" 참조.

50) 이에 대한 자세한 논의는 이수자 (1999), "몸의 여성주의적 의미확장", 『한국여성학』제15권 2호, 한국여성학회 편, 172–176쪽 참조.

2) 몸의 물질성과 주체로서 존재하려는 욕망

여성 주체성의 대안적 정의를 정교화하는 페미니즘의 기획에서 욕망이 긴급한 문제라는 점을 강조하면서 들뢰즈의 욕망이론을 적극 수용하고 있는 브라이도티의 논의를 빌자면 오늘날의 페미니즘 이론은 개별적으로 젠더화된 정체성의 문제를 정치적 주체성과 관련된 쟁점들과 연결시켜 이들을 지식 및 인식론적 합법화의 문제와 연결시키는 것을 목표로 한다.[51] 따라서 우리 사회에서 페미니즘 이론은 단순히 반동적으로 사유되는 또 하나의 이론이 아니라 여성들의 존재론적 욕망을 표현하는 것이며 이때의 욕망은 프로이트식의 표현에 따른 리비도적 욕망이 아니라 존재론적 욕망, 존재하려는 욕망, 존재하려는 주체의 경향, 존재를 향한 주체의 경향이다. 즉 자신을 여성 주체로서 위치지우려는 구조적 욕구, 즉 탈육화된 실체가 아니라 육체적이고 그래서 결과적으로 성별화된 존재로서 위치지우려는 욕구인 것이다. 이는 바로 주체성을 육체라는 현실적이고 실제적인 기반위에 세우려는 페미니스트들의 노력을 표현하는 것이고 이로써 브라이도티는 육체유물론과 긴밀하게 연관을 맺는 주체이론을 형성한다. 여기서 중요한 것은 우리자신의 체화(embodiment)이고 육체를 재사고하는 것은 여성으로서의 '위치지우기의 정치'가 지닌 인식론적 측면을 여성 주체의 설명에 적극 대입시키는 방식이다.

육체의 물질성을 역설적으로 여성 주체의 주요 개념으로 도입하는 페미니스트들에 의하면 육체 혹은 주체의 육체화라는 용어는 주체성을 재정의

---

51) Braidotti, Rosi (1994), 앞글, 150쪽.

하려는 페미니즘의 새로운 시도를 설명하는 키워드이다. 왜냐하면 근대적 주체의 확고부동한 초월적 자아를 부정하는 것으로부터 출발한 페미니즘의 반동적 사유는 근대 주체가 부정했던 육체를 적극적으로 다시 사고하고 인정하는 것으로부터 시작되기 때문이다.

이리가라이에 있어서 육체유물론은 몸의 외관상 드러나는 물질적인(corporeal) 측면을 강조하기 때문에 성차를 전면에 내세우는 '차이의 정치학'을 구사하는데 유용한 논리다. 이리가라이는 육체화와 성차의 개념들을 결합시키며 이러한 두 개념의 연계는 여성 주체성에 대한 더 나은, 더 적절한 재현을 찾으려는 정치적 의지와 결단에 의해 만들어진다고 평가된다. 이때의 육체는 자연적으로 주어진 본질적 실체가 아니라 인종, 성, 계급, 나이 등의 다중적 코드가 각인되는 사유의 바탕이며 언어적 구성물이자 일종의 재현이다. 육체적 유물론이라는 용어가 가져다 줄 수 있는 가장 커다란 혼돈은 육체를 즉각적이고 실물적인 물질로 여기게 할 수 있다는 점일 것이다. 사실은 물질이면서 동시에 개념이고 재현인 육체를 통합적으로 사고하게 하는 것이 또한 육체적 유물론의 새로운 인식틀의 특징이다. 바로 이러한 양가적(ambivalent)인 논리가 이리가라이의 입장을 역설적인 것으로 보이게 하는 요소다. 하지만 섹슈얼리티를 새롭게 인식하는 탈본질화된 논리와 물질성 개념을 공존시키면서 후기 저작[52]에서 '성스러움'을 향해 나가는 이리가라이의 논의는 애초의 육체유물론에서 상정하는 몸에 대한 논의와 여전히 맥은 닿아 있으되 오히려 어머니의 신

---

52) 예를 들면 여성주의 윤리학을 논의하면서 라깡의 신성(神性)과 유사하게 여성의 신성과 사랑을 강조하는 작업을 통해 이리가라이의 성차 개념은 점차 신성과 사랑으로 대체되어 간다. Irigaray, Luce (1984), Burke, C.& Gill, G(english, 1993), *An Ethics of Sexual Difference*, Lodon: The Athlone Press 참조.

성를 절대시하는 경향을 보임으로써 섹슈얼리티로부터 출발한 논의를 점차 성차라는 개념으로부터 멀어져가게 하고 있다.

한편 그로츠는 서구의 전통적인 이분법에 의해 정신보다 항상 부차적인 위치를 차지했던 몸을 재형상화(refiguring)하여 주체성 형성의 두가지 주요 축인 정신과 육체가 뫼비우스의 띠처럼 서로 교직된 것으로 인식하는 방식을 도입하였다. 몸을 재형상화하는 작업에는 필연적으로 섹슈얼리티가 주체형성에 작용하는 역동성을 추적하는 논의가 포함된다. 그로츠는 다음의 네가지 다른 의미로 섹슈얼리티 개념을 사용한다.[53] 우선 섹슈얼리티는 주체에서부터 대상으로 향하는 충동, 본능, 혹은 추동력의 한 형식이다. 둘째, 섹슈얼리티는 육체와 장기와 쾌락을 수반한 일련의 행위와 실천을 포함하지만 반드시 오르가즘을 포함하는 것은 아니다. 셋째, 섹슈얼리티는 정체성의 문제와 분리될 수 없다. 그리고 마지막으로 섹슈얼리티는 욕망과 차이와 주체의 육체가 즐거움을 추구하는 특정한 방식을 포함하는 일련의 성적 경향, 위치, 욕망을 지칭한다.

여기서 섹슈얼리티는 여성의 주체형성에 있어서 핵심적인 개념으로 부각되고 동시에 이러한 섹슈얼리티를 담지하고 있는 몸의 육체적 물질성은 그로츠의 유동적 육체의 주요 구성요소다. 왜냐하면 섹슈얼리티가 정체성과 뗄레야 뗄 수 없는 관계를 맺고 있으면서 동시에 욕망의 핵이 되기 때문이다. 따라서 그로츠에 있어서 육체의 물질성은 이리가라이에 있어서의 성차에 입각한 육체의 물질성과 일정한 차이를 보이면서 더 한층 여성의 성적 주체의 가능성을 지향한다. 그로츠에 의하면 성차가 고정되어 있기

---

53) Grosz (1994), 앞책 "Introduction and Acknowledgments", viii쪽.

보다는 유동적이고 따라서 성차가 역사적으로 각인되어 재현되는 육체 또한 유동적이다. 이러한 그로츠의 유동적 육체 개념은 들뢰즈의 n개의 성, 또는 유목적 주체와 함께 테크놀로지 시대에 들어오면서 사이보그논의와 연결되는 지점을 보여준다.

이리가라이와 그로츠의 육체유물론이 접근방식에 약간의 차이는 있지만 어쨌든 섹슈얼리티라는 개념을 중심에 놓고 전개된다고 한다면, 해러웨이는 한편으로는 고전적인 유물론의 틀을 놓치지 않는 방식으로, 또 다른 한편으로는 테크놀로지와 육체 개념이 결합되는 방식으로 여성의 몸을 통한 주체형성을 논한다. 해러웨이는 인종이나 계급 등 정치경제학적 성차별을 타파하기 위해 기존의 재생산의 고리를 끊기 위해서 사이보그를 위한 선언을 함으로써 사회주의 페미니즘의 유물론적 관점을 이으면서 '포스트모던한 인공적 사회에서 상상력과 물질적인 실재 '양자가 농축된'[54] 사이보그 이미저리를 도입한다. 압축적으로 말하자면 해러웨이는 이 글에서 포스트모던한 인공적인 사회에서 성차별이 없는 세계를 상정하는 유토피아적 전통 속에서, 사회주의 페미니스트 문화와 이론에 기여하려는 노력의 일환으로 사이보그의 탈성차(postgender)에 기대를 건다. 포스트모던한 테크놀로지의 사회를 전제로 하면서도 해러웨이가 결코 포기하지 않는 부분은 소외되지 않는 노동이고 여성의 몸을 통한 노동수행성이다.

근대와 탈근대가 공존하는 논리상의 모순에도 불구하고 해러웨이는 사이보그 논의를 통해 현대적인 생산시스템이 일과 노동을 사이보그를 통해 식민화하고 이로써 산업 사회를 지배해온 테일러리즘의 '악몽'을 목가로

---

54) 다나 해러웨이 (1992), "사이보그를 위한 선언문: 1980년대에 있어서 과학, 테크놀로지, 그리고 사회주의 페미니즘", 홍성태 편역 (1997), 『사이보그, 사이버컬쳐』, 서울: 문화과학사, 149쪽.

만듦으로써 유기체로서의 몸을 노동의 소외로부터 해방시키려는 포스트모던 기획에 동참한다. 해러웨이는 성차별의 역사가 각인된 여성의 몸이 테크놀로지를 발판으로 하여 비로소 산업 사회적 굴레로부터 벗어날 수 있다고 본다. 더욱이 유색인종 여성이 긴 차별의 역사로부터 벗어날 수 있는 방법은 외피적인 신체조건을 벗어나는 것 밖에 없다는 점을 주지시킨다. 따라서 몸의 외피를 벗는 '육체지우기'의 전 단계로서의 사이보그가 하나의 촉매가 되는 것이다.

4. 육체적 유물론의 관점에서 보는 여성 주체 형성

이성적으로 계산되고 정제된 정신의 세계를 추구하면서 규정되는 주체에는 '몸뚱아리'가 갖는 세속성, 물질성은 거부되고 그것의 최종적인 구현체인 몸은 무화되어 그 몸에 깃든 섹슈얼리티나 몸이 매개하는 욕망 등은 처음부터 부정된다. 그런데 바로 이러한 몸이 갖는 다중적인 접합지점이 여성학에서 육체의 주체성을 논의하는데 있어서 관심을 집중시키는 부분이다. 즉 여성의 몸은 그 자체가 세상과 연결되는 경험적인 창구이며 일상적 인식의 기초이기 때문이다. 또한 날마다의 삶을 영위하는데 있어서, 그리고 세대간의 연속성을 유지하는데 있어서 몸은 섹슈얼리티와 생산, 그리고 노동이 통합적으로 구현되는 장소이자 주체의 역할을 한다. 이런 의미에서 몸은 규정되는 주체가 아니라 역동적으로 삶에 개입하는 주체다.

몸과 주체의 관계를 이렇게 설정할 때 육체적 유물론이 전망하고 있는 여성 주체는 통합적이면서도 다중적인 통로가 세상으로 열려져있는 주체로 볼 수 있다. 이러한 전제에 따라 이 장에서는 육체유물론적 입장으로 분류될 수 있는 이리가라이와 미즈의 논의를 중심으로 살펴보고 육체유물론과 대치되는 것 같으면서도 역설적으로 상통하는 점이 발견되는 헤러웨이의 사이보그 논의를 다룬다.

1) 방법론으로서의 몸연구 - '몸을 통해 생각하기'

리치(Adrienne Rich)의 표현인 '몸을 통해 생각하기(thinking through the body)' 처럼 여성학의 방법론을 잘 표현한 말은 흔치 않다. 여성은 몸을 통해 섹슈얼리티를 자아와 연결하여 구축하고 이를 원천으로 하여 다중적인 여성문화를 만들 가능성을 갖게되며 독특한 언술방식을 갖춘다. 푸코(Michele Foucault)식 문제의식에서 출발하는 보르도(Susan Bordo)의 해석에 따르면 몸은 문화에 의해 형성되며 따라서 몸은 문화의 매개체이다. 이는 다시 말하자면 몸을 해석하는 시각에 따라서 그 몸이 매개하는 문화를 이해할 수 있다는 말이 된다. 또한 담론과 재현들로 인해 형성되는 여성 주체는 사회적으로 형성되는 문화와 권력이 행사되는 장소로서의 몸을 문화비판적으로 인식하는 한에서 제대로 정의될 수 있다. 그러나 소퍼가 지적하듯이 육체와 성적 존재로서 여성은 문화적으로 구축되었다는 푸코의 문제의식을 페미니즘적 해석에 그대로 받아들이는 데에는 일정 수준의 한계가 있다. 그 중 가장 큰 문제는 육체와 육체적 경험의 문화적 형성에 대해 지나치게 강조함으로써 우리가 몸을 자연과정에 종속된, 담론 이전의 총체적 주체로 볼 수 없게 만든다는 점이다.[55] 따라서 우리가 페미니즘의 기획으로서 문화를 분석하는 근원적인 목표가 어디에 있는가를 잊지 않는다는 전제를 확실히 한다면 푸코의 몸에 관한 문화론도 수용할 부분이 있다.

거대담론의 쇠퇴 내지 거부에 따른 후속 프로젝트로 일상생활의 패러다임이 새로이 각광을 받기 시작하고 있다. 이는 분명히 포스트모더니즘의 학문적 수용의 결과라고 할 수 있는데 여기서 화두가 되는 것은 미세하게 엮여있는 권력과 욕망의 문제를 어떻게 이론화하느냐 하는 점이다. 이의 페미니즘적인 방법론으로 펠스키는 '상징 정치학'의 형식을 찾고 있는데 이는 정치적 분석을 문화적 분석과 결합하여, 다시 말해서 분석적·이론적 주장이 메타포 및 재현 형식과 불가분의 관계를 맺고 있는 일상을 해석해 내는 작업이다.[56] 이는 사회관계를 유지하고 변화시키는데 언어, 비유, 몸짓, 의식(儀式) 같은 상징적 실천이 어떤 의미를 갖는가 하는 점에 관심을 가져온 '새로운 문화사'와 연결된다는 것이다. 여성의 억압적 상황을 사회구조의 모순으로부터 찾고 이의 직접적인 해결을 노동권 등 사회적 권리에서 찾는 작업이 직설적이고 현시적이라고 할 때 상징 정치학으로는 보다 근원적인 억압의 뿌리를 이해하고 드러내는 작업이 가능하다. 더욱이 펠스키의 상징정치학은 육체유물론적 논의에서 몸이 갖는 사회성의 맥락을 이해하는데 있어 유용하다. 펠스키의 상징정치학이 육체유물론적 논의와 맞닿아있는 부분은 여성의 몸이 갖는 역사성을 해부해내는 미즈의 관점에서 찾아볼 수 있다. 또한 스피박(Gayatri Spivak)의 하위주체 개념

---

55) 소퍼, 케이트 (1997), "생산적 의미의 모순", 『푸코와 페미니즘』, 동문선, 46–51쪽.
56) 펠스키, 리타/김영찬·심진경 옮김 (1998), 『근대성과 페미니즘』, 234쪽.

에서도 발견할 수 있는데 예를 들면 하위주체가 상정하는 제1세계, 제3세계의 경계가 이루어내는 상징적 실천이 그것이다. 이런 의미에서 펠스키의 상징정치학은 육체유물론에서 몸을 중심으로 이루어지는 폭넓은 의미의 문화적 상징을 읽어내는 데 있어서 하나의 방법론을 구성한다.

2) 육체유물론과 정신/육체의 이분법

육체유물론은 사적 유물론과는 기본적으로 설명의 토대가 다르다. 육체유물론은 몸의 외관상 드러나는 물질적인 측면을 강조하기 때문에 이 논리에서는 성차가 주요 설명요소다. 이리가라이는 유물론이라는 용어의 뿌리가 어머니(mater)이고, 물질적인 것(the material)은 주체의 기원의 영역이자 여성 주체의 특수성을 표현하는 심급이라는 점을 강조하면서 유물론을 그 모성적 뿌리에 다시 귀착시키고 그럼으로써 또한 여성적 상징의 정상을 향한 발판을 마련한다[57]고 보고 있다. 이러한 관점은 탈육체화한 정신의 에센스를 강조함으로써 로고스중심적 주체를 절대적인 주체로 형상화해온 근대 철학의 주체에 관한 관점과는 근본적으로 대치된다. 그런데 한편으로는 철학에서 제기되어온 정신과 육체의 관계가 그렇게 이분법적으로 나뉘어질 성질의 관계인가 하는 의문도 끊임없이 제기되고 있다. 그로츠는 기본적으로 정신과 육체가 뫼비우스의 띠의 상징에서 보듯이, 서로 꼬인 상태에서 정신이 육체에, 그리고 육체가 정신에 주는 굴절을 강조

---

57) Braidotti, Rosi (1994), 앞책.

하고 나아가 한 면이 다른 면이 되는 상호 호환성을 강조한다.[58] 여기서 육체와 정신 뿐 아니라 문화적이고 역사적인 각인도 호환되기 때문에 육체는 단순히 현재적으로 실재하는 '물질'이 아니며 따라서 심리적 내부와 육체적 외부가 각각 따로 존재하지 않고 사회적 삶의 역동적 과정을 담고 이를 체화한다는 그로츠의 논리가 타당성을 얻는다.

육체를 생물학적이거나 사회학적인 범주가 아니라 육체적인 것과 상징적인 것, 그리고 물질적인 사회적 조건들 간의 중첩지점으로 이해하는 것은 이로써 육체의 주체성을 재정의하는 것이고 그것이 바로 페미니즘의 과제라고 브라이도티는 보고 있다. 그러나 이러한 브라이도티의 설명은 사회적 조건들에 대한 설명이 갖는 사회학적 상상력을 간과함으로써 자칫 추상적인 논의로 발전시킬 위험을 안고 있다. 왜냐하면 주체의 육체화되고 성적으로 구별되는 구조를 강조하는 유물론의 새로운 형식이라는 스스로의 개념정의를 고려할 때 사회학적 범주를 협소하게 정의함으로써 주체가 위치하는 사회적/역사적 상황에 존재하고 영향을 주고 받는 조건들의 상호작용을 간과할 수 있기 때문이다.

한편 브라이도티는 육체적 유물론에서 정의되는 육체를 물질적인 힘들과 상징적인 힘들이 교차하는 경계면이자 문턱이며 또한 장(場)이라고 전제하고 따라서 육체는 인종, 성, 계급, 나이 등의 다중적 코드가 각인되는 언어적 구성물이라는 점을 강조한다.[59] 이러한 의미에서 육체는 고정된 본질이나 자연적 소여가 아니며 이러한 논리에 의하면 육체를 전면에 부각시키는 작업은 사유하는 주체의 구조에 대하여 새롭게 사고하기 위해 데카르

---

58) Grosz (1994), 앞책, *xii*.
59) 브라이도티 (1998), 앞글, 166쪽.

트적 기원을 지닌 정신/육체의 고전적 이원론을 극복하려는 시도이다.

3) 육체 유물론적 관점에서의 성과 노동

육체를 성과 노동에 연결시키는 시도는 그 접근방식에 대한 보다 섬세한 정의를 필요로 한다. 성을 육체와 함께 사고한다는 것은 여기에 정신 또는 감각이라는 비물질적인 것과 재생산이라는 육체의 기능적인 면이 동시에 개입됨을 의미한다. 한편 육체를 노동과 연결시키는 작업에는 필연적으로 노동을 근대적인 개념으로 정의해온 역사적 인식이 요구되고 이러한 인식에 따르면 육체는 기능적인 도구, 스스로의 추동력을 가진 자동으로 움직이는 기계로 전락하게 된다. 이러한 단선적인 개념정의로는 육체와 성과 노동이 서로 각각 연결되면서 만들어 낼 수 있는 여성 주체의 가능성이 단절되고 만다. 이러한 위험에서 벗어나려면 각각의 개념이 페미니즘에서 정의되어온 역사적 궤적을 짚어나가는 작업이 필요하다.

이리가라이는 육체화와 성차 개념을 결합시키는 방법으로 유물론을 채택하고 있고 이러한 결합의 과정에서 발생하는 두 개념의 연계는 여성 주체성에 대한 더 적절한 재현을 찾으려는 정치적 의지와 결단에 의해 만들어진다고 평가되고 있다. 이러한 맥락에서 본다면 이리가라이는 물질로서의 육체 뿐 아니라 여성존재에 대한 일반적 개념, 즉 새로운 페미니즘적 인간성으로 넘어가는 문턱으로서 육체에 대한 정의를 가정한다. 그럼으로써 다중성의 중요성이 강조되고 '다중적 주체'로서의 여성에 대한 개념정의가 가능하다. 이리가라이에 있어서 다중적 주체의 개념은 이미 섹슈얼리티와 연관된 여성성의 재정의에 있어서 충분히 설명되고 있다. 그녀는 기존 재현들이 아무리 남근중심적이라고 하더라도 모순과 틈새들을 갖는 다층적인 의미화 수준을 역추적 하다보면 억압된 여성적 차이를 복원할 수 있다고 보고 모방 전략[60]을 쓴다. 그러므로 일부 영미 여성학자들이 비판하듯이 이리가라이를 일방적으로 본질주의자로 규정하는 것은 이리가라이의 전략을 제대로 이해하지 못하는 데서 비롯된다. 이리가라이가 여성의 육체로부터 연유하는 독특한 여성성을 강조하는 논리를 펴는 것은 생물학적 본질주의를 순응적으로 답습하자는 것이 아니라 육체를 성욕/소비/노동의 도구로 물화해 온 근대적 사유체계 자체를 문제삼고 그것을 뛰어넘을 모색과 실험의 거점으로서 육체를 출발점으로 삼는 것이다.[61]

이리가라이가 의미있는 이유는 그녀가 취하는 전략적 본질주의[62]가 성과 노동을 연결시키려는 시도에 시사점을 주기 때문이다. 다시 말하자면 노동하는 여성 주체가 함의하고 있는 합리주의적 자아의 완성이라는 측면은 탈육체화하고 따라서 젠더 구분을 완전히 떠나 탈성별화된 이론적 범

---

60) 이의 대표적인 예가 기존의 남성철학자들, 특히 프로이트 저작을 모방의 전략으로 읽어낸 *Speculum de l'autre femme* (다른 여성의 반사경)이다. 여기서 반사경은 정확히 말하자면 여성의 질을 검진하기 위한, 끝에 오목거울이 달린 의학도구다. 이리가라이는 거울이라는 개념을 가지고 유희를 하면서 라캉의 거울은 여성의 육체를 결핍으로만, 다시 말해 '구멍(hole)'으로 밖에 보지 못하며, 여성 육체의 세밀한 부분들을 보려면 그는 내부를 볼 수 잇는 거울이 필요했을 것이라고 지적한다. 여기서 이리가라이가 의미하는 거울은 이론이나 담론이라는 거울을 말한다. 박찬부, 정정호 외 옮김(1997),『페미니즘과 정신분석학 사전』, 서울: 한신문화사, 이리가라이 부분 (284-286)쪽 참조.
61) 태혜숙 (1999), "성적 주체와 제3세계 여성문제", 여성문화이론연구소(편),『여/성이론』통권1호, 서울: 도서출판 여이연, 103쪽.
62) 이리가라이가 여성육체의 구조가 갖는 상징을 통해서 전통적 여성성을 해체하는 과정을 육체화된 여성 주체성을 통한 근본적 성적 구별화라는 전략으로 볼 때 이를 전략적 본질주의라고 명할 수 있을 것이다. 브라이도티는 이를 '근본적 내재성을 통한 초월'로 명명하면서 '젠더 너머'라는 입장을 향해서 여성성을 거부하는 전략과 구별한다(브라이도티, 1994: 177). 이는 또한 새롭게 젠더화된 보편성을 띠느냐, 아니면 젠더를 넘어 제3의 성별 위치를 향해 이동하느냐 하는 이론의 각기 다른 출발점이면서 동시에 정치적 의제 선택의 기준점의 역할을 한다.

주에서는 이해될 수 없는 부분이기 때문이다. 예를 들어 이윤을 창출하는 행위로서의 생산과 노동을 정의하는 전통적이고 협소한 노동 개념을 뛰어넘는 세대재생산 노동의 차원이라든가 성적 노동 등은 섹슈얼리티와 직접적으로 연결되어 있다. 더 나아가 가사노동과 감성노동은 섹슈얼리티와 직접적인 연관은 없어도 섹슈얼리티의 바탕이 되는 성별 정체성, 그리고 젠더를 바탕으로 성립되고 여성에게 부과되는 노동이다. 시각을 좀더 넓혀보면 여성들의 진입이 점점 확대될 것으로 간주되는 정보산업의 하위부분, 예를 들어 전자상거래의 고객관리 부분 등은 재택근무의 형태를 띠면서 노동하는 공간에 있어서는 여성이 보편적 주체로서 사회적 노동과 사적 노동의 전통적 경계에 처하는 지위를 얻게 된다. 이러한 경우에는 노동하는 여성 주체를 전략적으로 복합적인 주체로 정의할 수 있는 젠더개념의 잠정적 수용을 생각해 볼 수 있다.

여성학적 시각에서 이해하는 몸은 세계인식의 창구이자 공적 영역으로 통하는 통로로서의 몸이다. 이는 공적 정치영역으로의 진입이 근본적으로 봉쇄되었던 조선시대의 여성들에게도 노동할 권리와 의무는 주어지면서 생산과 재생산에 보다 직접적으로 몸을 사용하였던 점을 보더라도 그러하다. 비록 공적 영역의 핵심으로 들어가는 공적 지식, 다시 말하자면 유교적 학문지식의 적극적 수용은 봉쇄되었지만 일상생활을 영위하는데 필요한 지식과 노동은 여성들로 하여금 몸을 통해 공적 영역으로 편입되게 하는 거의 유일한 방식이었다.

몸과 섹슈얼리티, 그리고 노동의 접합은 그 접합의 양태와 구현방식에 따라서 몇 가지로 분류될 수 있다. 몸과 섹슈얼리티를 '관통하는' 노동으로서 노동력 재생산을 든다면 몸과 섹슈얼리티를 '도구 또는 매개로 하는' 노동으로 성적 서비스 노동을 들 수 있고 여성의 몸에 전제되어 있는 섹슈얼리티가 간접적인 노동력의 형태를 빌어, 그러나 강력한 영향력을 가지고 발휘되는 노동 또는 직종으로 도우미, 스튜어디스 등을 들 수 있다. 이러한 맥락에서 볼 때 섹슈얼리티와 노동이 직접 연결되기보다는 섹슈얼리티의 전제조건인 성적 정체성과 노동이 연결됨으로써 재생산, 감성노동, 성적 서비스노동이 언급될 수 있다. 이 노동들의 공통점은 전통적으로 규정된 여성성이 강조되면서 이러한 여성성을 전제로 하여 여성들에게 할당되는 노동이라는 점이다.

육체유물론과 연관시켜서 살펴볼 때 중요한 사실은 상품으로서의 생산을 담당하느냐의 여부를 떠나서 여성이 남성과 다른 몸을 통해 세계인식의 폭이 다를 수 있고 여성들의 윤리가 머리로 습득된 윤리가 아니고 감성이 우러나는 가슴과 자궁 등의 기관을 포함한 몸으로 경험되는 윤리라는 점이다. 왜냐하면 정신을 담고 있는 육체적인 부분이며 생물학적 기관으로서의 머리가 전형적인 남성성을 상징하는 근대적 주체의 중심이며 실제로는 몸의 일부이면서도 거의 몸이라는 틀거리를 떠난 것으로 보이는, 탈육체화하고 탈현실화하여 상징적이고 선험적으로 존재하는 기관으로 간주되기 때문이다. 이와 대조적으로 여성의 고유한 생산은 재료에 노동을 가하여 생산품을 만들어내는 '가공'의 개념보다는 말 그대로 생산을 뜻한다. 즉 여성이 행하는 노동이 성 정체성과 직결되어 표출되는 것이 가사노동이라고 한다면 신체적인 구조와 특성이 생산과 연결되어 언급되는 것은 생명생산의 경우이다. 그런데 이는 자본주의적 생산양식의 범주 밖에서 이루어지는 것으로 간주되기 때문에 여성의 가슴이나 자궁 등을 통한 노동의 수행은 자본주의적 생산양식의 개념으로는 적극적으로 사고되지 않을 뿐 아니라 역설적이게도 통상 일컫는 생산의 범주에서 벗어나 있는 것으로 간주된다. 섹슈얼리티와 연관된 노동이면서 한편으로는 자본주의적 노동의 범주에 들어가지 않고 재생산에도 포함되지 않으면서도 여성들이 대표적으로 행하는 노동이 성적 서비스 노동이다. 이상과 같은 노동과 육체의 상호 연관성은 노동과 생산의 새로운 개념적 정의를 필요로 한다.

5. 근대기획과 여성 육체의 정복, 그리고 식민화

생산과 노동의 새로운 개념정의를 시도해온 미즈의 논의는 기본적으로 여성의 육체가 어떻게 남성중심적 세계에서 남성에 의해 전유되고 자연화, 식민화되었는가를 성별분업을 중심으로 밝혀내려 했다. 가사노동과 자녀양육이 여성의 '자연적인 본성'의 귀결로 인식될 때 자연 개념 속에 지배관계, 즉 여성적 자연에 대한 남성적 인간의 지배라는 관계가 은폐되어 있다고 보는 것이 성별분업을 보는 유물론적 페미니즘의 일반적인 관점이다. 미즈는 삶의 생산을 특히 여성이 담당하는 활동으로 인식하면서 이를 인간이 노동을 통하여 자연을 정복하는 과정이라고 보는 마르크스의 인식을 빌어 해석한다. 마르크스의 '자연의 정복'에 대한 기술"[63]에서 미

[63) 노동은 우선 인간과 자연간의 과정인데, 이 과정에서 인간은 자신의 행위를 통하여 자연과의 신진대사를 매개하고 통제하며 조정한다. 인간은 자연 재료 자체와 자연력으로써 맞서 있다. 그는 자연 재료를 자기 삶을 위해 이용할 수 있는 형태로 변화시키기 위하여 자신의 육신에 속한 팔, 다리, 머리, 손 같은 자연력들을 작동시킨다." Marx Engels Werke Bd. 23: 192, 미즈 (1989), 앞책 66쪽에서 재인용.

즈는 그러나 '팔, 다리, 머리, 손' 등으로 외부의 자연에 행위를 가하는 남성적 인간을 보면서 성별분업 연구를 위해서는 여성과 남성이 질적으로 서로 다른 육체를 변화시켜 자연에 작용하며 이로써 자연을 정복한다는 사실에 주목할 필요를 역설한다. 이는 다르게 말하자면 자기 육체성의 정복이며 동시에 자기 육체성의 인간화이다. 출산은 단순히 생산성의 차원에서 파악될 범주가 아니고 몸을 섹슈얼리티와 생산의 통합된 시각에서 볼 수 있게 하는 요소다. 미즈에 의해서 자기 육체의 정복으로 표현되는 이러한 생산력이 남성의 경우 손과 머리를 이용해 도구를 창조하고 다루는 데 이용된 것과 대비해서 여성은 출산을 담당해내는 자기 육체를 정복하고 그 육체로 할 수 있는 능력을 정복한 것으로 해석된다.

이렇듯 본원적 의미에서는 여성이 스스로의 육체를 정복한 것으로 간주되는 반면 근대 자본주의화 과정에서 여성 육체의 대상화가 자연화로 해독되는 것도 또한 미즈의 저작에서 예리하게 성찰되고 있다. 미즈는 머천트의 연구에 의거하여 살아있는 유기체로서의 자연 파괴의 근원을, 거의 4세기 동안 유럽을 휩쓴 마녀사냥으로부터 찾는다.[64] 이 연구는 근대 자본주의적 가부장제에 의해 자연에 침투 정의된 대표적인 세 가지인 대지, 여성 그리고 식민지들로 들면서 이들 '자연'의 파괴와 정복이 서구 사회를 근대로 발전시키는데 필요한 대상이었다는 점을 중시한다. 특히 여성들에게는 남성들의 근대기획이 진행되는 과정에서 전근대로의 회귀가 강요되었는데 그의 대표적인 현실이 마녀사냥을 통해 나타났다. 초기 자본주의 유럽

---

64) 미즈는 *Patriarchat und Kapitalismus*의 "3. Kolonialisierung und Hausfrauisierung"에서 서구 근대 자본주의에서 여성의 식민화 과정을 추적하면서 머천트의 저작으로부터 많은 시사점을 얻었다. Carolyn Merchant (1983), *The Death of Nature: Women, Ecology and the Scientific Revolution*, San Francisco: Harper & Row.

에서 여성의 생명생산력은 결혼을 통하여 여성의 육체를 전유했던 가부장들에게 있어서 중요한 노동력 확보 수단이었다. 이러한 상황에서 출산을 조절하는 피임방법과 산아제한에 대한 지식을 갖고 있던 여성들은 교회와 국가에게는 강력한 위협적 존재였고 마땅히 안정적 진보를 위하여 제거되어야할 존재였다.

마녀사냥은 여성육체의 사용권한을 가부장들에게 귀속시키는 효과 외에 엄청난 부수효과를 가져왔다. 본원적 자본축적과 근대과학의 기초가 될만한 의학지식의 축적이 그것이다. 피고가 유죄인 것으로 밝혀지면 마녀위원회는 가족으로부터 법정비용, 마녀위원회를 위한 음식과 주류에 대한 계산으로부터 시작하여 성직자의 감옥방문시 수당, 간수들의 숙식비등의 각종 비용은 물론 화형을 위한 장작비용까지 모두를 부담해야만 했다. 그래서 마녀재판은 '인간의 피로 금을 만들었던 새로운 연금술이었다'[65]고 평가될 정도였다. 일단 마녀로 지목되어 체포되면 무죄방면이란 없었기 때문에 마녀위원회는 엄청난 부를 축적할 수 있었고 미즈의 분석에 의하면 이는 자본주의를 위한 본원적 축적의 무시할 수 없는 몫이었다.

여성육체의 정복은 마녀사냥 과정에서 진행되었던 고문으로부터 시작되었다. 머천트는 근대 자연과학의 기초를 이룬 프란시스 베이컨이 자연을 정복한 과정을 마녀사냥과 연결시켜 설명한다. 마녀박해과정에서 마녀들로부터 비밀을 알아내기 위해 사용했던 고문, 파괴, 각종 폭력을 사용한 것과 마찬가지로 자연을 시험하기 위해서 동일한 방법론을 사용했다는 지적이 그것이다. 베이컨의 자연정복의 의지는 다음과 같은 전제와 당위로

---

65) Mies (1989), 앞책, 189쪽.

부터 나온다. "자연은 반드시 '임무'를 수행토록 되어야하고, '노예'로 만들어져야하고, '구속'되어야하고 '해부'되어야만 한다. 여성의 자궁은 상징적으로 집게에 의해 열려야하고, 따라서 자연의 자궁이 품고있는 비밀로부터 인간은 기술을 통해 인간을 위한 최상의 것을 탈취해야한다."[66] 결과적으로 마녀사냥을 통해서 근대 서구 사회의 가부장들은 여성들이 스스로 자기 육체를 관리하고 출산을 조절하는 행위를 원천 봉쇄함으로써 섹슈얼리티와 여성육체의 통제권을 완전히 장악하게 되었고 그 결과 여성들은 근대 기획에서 근대 주체로서의 위상을 부여받을 여지를 본원적으로 박탈당하게 되었다.

미즈가 보는, 남성에 의한 또는 제국주의에 의한 여성의 자연화 내지 식민화는 여성 대상화의 대표적이고도 그 의미가 중첩되는 상징성을 지닌다. 이에 따르면 자연은 '아직 미개척된 채로 남겨진 문화'가 아니라, 다시 말해 '아직 개발될 여지가 남겨져있는 미개지'로서의 자연이 아니라 가부장적 질서에 의해 억지로 과거로 되돌려진 역사적이고 문화적인 공간이다. 이 자연이 가장 극명하게 재현되는 것이 여성의 육체다. 근대 자본주의에 의해서는 서구의 여성들이 제국주의에 의해서는 식민지 여성들이 가정주부화(Hausfrauisierung)되고 '억지로 되돌려져서 자연화'되었다. 이러한 시각에 따르면 가족 내 여성의 위치가 지닌 본질주의적, 성별화된 영역은 '아직 사회적 영역, 공적 영역에 통합되지 않은' 자연에 가까운 신성한 영역이 아니라 가부장적 자본주의에 의해 '자연화'되고 '탈권리화'된 영역이다. 또한 여성의 욕망, 쾌락, 감성, 육체 등은 자본주의 가부장제

---

66) Mies(1989), 앞책, 169쪽.

사회구성에서 사적인 범주가 아니라 사회의 '진보'를 위해 통제되어야하는 대상이었다.

미즈의 작업이 세계체제 속의 국제적 성별분업을 고찰하기 위해 전지구적 사회경제학적 통찰을 바탕으로 이루어진 것이라면 스피박의 하위주체(subaltern)[67] 개념은 제3세계의 여성들을 확장된 노동 개념과 주체를 연결시켜 형상화한다. 하위주체의 역량도 지역에 따라, 자본주의의 전지구화 과정이 진행된 단계에 따라 다를 것이다. 따라서 스피박의 육체유물론적 이론에는 70년대와 80년대의 세계체계론적 시각에서 제기되던 제3세계 여성 노동연구들과 맥락을 같이하면서 문화연구의 방식이 채택되는데 어떤 의미에서는 위의 연구들이 지니던 제한점들이 그 속에 여전히 남아 있다.

---

67) 태혜숙은 그녀의 논문에서 하위주체라는 번역어를 쓰게된 배경을 다음과 같이 설명하고 있다. "subaltern이라는 단어에서 sub는 '하위'나 '하부'의 뜻이라기 보다는 substance에서의 sub처럼 우리 눈에 잘 보이지 않지만 공기처럼 우리를 우리로 존재하게 하는 소중하고 없어서는 안되는 실체를 가리킨다. 그러나 이런 뜻을 살릴 적당한 번역어가 없어서 '하위'라는 말을 받아서 subaltern을 하위층, 하위층 사람, 하위주체 등으로 쓰기로 한다." 태혜숙 (1999), 앞글, 110쪽. 그러면서 그녀는 앞으로의 세계가 20 대 80의 사회가 된다고 할 때 이 80%를 이루는 빈곤층을 가리키게 될 것이고 따라서 이는 임노동 중심의 프롤레타리아 계급 개념을 확대한 것이라고 설명한다. 그런데 이러한 개념이라면 우리나라의 민중개념을 사회경제학적으로 적용한 '기층(基層)'이라는 단어가 더 적절할 것이다. 그리고 여성 주체를 생각할 때 특별히 여성주의적 사고를 하지 않으면서 계층의 상하와 상관없이 비가시적 대중으로 살아가는 절대다수를 지칭한다고 한다면 오히려 이 개념이 잠재적 힘을 가진, 집단을 가정할 수 있기 때문에 추천할 만하다. 본 논문에서는 기존의 탈식민주의 담론에서 이미 어느 정도 정착된 하위주체 개념을 그대로 쓰기로 한다.

6. 물질적 육체로부터 사이보그로의 비상

산업기술의 발달로 산업로봇은 물론 가상 공간과 사이보그에 대한 감각을 나날이 현실화해야하는 상황에서 노동과 생산의 의미는 더 이상 근대적인 틀 속에서 이해될 수 없게 되어가고 있다. 20세기 산업 자본주의의 발달은 초기 산업화시기에 인간이 기계보다 우수하고 기계는 다만 인간의 노동력을 보조하는 수단이라는 생각을 수정하게 하였다. 점차 기계가 인간의 결함을 향상시켜주기를 기대하게 되었고 급기야는 테일러리즘의 세계적 확산으로 인간의 노동력은 기계로 대체되면서 인간과 기계의 상호교환성은 극대화되었다. 20세기 말에 접어들면서 인간이 테크놀로지에 의존하면서 인간과 기계사이의 구분은 더욱 희미해지기 시작했고 인간과 기계가 수렴되어 생기는 새로운 잡종의 실체, 즉 사이버네틱 유기체, 또는 사이보그는 컴퓨터게임, 비디오게임, 영화 등에서 사이보그는 더 이상 낯설지 않게 되었다.[68] 또한 기든스가 정의했던 조형적 섹슈얼리티는 이제 가상 공간 안에서 현실화되고 있다.

이렇게 가상 공간에서의 감각시뮬레이션이 사이보그를 매개로 하여 이루어지고 이것이 점차 현실과의 경계를 허물어간다면 근대철학에서 경계를 뚜렷이 했던 주체와 객체, 자아와 타자와의 관계 또한 전혀 새롭게 정의되어야할 것이다. 이러한 맥락에서 본다면 육체의 물질적인 표면이라는 것도 점차 의미가 없어질 것이다. 육체를 떠난다는 사실과 함께 성과 노동

---

[68] 스프링거, 클라우디아 (1998) 정준영 옮김, 『사이버 에로스: 탈산업시대의 육체와 욕망』, 서울: 한나래, 35쪽.

을 모두 떠날 수 있는 탈(脫)섹슈얼리티, 탈육체, 노동의 부재 등의 유토피아에서는 어쩌면 더 이상 여성 주체가 형성되어야할 당위성도 없어질 지 모를 일이다. 그런데도 육체적 유물론의 틀 안에서 사이보그와 여성 주체를 생각해보는 것은 가상 공간에서도 여전히 육체에 대한 문화적 재구성이 이루어질 것이라는 어두운 전망[69]과 거기서 어쩌면 해방의 미학이 발견될 수도 있다는 밝은 전망[70]이 공존하기 때문이다.

사이보그의 포스트모던한 신체의 인식론은 육체를 떠난다는 점에서 계몽주의적 인식론과 상통하는 점을 발견할 수 있다. 즉 사이보그는 탈육체화하고 따라서 출처를 모르는, 또는 굳이 출처를 알 필요도 없는 상황에서 '어디든지 존재하는' 몸이다. 따라서 공간적 초월성을 띤다. 이것은 한편으로 계몽주의적 초월적 자아 인식론과 포스트모던한 신체인식론이 상이성을 공통성으로 치환시키는 극적인 예라고 하겠다. 계몽주의를 모태로 하는 초월적 주체의 탈육체성은 아이러니컬하게도—비록 그 해석의 근원을 다른 곳에서 찾을 수 있다고는 하나—포스트모더니즘적 해석구도가 적합한 사이보그의 탈육체성과, 시대를 뛰어넘어서 닮아있다. 사이보그의 탈육체성은 또한 노동으로 하여금 더 이상 근대적 이상을 실현하는 도구적 의미를 가진 활동으로 이해되지 않게 한다. 해러웨이는 사이보그의 이미지를 통해 단편화된 포스트모던한 신체를 상징적으로 묘사한다.[71] 그것은 해체되고 재결합된 포스트모던한 집합적이고 개인적인 자아로서 "끊임없이 그녀와 그의 신체로 변화하며 개성을 창조하고 재창조하고 시간을

---

69) 발사모, 앤 (1997), "사이버 공간의 가상 육체", 홍성태 엮음 『사이보그, 사이버컬처』, 서울: 문화과학사, 231쪽.
70) 해러웨이 (1997), 앞글, 209쪽.
71) 해러웨이 (1997), 앞글, 208쪽.

초월해 떠다니는 불확정한 성과 변화할 수 있는 성별의 신체"[72]이다. 물질적인 육체를 이미 떠나있는 사이보그로 해러웨이가 육체유물론을 논의하는 함의는 무엇일까? 이는 아마도 가상 공간이 몸에 각인된 역사적, 경제적, 문화적 조건을 뛰어넘을 수 있는 일종의 잠재적인 해방구를 상징하기 때문일 것이다. 물론 가상 공간에서의 성과 여성정체성이 기존의 사회문화적인 정체성을 재구성하고 있다는 비판도 있지만 이와 함께 새로운 정체성 창조의 가능성 또한 제기되고 있다. 이리가라이가 모방을 하나의 전략으로 삼듯이 해러웨이도 차별의 역사와 문화가 속속들이 배어 있는 여성의 육체를 극복하기 위해 유토피아적 상상력 속에서 기계의 육화를 꿈꾸고 궁극적으로 이분법을 벗어나는 이미저리 창조를 향해 역설적 제의를 하는 것이다.

여성 주체 형성의 핵심적인 구성요소를 여성의 몸과 성, 노동이라고 했을 때 육체유물론의 이론적 함의는 이중에서도 특히 육체가 갖는 역사적이고 문화적인 힘을 강조하고 있다. 특히 미즈의 연구에서 보여지는 여성 육체는 육체가 갖는 시대성과 역사성을 생생하게 보여준다. 또 마녀사냥에서 처럼 푸코식의 육체와 성의 계보학이 드러나는 사례는 없을 것이다. 마녀사냥을 통해서 근대 자연과학이 발전하게된 배경을 살펴보면 여성육체를 중심으로 하여 푸코가 말하는 지식과 권력의 상호관계가 극명하게 가시화된다. 이러한 계보학적 탐구는 일반적인 사상사가 아니라 '현재에 제기된 문제로부터' 시작된 '문화에 있어서 사상을 지닌 모든 것'을 다루면서 권력의 패턴, 즉 누가 권력을 지니고 있는가가 아니라 권력행사의 양

---

72) 보르도 (1992), 앞글, 329쪽.

식을 발굴하도록 고안되었다. 이러한 논의에 따르면 육체와 연관된 문화분석은 여성의 육체유물론적 존재방식을 문화분석의 방법론으로 재정의될 수 있다.

이 글에서 여성 주체 형성을 다루려는 목적은 정태적인 존재로서의 여성을 몸과 성, 노동의 삼각구도 속에서 분석하는데 있지 않고, 보다 여성주의적 지향을 가지고 분석함으로써 여성 주체로부터 여성주의적 주체로의 전환의 가능성을 찾는데 있다. 다시 말하자면 기존의 수동적으로 규정되어온 보편적인 여성이 아니라 지속적으로 전환하고 미래지향적이며 패러다임을 바꿔가는 전복적 힘을 가진 주체로의 가능성을 모색하였다. 이 가능성을 찾는 작업을 근대의 역사적 궤적이 끈질기게 남아있는 육체로부터 시작하는 것은 어쩌면 해러웨이가 시도하는 새로운 이미저리를 향해 나가기 위한 역설적인 토대찾기가 될 것이다.

6장 · '그들만의' 코기토 근대 주체를 넘어서

최근 들어 근대와 근대성에 관한 논의가 활발하다. 새로운 밀레니엄을 맞이하면서 지나간 '낡은' 밀레니엄이 인류에게 남긴 것들 가운데 그래도 긍정적인 시대정신을 찾아내고 정리하면서 이로부터 새로운 시대정신을 전망하기 위해 하나의 매듭을 짓는 몸짓이라고도 할 수 있겠다. 새롭게 다가온 밀레니엄을 특징지울 시대정신이 어떤 모양새를 할 것인가를 지금부터 예견한다는 것은 거의 불가능한 일이다. 그러나 적어도 앞으로 다가올 새로운 천년이라는 세월에는 지나간 천년동안 온갖 상처로 얼룩져온 양성관계가 그대로 지속되어서는 안되고 또 그럴 수도 없을 것이 분명하다. 그렇다면 다가올 천년을 지탱해나갈 시대정신의 진수에 새겨질 양성관계는 어떠해야 할 것인가? 이를 전망하려면 필히 지금의 시점에서 되풀이 되어서는 안될 것으로 판정이 난 지나간 시대의 양성관계와 이 관계에서 파생된 문화를 되짚어 보아야할 것이다. 이는 바로 세기가 바뀌는 길목에서 근대와 근대성이 논의되는 배경이고 또한 논의되어야할 이유다.

그렇다면 한국 사회의 근대성은 어떻게 파악될 수 있으며 일반적으로 근대성의 가장 커다란 특징을 이성적 합리주의라고 한다면 한국의 근대화는 우선 이러한 합리주의를 얼마나 실현해 왔는가, 과연 성찰적 근대화의 진행은 우리 사회에서도 시작되고 있는가 하는 질문이 떠오른다.

1. 근대성에 대한 페미니즘적 해석

근대성을 페미니즘의 맥락에서 파악하고 해석하려는 논의에서는 근대성에 대한 공통된 암묵적 해석에 따라 근대성을 남성성과 동일시하는 데에 일반적으로 동의하고 있다. 이를테면 합리성, 생산성, 자연 지배 등을 전제로 하는 이성중심적 자율적 근대 주체는 역사의 과정 속에서 지금까지 독점적으로 남성성의 표상으로 인식되어 왔다는 판단이 대표적 예다. 그러나 한편으로 근대성에는 이러한 측면 외에도 정형화되지 않는 개인들의 탈중심화된 심리나 역할도 포함되어 있다. 탈중심화되고 개별적인 이해관계에 민감한 개인이 갖는 특성의 측면에서 보면 근대성은 지금까지 일반적으로 분류해왔던 남성성과 여성성의 확고한 이분법으로 나누어지지 않는다. 어떻게 보면 이성으로 무장된 계몽의 근대는 그 자체가 견고하게 구조화되고 현실 속에서 자본주의적 속성과 결합하면서 그 안에서 일상의 미세한 내용과 그것의 흐름, 더 나아가 이러한 일상과 상징들이 둥지를 틀고 있는 여성의 현실들과 이미 많은 부분 교섭을 시작하고 있는지도

모른다. 특히 도구적 이성과 자본주의적 관점에서의 물신숭배의 측면에서
는 오히려 근대가 갖는 비합리성이 극명하게 드러나고 있다.

근대/근대성/근대 주체

'근대(die Moderne)' 라는 용어는 일상적으로 사용하는 빈도에 비해 비
교적 난해한 용어다. 특히 사회과학에서 사용하는 근대 개념은 한마디로
규정할 수 없이 모호한 여러 가지 측면을 지니고 있다. 우선 '근대', 또는
'근대성(modernity)'을 '현대', 또는 '현대성'이라고 하지 않는 이유는 근
대 논의가 역사성을 갖고 있음을 뜻한다. 아도르노(Theodor Adorno)의
말대로 근대성이 어떤 시기를 지칭하는 연대기적 개념이 아니라 질적인
특징을 지시하는 개념이라고 하여도 그것이 여전히 서구에서 근대사회가
성립되고 이러한 근대사회의 철학을 내포한다고 볼 때 우리 말에서 현재
적, 당대적이라는 의미가 짙게 배어 있는 '현대', 또는 '현대성'은 역사성
을 갖는 질적 특징을 표시하는 데 적절하지 않다. 현대성이라는 용어를 선
택하여 오히려 우리가 흔히 한국의 근대에 포함시키는 일제시대의 근대성
에 관해 언급한 글에서도 근대화는 "역사적 체계와 구조 속에 위치해 있
는 일련의 과정"[73]이라고 잠정적으로 규정되고 있다. 여기서 김진송은 근
대성에 대해 정치, 경제, 사회, 문화 등등의 규격화된 범주로 구획지어 접
근하는 것은 정치, 경제, 사회, 문화의 범주가 실재하기 때문이 아니라 각
각의 영역이 분할되었다고 가정한 현대적 인식론의 범주이기 때문에 근대

---

73) 김진송 (1999),『현대성의 형성: 서울에 딴스홀을 許하라』, 서울: 현실문화연구, 10쪽.

가 체계와 구조로 해석되기 어렵다고 본다. 어떻게 보면 근대성은 현재의 우리가 존재하는 총체적인 시공간과 이를 역사적으로 꿰뚫는 인식론이라고도 할 수 있겠다. 따라서 근대란 일정한 시간적 공간을 뜻하기만 하는 것은 아니다. 그보다는 근대적 시민사회가 등장하기 시작한 산업혁명 이후 현재까지의, 더 나아가 미래 어느 시점까지의 시간적 거리를 채우는 정신적인 공간과 문화를 포함하는 폭넓은 개념이다.

이 글에서는 근대가 갖는 애매모호한 경계, 근대가 함축하는 여러 가지 특성들을 페미니즘의 시각에서 점검해보면서 특히 이러한 논의가 한국의 근대성을 읽어내는데 있어서 얼마나 유용한가를 구체적인 사례를 통해 살펴보고자 한다. 즉 한국의 근대를 해석하는 과정에서 근대 속의 탈근대, 합리성 속의 비합리성이 어떻게 공존하고 있으며 성찰적 근대성과 비판적 성찰성은 과연 가능한 것인가 가늠해본다. 이러한 과정을 거치면서 아도르노와 호르크하이머(Max Horkheimer)가 『계몽의 변증법 *Dialektik der Aufklärung*』에서 논의를 풀어가는 명제로 삼았던 '계몽 속의 신화'가 한국 사회에서 의미를 가질 수 있는지 짚어보고 새로운 패러다임으로서 도구적 이성과 감성의 변증법적 관계설정의 가능성에 대해 문화론적으로 전망해본다. 그리고 이러한 과정을 거쳐서 또다시 근대와 페미니즘의 관계를 정리하고 미래가 품고 있는 영원한 토대로서의 성찰성을 페미니즘의 이름 아래 명명해보고자 한다. 한국의 근대성을 이해하기 위해서는 기본적으로 한국의 당대를 어떻게 해석하는가 하는 관점을 정리할 필요가 있다.

벡은 "근대화가 19세기에 봉건사회의 구조를 해체하고 산업 사회를 생산한 것과 똑같이, 오늘날의 근대화는 산업 사회를 해체하고 있으며 다른 근대성이 형성되고 있는 중"이라는 언급에서 전통의 근대화와 산업 사회의 근대화를 구분해내고 이의 성격을 고전적 근대화와 성찰적 근대화로 구별한다. 이는 편의상 '제1근대', '제2근대'의 개념으로 받아들여지고 벡은 제2의 근대를 '두 번째 합리화 과정(das zweite Rationalisierungsprozeß)'으로 개념화한다. 근대화가 근본정신으로 삼았던 근대성의 형성과정을 '제1의 합리화'라고 한다면 오늘날의 근대화는 성찰적 근대화로서 '제2의 합리화' 과정을 밟으면서 진행된다고 보는 것이다. 제1의 합리화과정이 자본주의화를 향하여 급격한 변화를 근간으로 하는 근대화였다면 후기 근대에 들어서서 진행되는 제2의 합리화과정은 개인과 사회의 관계를 성찰하면서 진행되어야하는 근대화인 것이다. 이는 근대화가 아직도 미완의 프로젝트이고 따라서 우리가 현재 살고 있는 사회를 탈근대(post-modern)가 아닌 후기 근대(late modern)로 이해해야함을 강조하는 하버마스[74]나 성찰적 근대화를 역설하는 기든스에 의해서도 일정 부분 동의를 얻고 있다.

한편 기든스는 고도 현대(high modernity)라는 용어를 사용하여 벡이 지칭하는 제2의 근대가 갖는 사회성격을 함축하는데 이로써 벡이 후기 산업사회가 포함하고 있는 위험변수들을 위험사회(Risikogesellschaft)의 진단에 고려하고 있는 것과 같은 맥락에서 지금 현재 사회의 특성을 암시한다. 또한 기든스는 근대성을 '곤혹스럽고 소란스러운 현상'이라고 표현함으로써 근대성의 특징을 규정하는 작업 자체가 곤혹스럽다는 점을 시사한다. 기든스에 의하면 근대성은 '봉건시대 이후 유럽에서 가장 먼저 확립되었지만 20세기에 와서 세계사적인 영향을 끼치게 된 제도와 행동양식'[75]으로 정의된다. 또한 그는 산업주의가 근대성의 유일한 제도적 차원은 아니라

---

74) Habermas, Jürgen (1988), "Die Moderne-ein unvollendetes Projekt", in Welsch, Wolfgang (Hrsg.), *Wege aus der Moderne*, Weinheim: VCH Verlag.
75) 기든스, 앤소니 (1997), 『현대성과 자아정체성』, 서울: 새물결, 58쪽.

는 것이 인정된다는 전제 하에, 근대성을 '산업화된 세계'와 대체로 동일한 것으로 이해한다. 여기서 산업주의란 생산과정에서의 물리력과 기계의 광범위한 사용에 내포된 사회적 관계를 지칭하는데 이러한 기든스의 견해에 따르면 산업주의는 근대성의 하나의 제도적 축으로 규정된다.

몇백 년에 걸쳐 근대화가 진행된 서구의 경우와 한국의 경우가 동일한 개념과 시간적 맥락으로 이해할 수 있는 문제는 아니다. 그러나 적어도 하나의 유형을 유추해내는데 있어서는 도움이 될 것이다. 벡이 전망하는 한에 있어서 이제 막 시작된 제2근대화 과정에서 산업 사회의 정신적 지주들은 세계사의 무대에서 슬그머니 퇴장해버리지 않는다. 오히려 현재 논의가 한창 진행중인 반근대주의적(counter-modernistische) 시나리오, 즉 탈근대 논쟁이 근대성과 돌이킬 수 없는 모순을 일으키는 것이 아니라 산업 사회의 테두리를 넘어서는 성찰적 근대화의 표현[76]으로 모습을 드러내는 것이다.

2. 성찰적 근대화와 여성주의 문화론은 친화력을 갖는가?

이상과 같은 맥락에서 볼 때 페미니즘을 근대성과 무한 갈등의 위치에 놓고 근대성의 정수인 합리주의로부터 벗어나는 길 만이 페미니즘의 방향

---

76) Beck, Ulrich (1986), *Risikogesellschaft: Auf dem Weg in eine andere Moderne*, Frankfurt a. M.: Suhrkamp Verlag, 41쪽.

이 되어야할 것인가에 대해 숙고해야할 것이다. 오히려 페미니즘을 성찰적 근대화의 또 다른 중요한 하나의 표현으로 파악하는 것도 보다 설명력이 있다. 그렇다면 페미니즘이 탈근대적 경향을 띠면서, 때로는 성찰적 근대화의 방식으로 상징적이고 의미론적인 맥락을 읽어내는 여성주의 문화론의 방법론으로 등장할 가능성에 대해서도 충분히 생각해 볼 수 있다. 여기서 언급하는 문화는 일반적인 어법으로 지칭하는 구체적인 예술 영역만이 아니라 이러한 재현을 가능케 하는 광범위한 상징체계를 지칭하는 개념이다. 다시 말하자면 인간의 삶의 양식과 사유체계를 포함하는 개념이다. 따라서 여성주의 문화란 성별정치학이 실현되는 사고방식, 상징체계, 그리고 생활양식을 포괄적으로 포함하는 뜻이다.

한 시대 전체가 이전의 규정적인 범주들을 넘어서서 하나의 완전한 공백으로 끌려 들어가지 않으려면 새로운 인식론이 필요하다. 이 인식론의 여성학적 제시가 바로 여성주의 문화론이다. 여성주의 문화연구는 남성문화를 전체 문화와 동일시하고 그럼으로써 효과적인 방식으로 남성의 우월성에 도전하는 활력있는 여성문화들을 무시하는 공식적인 문화적 접근들의 헤게모니화하는 함축들을 지적하는데 특별히 도움이 되어왔다. 확장된 문화개념은 문화연구가 표현과 경험의 비 텍스트적이거나 초(超)텍스트적인 형태들을 다루면서 그것에 상응하여 확장되게끔 강요하는 것과 마찬가지로 문화연구는 문화적 의미와 실천을 탈중심화하는 것을 돕는다. 이러한 맥락에 따르면 여성 주체로서의 자아정체성을 갖게 하는 여러 경로들과 주체 형성의 과정에서 매개하는 섹슈얼리티와 몸, 그외 성별정치학 요소들의 상징화, 의미화, 그리고 재현의 과정들이 여성주의 문화연구의 주요 분석대상이 될 것이다. 그리고 이러한 분석의 배경을 한국의 근대성으로 잡을 때는 사회과학적 방식에 더하여 의미체계를 해석해내는 한국의 특수한 근대적 과정에 대한 성찰이 필요할 것이다. 이는 다시 말하자면 한국 사회가 경험한 근대화 과정에 성별 정치학에서 갖는 의미와 그 과정에서의 사회의식의 형성, 그리고 이의 역사적 배경 등이 서구 사회의 합리주의와 갖는 변별성을 추적해나가는 작업이 필요하다. 왜냐하면 여성주의 문화연구의 상당히 중요한 부분은 역사성과 사회사에 대한 계보학적 흔적 밟기이고 이의 해석학이기 때문이다.

이를 위해서 우선 전체적으로 다음의 문제제기가 가능하다. 근대성이 기본적으로 페미니즘과 친화력을 갖는가 하는 점에 대한 검토와 지금까지 전제된 대로 근대로부터 싹터 온 페미니즘이 근대가 극복된 탈근대적 사회상황을 요구하는 문화적 전복력을 갖는가, 또한 근대성은 페미니즘의 시각에서 보았을 때 폐기되어야할 덕목으로만 이루어져있는가, 만일 근대성이 성찰적으로 수용된다고 한다면 페미니즘 문화론과 어떠한 관계에 놓일 수 있는가, 여성주의 문화론의 관점에서 근대와 탈근대의 기본 가치들은 어떠한 의미를 갖는가 하는 점들을 점검하려고 한다.

근대성과 페미니즘은 각기 기본적으로 함의하고 있는 개념적 토대를 달리 한다. 달리하는 정도가 아니라 영원히 만날 수 없을 정도로 깊이 패인 계곡을 사이에 두고 있는 것처럼 보인다. 그러나 과연 그러한가? 이에 대한 회의는 이 논문의 핵심을 이룰 것이므로 여기서는 일단 표면상 보이는 깊은 계곡을 상정하기로 하자. 이 계곡을 가로질러 양쪽을 연결하려면 어떤 도구가 필요할까? 그리고 그러한 도구들을 동원해서 만들어지는 가로대는 다리의 형상을 할 것인가, 아니면 다만 필요할 때만 띄우는 비행물체가 될 것인가? 도구라는 것은 기존의 어떤 형상이나 형태를 두드리거나, 구부러뜨리거나 아니면 녹여서 어느 정도 변형시키거나 아니면 아예 새로운 형상으로 바꾸어내는데 쓰인다. 근대성과 페미니즘을 연결시키려면 우선은 각기 가지고 있는 기본적인 개념의 틀을 알아야한다. 그리고 그 특성에 맞는 도구를 갖추어야한다. 왜냐하면 도구에 따라서 그 개념들은 다리가 될 수도 있고, 간간이 운행하는 비행체가 될 수도 있고, 형상은 없이 기호만 날아다니는 매체가 될 수도 있기 때문이다. 아니면 계곡을 따라 여러 가지 형태의 매개물이 동시에 존재하게 될 수도 있을 것이다.

여기서 가장 적합한 도구는 문화분석 또는 문화론이 될 것이다. 그 이유는 차츰 밝혀지겠지만 우선 간단히 말하자면 근대성과 페미니즘이 각기 가지고 있는 특성을 매개하려면 각각의 관점에서 결코 포기할 수 없는 부분은 제외시켜야 하기 때문이다. 짐멜이 지적했던 바대로 전형적으로 남성적인 성격과 근대 문화의 객관화된 본질이 근본적으로 동일함을 갖기 때문에 여성성, 또는 여성화는 탈근대적 성격을 갖게된다. 여기서 강조되는 점은 진정한 여성문화는 도시 산업 사회의 도구적/비인간적 국면을 전복시킨다는 가정인데 이는 페미니즘적 사유나 비페미니즘적 사유에 모두 함께 나타나는 모티브다. 그러나 이렇게 가정된 여성성은 자칫 여성=자연의 등식으로 빠지게 된다. 짐멜에 의하면 "여성성은 추상적이고 일방적인 이성의 전횡에 저항하는 감각적인 실체의 유토피아적 구현체로서 미적인 것과 마찬가지로 부분과 전체의 완전한 통합을 보여준다. 그러나 그 결과 여성적인 것은 남성 규정적인 객관 문화의 바깥에 남아 있어야만 그것의 독특한 특성을 보유할 수 있다."[77] 이러한 도식은 최근의 프랑스 페미니즘에서 언급하는 성차이론과 유사한 면모를 보인다. 물론 도구적 이성이 갖

---

77) Simmel, Georg (1984), *On Women, Sexuality, and Love*, Guy Oakes(trans. and ed.), New Haven: Yale University Press, 54쪽. 한글판 김희 (역), 『게오르그 짐멜: 여성문화와 남성문화』, 서울: 이화여대 출판부 참조. 짐멜의 여성문화에 대한 시각을 향수 패러다임과 연결시킨 펠스키의 논의는 주목할 만하다. 리타 펠스키 (1998),『근대성과 페미니즘』, 서울: 거름 참조.

는 몰문화적 객관화를 전복시키기 위한 거의 유일한 대안으로 제시되는 것이기는 하지만 이러한 등식이 갖는 위험은 여성을 다시금 역사의 바깥으로 밀어내는 논리를 제공해줄 수도 있다는 점이다.

그럼에도 불구하고 근대성이 표방하는 절대적 객관성, 이성적 합리주의, 즉 팔루스 로고스 중심주의의 날카로운 부분은 페미니즘이 지향하는 세계관에 정면으로 맞서는 부분이다. 근대성이 본질적으로 남성적인 현상이고 여성성은 영원히 근대성이 미치지 않는 그 바깥에 남아있을 것이라는 가정을 뒷받침하는 것은 도구적/표현적인 것의 이분법이며 이러한 이분법에 의해 근대화는 냉혹한 합리화 과정과 동일시되는 반면, 감정, 열정, 욕망은 통제의 영향을 받지 않는, 진정한 내면성의 영역에 존재하게 된다.[78] 이러한 관점에 의하면 도구적인 것과 표현적인 것의 극단적인 구별이 초래하는 것은 성별과 근대성의 관계를 표현하는 데 있어 분석적인 가치보다는 징후적인 가치를 가지고 있다고 할 것이다. 이와 같은 맥락에서 볼 때 근대적 가치관에 의하면 인간의 욕망의 부분에 대한 고려는 거의 이루어질 수 없는 상황이라는 것을 알 수 있다.

합리주의적 세계관이 주로 주관하는 세계는 정치, 경제 등 견고한 제도와 구조의 영역이다. 하버마스가 정의하는 체계(system)에 가까운 영역이지 생활세계(Lebenswelt)의 개념이 아니다.[79] 또한 사회구조를 변동시키는 새로운 힘, 즉 친밀성의 세계가 아니고 그 일상의 겉을 형성하는 견고한 틀이다. 그런데 여기서 하버마스는 도구적 이성이 아닌 의사소통적 합리성이 제대로 매개할 때 체계와 생활세계가 제대로 원활히 소통될 수 있

---

78) 펠스키 (1998), 앞책, 100쪽.

는 근대성이 발현된다고 본다.

지금 제2의 근대는 산업 자본주의의 테일러리즘이라는 발판을 필요로 하지 않는다. 오히려 일상의 느린 걸음, 게으를 수 있는 권리를 추구하는 세상이 올 것으로 전망하는 데에 하나의 통로를 열어준다. 이런 사회에서 중요한 덕목은 더 이상 돌연사를 할 정도의 극심한 피로상황에 몰리게 하는 과잉노동이 아니다. 사람이 살아가면서 자기가 걸어가는 길의 저 앞도 쳐다보고, 이 길을 어떤 생각을 하면서 걷고 싶은 지도 미리 생각하면서 걷는 속도를 되찾아야하는 것이다. 하고싶은 것, 원하는 것을 생각할 수 있게 하는 합리화, 더 이상 욕망의 대상이 되지 않고 욕망하는 주체가 될 수 있게 열려져 있는 사회. 이러한 사회에서 기본적으로 흐르는 강물처럼 사회의 질서가 되는 합리성이라면 페미니즘에서 말하는 자유주의와 어느 정도 공존할 수 있는 가치가 될 수 있을 것이다.

한편으로 지식이 표방하는 바 전문성이라는 것은 미래사회에서 가능성의 협소함을 의미할 수도 있다. 컴퓨터가 많은 부분의 지식창고의 역할을 하는 시대가 왔을 때 전문지식이 중요하게 될지, 아니면 다양한 문화적 접합의 능력이 더욱 가치를 인정받을 지 지금으로서는 판단하기 힘들다. 어쩌면 이러한 판단 자체가 이미 근대적 사고방식을 벗어나지 못하는 '업적

---

79) 하버마스는 『의사소통 행위이론』에서 사회를 생활세계와 동시에 체계로 보는 '이단계적 사회관'을 구체화한다. 참여자의 내재적 관점에서 보면, 사회는 구성원 각자의 행위지향이 조화를 보임으로써 통합되는 사회집단의 생활세계로 나타난다. 반면 관찰자의 왜재적 관점에 따르면, 사회는 행위결과가 기능적으로 조화됨으로써 통합되는 자기규제적 체계로 나타난다. 즉 행위하는 주체의 참여자관점에서 사회는 '사회적 집단의 생활세계'로 인식되는 반면에, 비관여자의 관찰자관점에서 사회는 '행위의 체계'로만 파악된다. Habermas, Jürgen (1995), *Theorie des kommunikativen Handelns*, Bd. 2, Frankfurt am Main: Suhrkamp, 179쪽. 이렇게 하버마스는 사회를 '관점'에 따라 생활세계로도 체계로도 분류함으로써 각각의 의미가 분명히 다르다는 점을 암시적으로 보여준다.

위주의 평가기준' 일지도 모를 일이다. 노동의 종류 또한 이러한 가치판단
의 대상이 될 수 있다. 이미 감성노동에 대한 논의는 많이 이루어지고 있
지만 공적 영역에서의 노동과 사적 영역이나 의미에서의 노동이 얼마나
서로 다르게 평가될 것인지는 미지수이다. 제한없는 다양성이 가장 중요
하게 부각된다고 한다면 여성이 가사노동이나 그와 연관된 노동으로부터
전수받은 다양한 기술(skill)에 대한 숙련도와 즉각적인 전환가능성, 즉 이
일 하다가 저 일로 금방 전환할 수 있는 능력은 적응성이 높은 여성들의
특성을 그대로 대변해주는 것이기도 하거니와 미래 사회의 다차원적 인간
관과 맞아 떨어지는 측면이 있다.

3. 여성의 성찰적 주체 – '그들만의' 코기토 근대 주체를 넘어서

조안 스콧은 페미니스트 역사가들이 근대라는 큰 틀 속에서 새로운 형
식의 역사를 상상하지 않으면 안된다고 주장하는데 그 근거로서 페미니즘
이 자유주의가 내포해온 문제점을 그대로 갖고있다는 점을 제시한다. 즉
'평등과 차이'라는 틀 속에서 형성되어 온 페미니스트 아젠다들이 사실상
진보주의, 보편주의, 합리적이고 자율적 개인의 개념 속에서 권리와 소유
개념을 크게 뒤집어 놓지는 못한 채 근대 자유주의/개인주의의 범주 안에
머물러 있다는 것이다.

근대는 평등과 자율적 주체라는 이상을 역사 속으로 끌어 들여왔다. 이미 주지하다시피 계몽주의적 세계관의 유산은 사회가 이성적이고 자율적인 개인으로 구성되어 있다. 그러나 이러한 이상을 형상화한 근대적 개인은 가족적, 공동체적 유대로부터 벗어난 자율적 남성으로 규정됨으로써 여성은 처음부터 배제되었다. 근대적 인간관의 가장 극점에 있는 특성이 이성적 판단을 하면서 초월적 존재로 떠오를 때 이 범주에 들어갈 수 있는 입장권은 남성들에게만 주어졌다. 한국에서 근대가 시작되던 조선 후기를 떠올리면 우리에게 있어서 근대가 얼마나 철저하게 남성위주로 진행되었는가를 알 수 있다. 단지 여성이 공적 영역에 참여하지 못했다는 사실에서 뿐 아니라 여성이 철저하게 타자화되고 은폐되었던 사회상황이 그러하다. 이러한 상황의 전개에는 자본주의가 시작된 이후 근대사회가 버팀목으로 삼아온 시대정신은 이성중심주의, 남성중심적 합리주의, 객관화되고 표준화된 팔루스 로고스 중심적인 사고방식이 주류를 이루었던 배경이 작동을 하고 있다.

여성주의 문화론의 기본적인 전제는 패러다임의 전환이다. 다시 말하자면 대상화되고 타자화되었던 여성의 위치를 주체적 위치로 복원하고 어느 한 가지 특성에 고정되어 있지 않고 진행중이고 다중적인 주체로 일어서고, 이를 위해서 자신의 눈으로 응시하고 자신의 입으로 말하는 '여성적 글쓰기', '여성적 언술방식의 체화'를 시도하려면 기본적으로 개념을 달리 해야한다.

80년대부터 시작하여 90년대에 들어 본격화된 새로운 여성 주체의 출현은 근대성의 철저한 재검토를 암묵적으로 요구한다. 근대에서의 존재론적 욕망은 사회체계에 적극적으로 편입하는 것으로 나타났다. 예를 들면 사회구조의 전면에 드러나면서 개입하는 것으로 욕망의 일단을 성취했다고 보는 것이다. 교육을 받는다든가, 취업을 한다든가 하는 방식으로 근대적 생활양식의 근간이 되었던 노동에 있어서의 주체성으로 나타나 사회적 존재로서 가치를 인정받는 형태가 일정한 패턴으로 정형화되어 나타난다. 반면 탈근대의 존재론적 욕망은 다중적인 욕망이다. 다시 말하자면 성이나 몸에 대한 개개인의 인식의 차이, 그리고 세대의 차이에 따라 엄청난 편차를 갖고 그 발현을 위해 다양한 방식으로 표출된다.

4. 페미니즘적 근대 극복과 성찰성 획득을 위하여

미래사회에 대한 전망 중 하나는 유연성이 요구되고 또한 필연적으로 유연해지는 사회가 될 것이라는 점이다. 계몽적 합리주의가 자본주의에 제공해온 철저한 계산성, 꽉 짜여진 구조와 체계적 위계구조가 제1의 근대에 오히려 자체적 위기를 불러 일으켰기 때문에 제2의 근대 또는 탈근대의 사회에서는 새로운 문화정치가 필수적이다. 여기에 기반이 될 수 있는 문화론은 미세한 관계망을 따라 들어가면서 지금까지 거대서사에서는 고려되지 않았던 감성의 세계라든가 개인의 욕망 등을 읽어내고 제시하는 역할을 해야할 것이다.

단일한 주체가 각각의 거대한 우주 속에서 이성의 규율에 따라 직접적으로 경험하는 것이 근대적 경험이라고 한다면 후기 근대의 경험은 '매개된' 경험이다. TV나 인터넷 같이 시간과 공간을 뛰어넘으면서 몸으로 직접 경험한 것과는 다르게 내면화된다. 이렇게 경험의 차원이 달라지면서 지식 전유의 통로는 다원화되고 진리는 상대적인 것이 되어간다. 근대성과 탈근대성의 모호한 경계 뿐 아니라 차라리 탈근대적인 문화현상 중에서 근대성의 정수를 보게 되는 경우도 있다. 몸이 직접적 경험의 통로라고 한다면 이는 근대적 의미의 경험을 뜻하겠으나 컴퓨터를 통한 타자와의 교통은 몸이 그 일부, 즉 손과 시각, 청각만을 사용하여 이루어지므로 직접적이고 일차적인 경험이라고 보기 어렵고 오히려 이 과정에서 매개된 경험을 수용하는 몸이 있을 뿐이다. 그런데 여기서 몸이 경험을 수용하는 기관으로서의 역할만 충실히 하는 반면 정신과 마음은 이미 몸을 떠나서, 달리 말하자면 땅을 떠나 부유하는 형상으로 서로 네트워크를 형성한다. 이러한 자아들이 근대의 주체들이 추구하던 초월적 자아들과 과연 어떠한 차이를 갖는가. 짐멜이 지적했던 바대로 전형적으로 남성적인 성격과 근대 문화의 객관화된 본질이 근본적으로 동일함을 갖기 때문에 여성성, 또는 여성화는 필연적으로 탈근대적 성격을 갖게 된다. 여기서 강조되는 점은 진정한 여성문화는 도시 산업 사회의 도구적/비인간적 국면을 전복시킨다는 가정이다. 그러니까 사회가 발전하는데 있어서 새로운 패러다임이 요구되는데 지금까지의 논의에 의하면 도구적 이성이나 산업 사회의 기술 지배적 합리주의가 아니라 새롭게 가치가 발견되는 감성이라든가 친밀성의 내부준거틀이 이에 해당된다.

페미니즘에서 근대를 극복하는 가장 현실적이고 효과적인 방식은 성찰성을 획득해내는 것이다. 성찰성은 또 다른 언어로는 자아의 성찰적 기획을 말한다. 따라서 여성의 자아정체성이 자신의 기획에 따라, 각자의 다양한 욕망의 어법에 따라 정립될 때 진정으로 각자의 성찰성이 이룩될 것이다.

근대화가 추진되던 70년대의 한국 여성들이 구조화된 근대성의 틀 속에서 수동적인 타자로서 끼어있었다면 90년대 이후에는 보다 주체적인 존재로 변화하고 있는가? 거대담론의 쇠퇴 내지 거부에 따른 후속 프로젝트로서 일상에 관한 패러다임이 새로이 부상하고 있다. 여기서 화두가 되는 것은 미세하게 엮여있는 권력과 욕망의 문제를 어떻게 이론화하느냐 하는 점이다. 다시 말해서 양성관계가 포함하고 있는 분석적·이론적 주장이 메타포 및 재현 형식과 불가분의 관계를 맺고 있는 일상을 해석해내는 작업의 과정에서 여성 주체의 위치가 드러날 수 있다. 이러한 의미에서 볼 때 일상적인 담화적 실천들의 광범위한 재현체계가 작동하는 방식에 대한 통찰에는 지금까지의 주로 이루어져 왔던 구조분석보다는 펠스키가 제시하는 상징정치학이 유용하다.

근대철학에서 상정하는 절대적 주체, 초월적 주체에 이르는 길은 앞에서도 살펴본 바와 같이 여성에게는 열려져있지 않았다. 이제 여성주의 문화론의 시각에서 본다면 정신과 머리를 강조하는 초월적 주체의 이상을 떠나서 몸을 기반으로 하는 경험적 주체로 새로운 길을 모색해야 한다. 브라이도티가 언급하듯이 다중적 코드가 각인되는 언어적 구성물로서의 몸과 섹슈얼리티가 기반이 되는 사유방식에 의해 기존의 이분법적 세계관이 극복될 수 있을 것이다. 이제 이러한 시도들이 설득력을 갖는 이유는 아마도 너무도 자주 들어 온 '새로운 밀레니엄'에 적합한 '새로운 패러다임'에 대한 갈구가 충분히 무르익었기 때문이 아닐까? 이러한 물음의 해답을 찾기 위한 모색을 시작할 때다.

7장 · 지구화의 전개와 다양한 여성 주체의 출현

지구화의 개념정의가 다양한 것만큼이나 지구화의 시작을 어디부터로 잡는가 하는 논의와 지구화의 경제 외적 영역에의 문화적 영향에 대한 시각도 다양하다. 지구화가 여성에 미치는 영향 또한 보는 시각에 따라 다양하게 규정될 수 있을 것이다. 이 글에서는 한국의 가부장제를 변형시키는 하나의 사회적 요인으로서 지구화를 들면서 여성이 근대 주체로부터 다양한 여성 주체로 변화해나가는데 있어서 중요한 변수이면서 배경으로 작용하는 지구화에 주목하고자 한다. 이러한 설정을 가지고 살펴보면 한국 사회에서의 지구화는 대체로 근대화, 좀더 자세히 말하자면 자본주의화과정과 맞물려 시작된 것으로 볼 수 있다. 비록 그 시작 시점에 대한 견해는 다양하지만 15세기부터 시작된 근대 자본주의화를 지구화로 본 마르크스나 자본주의 세계체제가 구축되기 시작한 것을 지구화의 시작으로 규정한 월러스틴, 다차원성에 주목하여 1870년대부터 1920년대를 시작 시점으로 보는 로버트슨, 그리고 18세기부터 시작된 근대화를 지구화와 동일시하는 기든스의 논의에서 공통적으로 드러나는 근대화과정과 지구화는 뗄래야 뗄 수 없이 맞물려 있음을 알 수 있다.

이 글에서 유의하여 다루고자 하는 '다양한 여성 주체의 출현'은 아무래도 근대화라는, 시간적으로 긴 과정을 모두 살펴보는 것으로는 내용적으로 충분하게 분석해볼 수 있는 현상이 아니다. 벡이 규정하는 바에 따르면 지구화는 제1의 근대의 근본적인 현상을 청산하고 다양성을 향해서 나아가는 제2의 근대를 전제로 하기 때문에 오히려 포스트모던적 상황과 시대적 배경이 중요한 시기로 등장한다. 따라서 이 논문에서는 넓은 의미의 지구화를 근대화와 동일시하면서 그 중에서도 여성 주체의 변화를 짚어볼 수 있는 제2의 근대에 초점을 맞출 것이다. 이는 한국에 있어서는 시기적으로 1970년대 이후가 될 것이다.

이러한 전제에 따라 제1의 근대에 해당되는 70년대 이전의 시기에 대해서는 근대적 여성 주체가 형성되는 과정이 노동시장으로의 편입을 중심으로 간략히 분석될 것이다. 그리고 70년대와 80년대의 본격적인 산업화 과정에서 형성되는, 노동하는 주체로서의 여성의 자아의식과 새롭게 도입되는 여성운동에 의해 형성되는 여성으로서의 자아의식, 변화하는 모성의 담지자로서의 여성역할, 그리고 적극적으로 욕망하는 성적 주체 등 다양화가 시작되는 여성 주체에 대해 분석한다.

마지막으로 90년대 이후 본격적으로 다양한 여성 주체가 등장하게 되는 사회적 배경과 지구화의 내용, 그리고 다양한 여성운동의 주체가 되는 여성그룹들의 등장에 대해 전망해 본다. 이 시기에는 여성운동 또한 세대별로, 지향점에 따라 다양하게 세분화되기 시작하고 성(sexuality)담론의 활성화로 성적 주체에 대한 논의가 활발해졌다. 따라서 신자유주의의 물결아래 소비의 주체로서, 새로운 제3의 여성운동의 주체로서, 전업주부로서 다양하게 사회적 역할을 찾아가는 여성들이 등장하게 된다. 더욱이 최근에는 젊은 세대들이 보이는 여성주의에 대한 보수적 경향을 우려하는 목소리들도 있다. 따라서 '세대간의 정치학'이 논의되기도 한다. 이들에 있어서 개인적인 관심사와 개인적인 욕망의 해소는 어떠한 사회적 의제보다도 중요하고 우선적으로 해결해야할 과제로 되어 있다.

1. 산업화와 지구화 과정에서의 여성 주체

1) 지구화(globalization)란 무엇인가

최근에 들어 지구화에 관한 논의가 활발해지고 있다. 그런데 지구화라는 용어가 우리말로 번역되면서 전지구화, 세계화 등으로 번역되거나 아예 영어를 한국식으로 발음한 글로벌라이제이션으로 쓰는 등 용어 자체가 통일되어 있지 않다. 이는 그만큼 지구화에 대한 논의가 아직도 통일되지 않은 시각에서 진행되고 있다는 증거라고 할 수 있다. 지구화를 언제부터 진행된 현상으로 볼 것인가[80]하는 점도 학자에 따라서 상당히 다르다.

벡은 『지구화란 무엇인가? *Was ist Globalisierung?*』[81]라는 근본적인 질문을 제목으로 한 책에서 지구화를 개념정의하기 전에 우선 이와 상호 관

---

80) 지구화가 시작된 시점에 대해서는 다음 글 참조 J. N. Pieterse (1997), "Der Melange-Effekt", in U. Beck(Hg.), *Perspektiven der Weltgesellschaft*, Frankfurt/M. Suhrkamp.

련된 세 단어, 즉 지구주의(Globalismus), 지구성(Globalität), 그리고 지구화(Globalisierung)를 구분하여 설명한다. 먼저 지구주의는 세계시장 지배의 이데올로기 내지 신자유주의 이데올로기를 칭한다. 벡에 의하면 이 지구주의는 단일인과적이고 경제주의적인 접근법으로서 지구화의 다차원성을 하나의 경제적인 차원으로, 그것도 단선적으로 사고되는 경제차원으로 축소시키고 생태적 · 문화적 · 정치적 · 시민사회적 지구화와 같은 여타의 모든 차원들은 세계시장 체제 하에 종속되어 있음을 표현할 뿐이다. 따라서 지구주의의 이데올로기적 핵심은 정치와 경제의 구분이라는 제1의 근대의 근본적인 구분을 청산한다는 점에 있다고 벡은 강조한다. 이러한 견해에 따르면 지구주의에는 긍정적인 지구주의와 부정적인 지구주의가 있다.

한편 지구성(Globalität)이란 벡의 기술에 따르자면, 기술, 매체, 사고, 여행, 시장 그리고 금융 등에 의해 서로 네트워크를 형성한 세계의 실제적이고 되돌릴 수 없는 현 상태(Ist-Zustand)를 뜻한다. 다시 말하자면 지구성은 '우리는 오래 전부터 하나의 지구사회 속에 살고 있다'는 것을 뜻한다는 것이다. 폐쇄된 공간 관념이 허구적이라고 할 때 지구성은 '세계사회(Welt-Gesellschaft)'라는 것을 상정한다. 즉 지구성은 어떤 국가, 어떤 집단도 서로 배척할 수 없게 만들며 이와 함께 다양한 경제적 · 문화적 · 정치적 형식들이 서로 충돌하게 되며, 서구적 모델의 자명성도 새롭게 정당화될 수 밖에 없게 된다. 여기에서 '세계사회'는 국민국가적인 정치로 통합되지 않거나 규정되지 않는, 혹은 그렇게 규정될 수 없는, 사회적 관

---

81) 이 책은 『지구화의 길』이라는 제목으로 한국어로 번역, 출간되었다. 『지구화의 길』, 울리히 벡 지음/조만영 옮김 (2000), 서울: 도서출판 거름.

계들 전체를 뜻한다. 또한 '세계사회'라는 복합어에서 '세계'는 차이와 다양성을 뜻하며, '사회'는 비통합성을 뜻한다. 그런 점에서 세계사회는 통일성없는 다양성으로 파악될 수도 있을 것이다.

이에 반해 지구화(Globalisierung)는 국민국가들과 그 주권이 초국민적인 행위자, 이들의 권력기회, 방향설정, 정체성, 네트워크를 통해 마주치고 서로 연결되는 과정을 뜻한다. 제1의 근대와 제2의 근대의 본질적인 구분점을 이미 성립된 세계성의 수정불가능성에 있다고 할 때 이는 곧 생태적·문화적·경제적·정치적·시민사회적 지구화의 상이한 고유 논리들이 병존하며, 이 논리들은 서로 어느 한쪽으로 환원되거나 반영될 수 있는 것이 아니라 각자 독자성과 상호의존성을 지닌 채 해석되고 이해될 수 밖에 없다는 것을 의미한다.

2) 지구화 과정으로서 한국의 산업화

지구화가 진행되면서 등장하는 현상들 중에서 텔레커뮤니케이션에 의해 노동력이 싼 곳으로 서비스가 이동하는 방식을 통해서 산업 사회적인 노동체계의 가정들이 무너져 내리는 것을 들 수 있다. 어떤 제품이나 서비스를 생산하기 위해서는 특정 장소에서 협업을 해야한다는 필연성은 더 이상 타당하지 않다. 일자리가 수출될 수 있으며, 피고용인들은 초국민적으로, 심지어 초대륙적으로 '협업'하고 고객이나 소비자와 '직접적'으로 접촉하면서 특정 서비스를 제공할 수 있게 된 것이다. 한사람이 5대륙에서 봄을 만끽하는 세계 여행의 계획을 짤 수 있는 것과 비슷하게, 이론적으로는 노동과정과 생산과정을 지구 전역에 배분하여 시계처럼 정확하게 가장 낮은 임금을 지불하면서 가장 바람직한 협업을 수행할 수 있다. 협업 또는 생산의 지구화가 이루어지고 있는 것이다.

이러한 방식의 지구화는 한국을 비롯한 동남아 국가들에게는 전혀 낯설지 않은 것이다. 70년대 중반 이후부터 활발하게 진출했던 다국적 기업들 가운데 전자산업과 의류업체들은 동남아 여성들의 섬세한 손작업과 양순하고 복종적인 근무태도를 주요 이유로, 그러나 궁극적으로는 저임금과 손쉬운 노사관계 형성이라는 이점을 안고 경제원리에 입각하여 지구화를 이루어왔던 것이다. 이러한 방식의 지구화, 다시 말해서 성별분업을 매개로 한 지구화는 이미 제국주의 시절부터 이루어져 왔다. 미즈의 논의에 의하면 70년대 이후의 국제 성별분업은 그 뿌리를 캐고 보면 이미 식민지 경영으로부터 비롯되었다.[82] 미즈의 논의에서 초기의 식민지경영에서는 식민 지배국의 남성과 피식민지의 여성들 사이의 극단적인 성별분업에 대한 비판이 주를 이루다가 점차 근대로 오면서 백인여성과 예전의 식민지 유색여성들 사이의 '소비'와 '생산'을 둘러싼 분업의 불평등성이 지적되고 있다. 즉 유색여성들이 저임금과 착취적 생산관계 속에서 생산해내는 물건들은 사실상 그것들이 생산된 산지에서 일상생활을 영위하는 여성들의 손을 일찌감치 떠나 식민종주국의 여성들의 '소비'의 권역으로 이입되었다.

70년대 중반이후 전자제품 조립을 중심으로 한 서구 다국적 기업들이 한국에 공장을 설립하면서 이루어지기 시작한 지구화는 그 전개방식에 있어서 미즈가 분석한 식민지 경영의 기본 논리와 크게 다르지 않다. 왜냐하

---

82) Mies, Maria (1989), 앞책, 91-140쪽 참조.

면 기업들이 공장을 설립하였지만 본격적으로 자본을 투자하거나 기술이전이 이루어지지 않는 상태에서 다만 값싼 노동력을 이용하기 위한 방편으로 진출했기 때문이다.

3) 지구화가 여성 주체 형성에 미치는 문화적 영향

벡이 제시한 바 지구화를 수정할 수 없게 하는 8가지 이유[83] 중에서 여성의 변화하는 주체의식에 영향을 미치는 요소들은 금융시장의 전지구적 네트워크화로 인한 경제적인 지구화와 다중심적 세계정치 등 사회 전체적으로 직접적인 변화를 초래하는 것들보다는 오히려 이러한 파동이 전달되는 방식, 즉 문화적인 파동이 될 것이다. 벡의 방식으로 말하자면 "오늘날(및 미래의) 지구화 과정의 특수성은 문화적 · 정치적 · 경제적 · 군사적 층위와 관련해서 경험적으로 조사할 수 있는 지역적 · 지구적 상호관계의 네트워크, 이러한 네트워크로 규정되는 대중매체, 사회적 공간, 이미지흐름 등의 외연 · 밀도 · 안정성을 통해 설명할 수 있다. 그렇기 때문에 지구사회란 모든 민족사회들을 해소하는 거대한 민족사회가 아니라 다양성과 비통합성을 특징으로 하는 일종의 전지구적인 지평이다. 이 전지구적인 지평

---

83) 여덟가지 이유는 다음과 같다. 1) 국제교역의 비율증가와 지리적 확장, 금융시장의 전지구적인 네트워크화, 초국민적인 콘체른의 권력확대, 2) 정보 · 커뮤니케이션 기술의 지속적인 혁명, 3) 인권에 대한 요구의 보편적인 관철, 이에 따른 (명목상으로나마 관철되는) 민주주의 원리, 4) 전지구적인 문화산업의 이미지 흐름, 5) 탈국제적 · 다중심적인 세계정치-정부 외에 권력을 증대시키는 초국민적 행위자들(콘체른, 비정부단체, 유엔)의 증가, 6) 전지구적인 빈곤문제, 7) 전지구적인 환경파괴, 8) 여러 지역에서 벌어지는 초문화권적 갈등. 벡(2000), 앞책, 31쪽 참조.

은 일단 커뮤니케이션과 행위 속에서 설정되어 유지되는 순간 열리게 마련이다".[84] 실제로 70년대 생산중심의 사회로부터 80년대 후반의 소비대중화시대로 접어들면서 문화에 대한 소구력은 급격히 늘었다. 특히 90년대로 들어서면서 정보화 사회로의 진입과 국민소득의 급격한 상승이 이루어지면서 여성에게 있어서 문화는 더 이상 상류사회의 전유물이 아니고 의식 속에서나 실제 생활 속에서 '향유할 수 있고', 나아가 '향유할 수 있는 대상'으로 구체화되었다. 더욱이 21세기를 전망하는 현란한 수식어들 가운데 여성과 문화는 계속해서 동반하는 개념으로, 때로는 마치 서로 떨어질 수 없는 관계에 놓인 것처럼 묘사되곤 했다. 이러한 전망이 유효할 것인가 하는 문제는 둘째로 놓고 정보화 사회로 치달아 가면서 문화산업은 다양한 여성 주체의 출현을 촉발시킨 점은 분명히 인정될 만 하다.

예를 들어 인터넷 등으로 정보가 공유되면서 의견교환 등 여러 방식을 통해 관념이나 이미지 등이 온라인 상에서 급속하게 이루어진다. 이러한 현상은 지구화과정에서 제1근대의 핵심적인 가설, 즉 국민국가와 이에 상응하는 국민사회라는, 서로 구획되어 있는 폐쇄적인 공간에서 살아가고 행동한다는 관념은 일반적으로 부정된다고 본 벡의 진단을 공감케 하기에 충분하다. 이렇게 볼 때 지구화는 거리의 소멸, 말하자면 파악되지도 의도하지도 않은 초국민적인 생활형식에 휩쓸리는 것을 의미한다. 혹은 기든스의 정의에 따르면 지구화는 거리(외견상으로는 분리된 듯 보이는 국민국가, 종교, 지역, 대륙 등)를 뛰어넘는 행위와 공동생활이다. 지구화가 진행되면서 수많은 지역에 존재하는 수많은 시간들은 단 하나의 규범화된,

---

84) Beck (1997), 앞책, 34쪽.

또는 규범화하고 있는 세계시간으로 통합된다. 현대적인 매체들에 의해 비동시적인 사건들의 동시성이 '가상적'으로 만들어질 수 있고, 그래서 모든 비동시적인 지역적 · 지방적 사건들이 세계사의 일부가 된다. 얼마 전에 있었던 남북 정상회담이나 남북 이산가족 상봉에 관한 뉴스의 전파력을 떠올리면 쉽게 이해될 수 있다. 또한 '세계는 지금' 등의 뉴스프로그램을 통해서 지구 어느 한 구석에서 벌어진 사건이 즉각적으로 사건에 대한 정보를 전세계적으로 제공하고 지리적으로는 전혀 가까이 있지 않은 사람들이 이를 공유하고 그 결과 감정을 공유하게 된다.

그뿐 아니라 공시적인 동시성이 통시적인 비동시성으로 전환되고 이로 인해 인위적인 인과 연쇄들이 창조될 수도 있다. '시간이 압축된 지구'가 등장하는 셈이다. 지구상의 다양한 지역에서 다양한 의미를 지닌 사건들이 무수히 많은 시간 축 위에 놓이는 것이 아니라 이제는 단 하나의 시간축 위에 놓이는 것이다. 이는 인터넷 접속이나 위성을 통한 실시간 중계등을 통해서 증명되고 있다. 다시 말하자면 지구는 이제 텔레커뮤니케이션으로 잘 짜인 시장들이 밀집해 있는 작고 좁은 지구일 뿐이다.[85]

이렇게 시간이 압축된 '좁은 지구'라고 해서 문화적 지구화가 전일적으로 이루어진다고 볼 수는 없다. 케빈 로빈스의 주장에 따르면 세계시장이 전개됨에 따라 문화, 정체성, 생활양식 상에서 근본적인 변화가 일어난다. 경제행위의 지구화는 그가 '문화적 지구화'라고 부르는 문화적 변형의 물결을 동반한다. 오랫동안 관찰해 온 과정이 입증하듯이, 그는 분명하고도 핵심적으로 문화적 상징들의 조작이 이루어진다고 보는 것이다. 사회과학

---

85) Beck (1997), 앞책, 51쪽.

과 여론의 일각에서도 지구문화의 수렴이라는 테제로 첨예화될 수 있는 관점이 자리를 잡아가고 있다. 이 관점은 이른바 맥도널드화라는 이름으로 불리기도 한다. 이에 따르면 생활양식, 문화적 상징 초국민적인 행동방식 등이 획일화되는 일반화과정이 갈수록 심화된다는 것이다. 요컨대 전지구적인 문화산업이란 문화적 상징과 생활형식들이 점차 서로 수렴된다는 것을 의미한다.

이와 같은 시각에서 볼 때 세계시장의 담론에서는 일종의 부정적인 전망이 짙게 깔려있는 셈이다. 세계시장에서 최후의 틈새시장들마저 통합되면서 이에 비례해서 점차 하나의 세계가 대두하겠지만, 그것은 다양성과 상호개방성, 즉 다원주의적·세계시민적 자아상과 타자상을 인정하는 형태가 아니라 이와는 정반대로 단 하나의 상품세계로서 대두하게 되리라는 것이다. 이 세계에서는 지역문화와 지역정체성은 뿌리째 뽑히고 그 대신에 다국적 거대 기업의 광고 디자인과 이미지 디자인에서 유래하는 상품세계의 상징들이 들어서게 된다. 이러한 세계에서 진정한 의미의 문화적 지구화는 긍정적인 세계관의 확대로 보기보다는 오히려 부정적인 소비문화의 급속한 확산으로 이해되기 쉽다. 따라서 지구화와 여성을 연결시킬 때 여성이 소비하는 주체로서 피동적인 위치에 서느냐, 또는 급속히 파급되는 문화의 긍정적 창조자로 존재할 것인가 하는 문제는 '문화적 지구화'의 긍정적인 효과를 이끌어내려는 노력에 달려있다.

2. 지구화 시대의 여성 욕망과 자아정체성

현대사회에서 사회변동의 속도는 이전의 사회체계에서보다 훨씬 더 빠를 뿐만 아니라 그 범위도 더욱 거대하며, 기존의 사회적 실천과 행동양식에 영향을 미치는 심도도 그만큼 깊다. 20세기 후반에 이르러서는 컴퓨터와 통신체계의 발달로 인하여 사회변화는 그 이전과 비교하자면 그야말로 질주하는 변화양상을 보여준다. 들뢰즈와 가타리에 의해서 '욕망하는 기계'로 명명된 자본주의도 이렇게 후기로 넘어오면서 그 이름에 걸맞게 갖가지 욕망이 교차하고 질주하면서 명실상부한 위치를 확보해 가고 있다. 더욱이 정보화사회에서는 그야말로 자본주의의 집중포화를 받으면서 개개인이 욕망하는 기계로 빠른 속도로 변환되고 있다.

그렇다면 이러한 후기 근대의 질주하는 세계 속에서 여성의 정체성은 어떻게 형성되고 또한 다양화되는가? 이를 여성 주체라는 용어로 설명하자면 다양한 정체성을 가진 성적 주체라고 풀이할 수 있는데 다양한 정체성을 형성하는데 그 중심에 있는 개념들은 무엇이 될 것인가? 여성주의 문화정치학의 관점에서 볼 때 산업 사회적 맥락에서는 노동과 성역할이 그 중심에 있었고, 후기산업 사회 내지 정보화사회에서는 몸과 섹슈얼리티 그리고 욕망이 여성 주체를 형성하는데 있어서 중심 개념이 된다.

이렇게 시대 변화에 따라 여성 주체 형성의 중심개념의 비중이 조금씩 달라지고 있기는 하나 여성주의 문화정치학의 맥락에서 볼 때 근대와 탈근대의 경계에 걸쳐서 담론의 중심에는 여전히 몸이 화두가 되어 있음을 알 수 있다. 산업 사회에서 몸이 주목받는 이유는 비록 농경사회에서보다는 근육을 직접 이용하는 노동은 줄었을지언정 여전히 가시적이고 직접적인 노동을 수행하는 근본이 되기 때문이라는 데에 있다. 그런데 정보화사회에 들어서면서 가상현실 속에서 점차 노동이 사라지고 산업 사회 이후 결합되어 있던 노동과 몸의 관계와 그 개념들이 빠르게 변화하고 있다. 근대 이후 굳건히 자리잡아온 노동하는 주체로서의 인간은 이제 노동과 몸의 분리 현상을 경험하면서 몸을 통한 자아형성의 새로운 차원을 맞이하고 있는 것이다. 탈근대의 여성 주체는 생산노동과 출산 등 몸이 수행해온 '기능'보다는 몸의 문화적 '지향', 다시 말해 욕망의 실현 등에 의해 형성될 가능성이 커지고 있기 때문이다. 과연 노동과 이를 수행하는 몸의 개념이 근본적으로 바뀌게 될 것인가. 만약 그렇다고 한다면 몸이 담고 있는 정체성도 당연히 시대정신에 따라서 다르게 형성될 것이다. 왜냐하면 정보화 시대의 의식 변화는 단순히 아날로그적 산업 사회를 디지털 식으로 대체하는 것이 아니라 근본적인 전환을 의미하기 때문이다. 다시 말하자면 멀티미디어 시대에 가상현실을 통해 접근가능한 의식이나 지식은, 육체를 부정하고 정신만을 극대화하던 관념철학의 초월주의적 방식으로 책을 읽고 명상을 함으로써 획득되던 의식이나 지식과는 근본적으로 다르다.

여기서 한국 사회를 근대와 탈근대의 경계에 서있다고 가정할 때 노동과 몸, 그리고 욕망의 개념을 가지고 여성의 자아정체성이 어떻게 변화하는가를 살펴보고 가상현실과 실제현실의 경계가 여성의 자아정체성 변화에 어떠한 영향을 미치는가 살펴볼 필요가 있다. 이러한 작업은 새로운 세기로 접어들면서 패러다임의 전환이 이루어져야한다는 당위성과, 또한 이루어질 수 밖에 없는 변화의 필연성을 통감하면서 과연 사이버페미니즘의 패러다임은 무엇이 될 수 있는가를 가늠해보기 위해 필요하다. 또한 특히 산업화의 지난한 과정을 목도하지 않은 채 바로 멀티미디어 시대로 접어든 젊은 세대 여성들에 있어서는 여성으로서의 정체성은 바로 그들이 경험하는 '지금, 여기'의 사회적 과정에서 형성될 수 밖에 없다. 이러한 현실적 조건 아래에서 들뢰즈와 가타리가 말하는 'n개의 성(性)'[86]의 자아정체성이 '노동없는 육체,'[87] 더 나아가 '육체없는 섹슈얼리티'[88]를 통하여 형성될 가능성은 점점 커지고 있다. 뿐만 아니라 이러한 현상은 이미 가상현실에 국한되지 않고 오프라인의 사회현상으로 드러나고 있다. 직종의 다변화, 연예오락의 대중화 또는 일상화, 그리고 이를 정상으로 간주하는 풍토, 서비스산업의 극단적인 변종, 원조교제, 인공출산 등이 그 예다.

1) 노동과 성역할로 정체화되는 산업화 과정의 여성

한국 사회의 산업화 과정에서 여성의 정체성을 형성하는데 가장 기본적인 틀을 노동과 성역할로 꼽는 데에 별다른 이의가 없을 것이다. 산업근대화의 역군으로서, 그리고 가족의 생계와 남자형제의 학비를 벌기 위한 대

---

86) 들뢰즈 & 가타리 (1994) 저, 최병관 옮김,『앙띠 오이디푸스』, 민음사. 들뢰즈와 가타리는 이글에서 현미경적인 횡단-성욕을 설명하면서 이와 연관하여 n개의 성에 관해 다음과 같이 언급한다. "여자 속에 남자만큼 남자들이 들어있게 하고 또 남자 속에 여자만큼 여자들이 들어 있게 하되, 남자들이 다른 사람들과, 또 여자들이 다른 사람들과 욕망 생산의 관계들 속에 들어가게 해야한다. 이 욕망 생산의 관계들은 남녀 두 성의 통계학적 질서를 뒤집는 것이다. 사랑한다는 것은 하나만을 이룬다는 것도 아니요, 둘을 이룬다는 것도 아니라 수천 수만을 이룬다는 것이다 이것이 바로 욕망하는 기계들 혹은 인간적이지 않은 성이다: 하나의 성이 아니요, 두 성도 아니라, n⋯⋯개의 성의 분석이다. 사회는 주체에 대하여 성욕을 인간의 형태로 표상할 것을 강요하고, 또 주체 자신도 자기 자신의 성욕에 대해서 이러한 표상을 자기에게 주지만, 정신분열자-분석은 무엇보다도 먼저 다음과 같은 것이 될 것이다: 각자에게 그의 여러 성을."
87) '노동의 종말'로 예측하는 미래사회의 패러다임은 '노동없는 육체' 또한 포함한다.
88) 육체없는 섹슈얼리티는 앤소니 기든스가 말하는 '조형적 섹슈얼리티(plastic sexuality)' 중에서 특히 가상현실에서의 섹슈얼리티나 인공수정을 통한 재생산을 달성하는 섹슈얼리티를 포괄할 수 있다. 조형적 섹슈얼리티에 대한 설명은 기든스, 앤소니 (1995), 앞책, 28-29쪽 참조.

도시의 공장노동 종사자로서, 또는 기타 제조업의 종사자로서, 때로는 서비스업의 종사자로서, 그리고 농촌의 기혼 여성들의 경우에는 도시로 떠난 남성들 대신 농업노동에 종사하면서, 몸은 노동과 성역할 간의 긴밀한 연결고리가 되었다. 60년대와 70년대의 한국여성의 정체성은 자본주의적 생산의 주역으로서 노동을 통하여 형성되었다고 해도 모자라지 않을 것이다. 그러나 남성들의 경우처럼 주체적 생산담당자로서가 아니라 보조적이고 주변적인 생산활동 담당자였기 때문에 근대성이 완성되면서 형성되는 근대 주체의 요건을 본격적으로 갖출 수 없었다. 그나마 60년대 이후의 본격적인 근대화 과정을 거치면서 여성의 주체적 역량이 발휘되었다고 해도 여성의 정체성이 가족귀속적인 성역할 수행을 위한 범주 내에서 형성된다고 한다면 이는 본질적 의미의 주체가 갖는 정체성이라고 할 수 없다. 왜냐하면 여성의 정체성 형성에 있어서 주요 요건인 주체적 욕망이 결여되어 있기 때문이다. 문화적 정체성이 형성되려면 이의 전제조건으로서 자신이 원하는 바가 무엇인가를 정확히 알아야한다. 즉 필요나 요구(need)를 행위의 동력으로 삼는 것이 아니라 내면으로부터 솟아나는 욕망(desire)에 의해 세계와 관련을 맺는 행위가 따를 때 진정한 주체적 자아가 성립될 수 있다.

이러한 논리에 따르자면 근대화가 한창 진행중이었던 60년대-70년대에 생산적 산업주의가 극대화되고 아직 소비는 강조되지 않고 있었던 한국의 사회적 배경에서 여성의 욕망은 가족귀속적인 상태에서 성역할 수행을 위해 명명되었고 또한 그 방식으로 충족되었다. 이는 엄격히 말하자면 대리욕망이고 바로 이러한 대리욕망의 진실이 가려진 채 이것이 진정한 여성의 욕망인 것으로 간주되었다. 남성가족구성원의 '성공'을 위한 누나, 누이동생, 아내, 어머니로 대별되는 성역할을 충실히 수행함으로써 충족될 수 있는, '가족의 성공'을 위한 욕망이 한국적 문화 안에서 권장되던 대리욕망의 대표적인 예다. 이에 비하면 자본주의적 산업 사회가 정착되면서 소비사회로의 전환이 이루어지던 80년대 후반부터는 여성의 욕망이 점차 가시화하기 시작하였다. 중요한 소비주체로서 여성의 성역할도 세분화되고 이로 인해 여성의 주체적 욕망의 가능성도 가늠해볼 수 있게 되었다. 주부의 경우에도 미시족과 전형적인 전업주부로 나뉘어지고 미혼의 경우에도 더 이상 단일한 범주에 들어가기를 거부하는 여러 유형의 여성들이 다원화된 정체성을 갖고 있다. 이들을 세분화해보면 아직 결혼하지는 않았지만 언젠가는 결혼할 생각을 갖고 있는 미혼여성과 본인의 의지에 따라 결혼하지 않는 비혼여성, 그리고 이러한 정치적 결단을 유보한 채 혼자 사는 독신여성 등으로 나뉜다. 기혼여성과는 또 다른 맥락에서 이들에게 있어서 욕망의 구체적인 항목으로 섹슈얼리티가 더 이상 금기사항이 아니며 오히려 경우에 따라서는 중요한 항목으로 자리잡고 있다.[89]

그런데 기혼여성의 경우에는 역설적이게도 산업근대화과정에서 보다도 80년대 후반이후 소비중심사회에서 성역할을 더욱 충실하게 수행하려는 경향을 보인다. 예를 들어 '똑똑한 아이키우기', '남편성공시키기' 등의 전통적인 여성의 성역할에서 파생된 대리욕망과 더불어 집안꾸미기, 세련된 미시족으로 자기가꾸기 등은 내용적으로는 기존의 성역할 수행적 행위임에도 불구하고 소비에 관한 욕망과 더불어 주체적 욕망으로 치환되어 인식되는 경향이 있다. 이처럼 대리욕망과 주체적 욕망의 혼재 또는 혼돈을 거쳐 21세기의 본격적인 정보화시대로 접어들면서 여성들의 욕망은 점차 자신을 중심으로 구축되기 시작하고 있다.

---

89) 이는 영화나 소설 등을 통해 빈번하게 재현되고 있다. 미혼여성의 섹슈얼리티에 대한 능동적 태도를 가감없이 표현한 영화로 〈처녀들의 저녁식사〉를 들 수 있다.

2) 욕망과 주체

지구화과정에서 여성의 다양한 자아정체성이 형성되고 이를 바탕으로 다양한 주체의 형성이 가능하다고 할 때 우선 기존의 욕망이론에서 논의되는 욕망과 주체를 개념정리하고 이 개념들이 여성주의적 관점에서 사용될 때 어떻게 변화되어 적용될 수 있는지 살펴보는 과정이 필요하다. 이 글에서는 욕망을 주체형성의 원초적인 근거로 보고 욕망이 사회적 생산과 만나면서 맺는 관계가 여성 주체형성의 조건으로 기능하게 되는 관계망을 특히 들뢰즈와 가타리의 논의에 기대어 살펴본다. 이들의 논의가 유용한 이유는 지구화라는 자본주의심화과정 속에서 여성 주체가 다양하게 형성된다고 하는 명제가 성립될 근거를 이들의 욕망이론에서 찾을 수 있을 것으로 기대되기 때문이다.

들뢰즈와 가타리에게 있어서 욕망이란 무언가를 하고자하는 본능으로서, 대상을 점유하여 자기 것으로 만들려고 하는 본능적인 에너지이다. 이들의 설명에 의하면 사회란 그런 복수적인 욕망으로 충만해 있으며, 그러한 흐름이 사회를 움직이는 동력이자 근원이다. 이러한 맥락에서 정의한 욕망 개념은 다음과 같은 이유에서 유용하다. 사회발전의 단계별로, 그리고 지구화의 단계 별로 다양한 여성 주체가 욕망이라는 축을 따라서 형성된다고 전제했을 때 여성이 갖는 욕망은 또한 각 단계에 따라 사회적 배경과 밀접하게 연관되어 나타난다. 예를 들면 70년대의 지구화과정에서는 주변부 국가에서 생산의 고리에 가장 끝에 위치한 존재로 참여하면서 여성들은 자기자신의 욕구를 충족시키기 위한 욕망을 가졌다기 보다는 가족이라는 단위가 사회적으로 달성하고자 하는 단계에 도달하기 위한 욕망을 가졌다. 들뢰즈와 가타리의 어법에 따르자면 당시의 한국 사회는 이러한 개인적, 가족적 욕망이 한국 사회라는 집단과 연합해서 중첩적으로 형성된 욕망으로 충만해 있었던 것이다.

들뢰즈와 가타리는 무의식과 욕망이라는 라깡주의 정신분석학의 핵심개념의 기본전제들을 전복시키는 것에서 욕망이론의 출발점을 잡는다. 그들에 따르면 우선 무의식은 표상으로 환원되지 않으며, 라깡이 무의식에 끌어들이기를 거부한 실재계(the real)의 모든 요소들을 끌어안고 있다. 또한 욕망은 궁극적 결여로 정의되는 것이 아니라 반대로 무의식 내에서의 현실적 생산으로 정의된다. 따라서 욕망은 주체의 욕망도, 타자의 욕망도 아니고 그 자체가 '주체' 이며, 직접적으로 사회에 투여됨으로써 사회적 질서와 그로부터의 탈주를 동시에 만들어 낸다. 들뢰즈와 가타리의 전복은 이처럼 '언어화되어 있는 욕망을, 구조화되어 있는 개인을', '언어이전의 욕망으로, 구조이전의 개인' 으로 돌려놓는 데서부터 출발한다. 곧 이들은 욕망을 '생산적이고 본능적인 것' 으로서 언어이전의 것으로 돌려놓는다. 이러한 논의에 따르면 욕망이란 본능적인 리비도의 흐름으로, 끊임없이 새로운 관련과 자신의 구체화를 추구하도록 강제하는 에너지라는 것이다. 따라서 그것은 무의식에 의해 피조되는 것이 아니라, 역으로 무의식의 흐름을 사회적 영역에서 생산되도록 하는, 의미작용 이전의 기호들의 체계라는 것이다.

들뢰즈와 가타리는 욕망하는 생산과 사회적 생산은 본성상 하나의 동일한 생산임을 강력하게 주장한다.[90] 즉 '사회적 생산은 무엇보다도 일정한 조건들 아래에서의 욕망하는 생산' 이며 따라서 욕망하는 생산은 개인적인 차원에서 이루어지는 것이 아니라 기본적으로 사회적이라는 것이다.

---

90) 들뢰즈와 가타리 (1994), 최명관 (역), 『앙띠 오이디푸스』, 서울: 민음사, 52쪽.

이들의 욕망이론은 『앙띠 오이디푸스』의 부제인 '자본주의와 정신분열증'에서도 나타나듯이 자본주의적 생산과 재생산의 맥락에서 전개된다.

이들의 욕망개념은 프로이트-라깡주의 정신분석의 욕망 개념과 적어도 두 가지 면에서 결정적으로 대립하고 있다. 첫 번째는 욕망에 특정한 주체, 욕망하는 인격적 주체를 설정하지 않으며, 욕망의 대상 역시 아버지나 어머니 같은 전체로서의 개인 인물의 형상이 아니라는 것이다. 욕망하는 생산은 자아에 선행하며, 다수의 기계들로서 존재한다. 욕망의 대상 또한 인격적인 것이 아니다.

정신분석의 욕망이론과 대립되는 두 번째 면은 욕망의 본성에 관한 것이다. 정신분석, 특히 라깡의 정신분석 이론은 욕망을 절대적 결여로부터 설명하고 있다. 이들은 라깡의 절대적 결여라는 관념이 준거하고 있는 플라톤적 욕망논리에 대한 비판으로부터 시작한다. 플라톤은 욕망의 성격에 있어 생산인가 획득인가라는 선택을 강요한다. 욕망을 획득이라고 간주하는 순간 결여가 등장하고 생산은 무시된다. 즉 자기에게 없는 것이므로 얻어야 한다는 것이다. 이때 생산은 무시되는데, 욕망이 현실 대상의 결여이고 따라서 획득을 욕망하는 것이라면 욕망이 생산하는 것은 환상에 불과하게 된다. 게다가 결여는 단순한 현실대상의 결여, 즉 상대적 결여가 아니라 결코 채워지지 않는 절대적 결여이다. 이는 현실세계를 넘어선 다른 세계, 일종의 초월적 피안을 구성하는 형이상학으로 귀결된다. 욕망이 절대적 결여를 느끼는 그 하나가 현실에는 결여되어 있으며, 이것이 욕망의 끊임없는 운동을 규정하는 열쇠가 된다. 그들에 의하면 욕망과 생산, 그리고 주체와의 관계는 다음과 같이 연관된다. "욕망이 생산한다고 하면, 그것은 현실적인 것을 생산한다. 욕망은 현실에서만 그리고 현실을 가지고서만 생산한다. 욕망은 부분적 대상들, 흐름들과 신체들을 움직이게 하고 생산의 단위들로서 작동하는 수동적 종합들의 전체이다. 현실적인 것은 욕망에서 생긴다. 그것은 무의식의 자동적 생산인 욕망의 수동적 종합들의 결과이다. 욕망은 아무 것도 결여하고 있지 않다. 욕망에 결여되고 있는 것은 오히려 주체이다. 혹은 욕망은 고정된 주체를 결여하고 있다: 고정된 주체는 억압을 통해서만 있다. … 따라서 생산물은 생산하는 활동에서 떼내어지고, 생산하는 활동에서 생산물로 옮아가는 도중에 어떤 것이 이탈하는데, 이것이 유목하며 방랑하는 주체에다가 잔여물을 준다. 욕망의 객관적 존재는 그 자체 존재하는 현실적인 것이다."[91]

이 기술에서 들뢰즈와 가타리가 추적하는 욕망의 흐름이 다다르는 지점, 그리고 욕망의 미시정치학이 제시하는 주체에 대한 실마리를 찾을 수 있다. 유목하며 방랑하는 주체의 형성이 근거하고 있는 리좀(rhizome)[92]적 사고가 보이고 있기 때문이다. 리좀적 사고를 가능하게 하는 요소로는 횡단성(transversality), 즉 '이미 구획되어 있는 틀을 뛰어 넘는' 모든 것을 지칭하는 개념이 사용된다. 벽을 뛰어넘고, 단수가 아닌 복수로 만들고 또한 위계를 뛰어 넘는다. 횡단성의 특징을 이렇게 정리할 경우 이들의 주체에 대한 정의를 이해할 수 있다. 먼저 횡단성 개념은 기존의 주체 개념을 전복시킨다. 기존의 주체관에 따르면 주체는 하나의 소우주, 외부와 폐쇄된 자아이다. 또한 그 안에 모든 것을 담고 있고 모든 요소가 중심에 의해서 자리매김되는 공간이다. 가타리는 이러한 자아가 권력이 요구하는 자

---

91) 들뢰즈와 가타리 (1994), 앞책, 49쪽.
92) 리좀이란 '근경(根莖)', 즉 줄기가 마치 뿌리처럼 땅속으로 파고들어 난맥을 이룬 것으로, 뿌리와 줄기의 구별이 사실상 모호해진 상태를 의미한다. 욕망과 관련해서 리좀 유형의 조직화는 무한히 증식하고 뻗어나가는 탈코드화·탈영토화된 욕망의 흐름들의 배치를 가리키며, 이는 단일한 중심이 없는 다중심적 네트워크를 구성한다.

아의 모습, 정신분석이 요구하는 통일된 자아의 모습에 불과하다고 비판한다. 횡단성의 정치는 그러한 자아를 요구하지 않는다. 오히려 그 반대의 모습을 그린다. 횡단성의 정치는 '이미' 존재하고 있는 복수성 각각의 고유함을 빼앗아 통일시키려 하는 권력에 맞서서, 살아 움직이는 주체(자아), 무엇인가를 생성하는 주체를 꿈꾼다.[93] 횡단성의 정치가 꿈꾸는 주체는 다양한 방향으로 열려 있기 때문에 다양하게 접속될 수 있는 주체, 다시 말해서 자신의 내부에 존재하는 다양한 요소들을 하나로 통일시키지 않고 외부의 요소와 접속할 가능성을 열어놓는 주체이다. 또한 하나의 집단에 속해 있으면서도 그 집단의 속성에 자신을 가두지 않는 주체이다. 횡단성의 정치는 자아를 '하나의 전체성 속에 가두어' 두려고 하지 않는다. 오히려 '분할도 증식도 가능하며, 상통하고, 또 항상 취소도 가능한 몇 개의 집단에 널리 퍼져' 있는 새로운 주체를 추구한다. 결국 새로운 주체는 '횡단적으로 의사소통이 가능한 특이성을 갖춘 주체' 이다. 이러한 주체의 복수성은 N개의 성을 가진 주체를 거론함으로써 프랑스 페미니즘에서 제시하는 다양한 주체성과 일맥상통한다.

들뢰즈와 가타리는 욕망을, 권력과 권력의 외부를 동시에 구성하는 것, 통제, 체계화, 표준화, 총체화의 이면에 항상 탈주, 빈틈과 누출, 새로운 혁명적 생성이 존재하는 것으로 설정한다. 이러한 맥락에서 이들이 구별하는 두 가지 주체성이 있는데 그것은 유목적(nomadic) 주체와 정착적 주체다. 정착적 주체란 권력에 포획됨으로써 사회의 지배적 질서를 내면화하는 주체가 되는 것을 의미한다. 반면 유목적 주체성이란 욕망의 탈주선

---

93) 허재영 (1997), "정신분석과 정치는 어떻게 만나는가?", 『탈주의 공간을 위하여』, 민음사, 149

을 따르는 것으로서, 어떤 주어진 상태나 질서에 고정되고 고착되는 것이 아니라 끊임없이 변화하고 분열하며 새로운 대상과 가치를 창출하는 능동적인 주체성이다.

유목적인 그리고 복수성의 주체를 여성 주체 설명에 이용한 학자들로는 이리가라이, 드 로레티스, 그리고 이들을 응용하는 브라이도티가 있다. 브라이도티 식의 독해에 의하면 여성 주체성의 대안적 정의를 정교화하는 페미니즘의 기획에서 욕망이 긴급한 문제라고 강조한다. 이때의 욕망은 단지 리비도적 욕망이 아니라 존재론적 욕망, 또는 존재하려는 욕망이다. 이러한 존재론적 욕망은 근대와 탈근대에 있어서 차별적으로 형상화한다. 즉 근대에 있어서 존재론적 욕망은 예를 들면 노동에 있어서의 주체성으로 나타나거나 사회체계에의 적극적인 편입으로 나타날 수 있는 반면 탈근대에 있어서는 다양한 방식으로 재현체계를 통해 드러날 수 있다. 이러한 다양한 형상화는 연역적으로 여성 주체가 단번에 정의되는 단일한 본질이 아니라 중첩되는 변수들에 의해 정의되는, 다중적이고 복합적이며 잠재적으로 모순적인 경험집합들의 영역이라는 점을 암시한다.

그런데 주체 형성에 있어서 여성의 경험이 근본적인 토대라고 할 때 실제로 경험의 다양한 사회적, 역사적 조건들이 철저하게 고려되어야한다. 즉 여성의 경험 자체가 명확히 분석되어야 함은 물론이고 지역성, 인종, 역사, 생산양식 등의 차이 또한 경험을 내용지우는 중요한 변수들이다. 이러한 논리에 따르면 한국의 현재 여성들의 경험을 바탕으로 한 여성 주체는 다른 지역에서와 마찬가지로 보편성과 함께 동아시아의 문화적 특성, 식민화의 경험, 후발 산업화의 과정에 있음으로 해서 오는 여러가지 사회적 특성들 등 역사적인 조건에서만 보더라도 중첩적인 특수성을 모두 떠안고 있는 그야말로 다중적 주체가 될 것이다.

3) 이미지와 자아정체성에 개입되는 욕망

이미지는 그 대상을 규정하고 특정 지점에 위치지우는 사회구조와 밀접하게 연관되어 있다. 또한 이미지는 전형성을 갖는다. 즉 이미지는 일반화된 전형으로서 제시된다. 그리고 이미지는 사회적인 인준을 받을 수 있고 따라서 현실세계의 중심부로의 편입을 보장해 주는 방향으로 분류된다. 이러한 이미지의 특성 때문에 이미지에는 자아정체성과 그 자아가 지향하는 욕망이 투여되기 마련이다. 이미지가 주목받는 가장 큰 이유는 그것들이 사회구성원인 개인이 자아를 구성하는 과정, 즉 정체성 형성과정에 깊숙이 관여하기 때문이다. 예를 들어 10대 여성들의 경우 여성으로서의 정체성이 형성되는 과정에서 기존의 여성 이미지와 여성 정체성을 혼동하여 수용하는 경우가 많다. 구체적인 항목을 나열하자면 외모가꾸기, 다이어트 등이 그것이다. 한 사회의 집합적 의식과 무의식은 본래적인 것이 아니라 그 사회의 '구조화된 질서'에 의해 구성된 것이고 여성정체성의 경우에 있어서 이 구조화된 질서의 핵심은 가부장적 문화이다.

이미지와 정체성은 유사한 것처럼 보이지만 특정 대상을 규정하는 시각의 출발점에 따라서 근본적인 차이를 보인다. 즉 이미지에서의 대상화와 정체성에서의 주체적 자아성찰이라는 근본적인 차이를 보인다. 특정 사회의 특정대상에 대한 이미지는 이 특정대상을 객체화하여 사회구성원이 공유하는 집합적 표상이다. 집합적 표상이라는 점에서 이미 개인의 다양한 특성은 묻혀버리고 그 대상이 처해있는 사회의 집단적 의식이 집합적으로 또는 선별적으로 집결된 지각과 사회적 기대가 합쳐져서 이미지를 구축한다. 이때의 이미지를 구성하는 표상은 대상을 가시적이고 인식 가능한 형태로 객체화(objectification)한 것이며 이 객체화는 한 사회의 집합적 지향점이 외화(externalization)된 것이다. 한 사회의 가치, 규범, 그리고 집단적 무의식이 투사되는 외화의 과정을 거쳐 이루어진 대상에 대한 객체화, 즉 집합적 표상들은 그러므로 그 사회의 대상에 대한 집합적으로 이루어진 선별적 지각이며 잠재적 기대와 욕망을 근저에 깔고 있다.

자아는 이미지처럼 외적 영향력에 의해 결정되는 수동적 실체가 아니다. 앞에서 잠시 언급한 바대로 정체성은 내부로부터의 성찰을 근거로 하여 형성된다. 물론 내부로부터의 성찰 또한 외부와의 끊임없는 연관 속에서 이루어지는 것이지만 그 과정의 끝에서 자아를 규정하는 것은 자기 자신이기 때문에 이미지의 대상화된 상과는 뚜렷이 구분된다. 정체성은 개인이 자신에 대해 지닌 생각 · 판단 · 평가 · 태도의 집합으로서 단순한 생물학적 존재였던 인간을 사회적 인간으로 변형시키는 관념이다. 따라서 정체성은 조직화된 사회적 관계의 맥락과 분리되어 파악될 수 없다. 기든스에 의하면 성찰적으로 조직되는 생활설계는 자아정체성의 구축에서 중심적인 특징이 된다. 추상적 체계의 영향력과 함께 자아의 성찰성은 정신적 과정 뿐만 아니라 신체에도 광범위하게 영향을 미친다. 신체는 더 이상 현대의 내부준거적 체계 밖에서 기능하는, 외적으로 '주어진 것'이 아니라 그 자체가 성찰적으로 조직되게 된다.

자아의 '정체성'은 한 일반적 현상으로서의 자아와는 반대로 성찰적 인식을 전제한다. 그것은 개인이 '자기의식'이라는 것 속에서 의식하고 있는 '그' 무엇이다. 바꾸어 말해 자아정체성은 단순히 개인의 행위체계의 연속성의 결과로 주어지는 어떤 것이 아니라, 개인의 성찰적 활동 속에서 관행적으로 창조되고 지속되어야 할 어떤 것이다.[94] 그렇기 때문에 자아정체성은 개인이 소유하고 있는 어떤 독특한 특성이 아니며 나아가 특성들의 집합도 아니다. 그것은 사람에 의해 그녀 또는 그의 전기의 견지에서 성찰적으로 이해되는 것으로서의 자아이다. 여기에서 정체성은 여전히 시간과 공간을 가로지르는 연속성을 전제하고 있다. 그러나 자아정체성은 행위자에 의해 성찰적으로 해석되는 그러한 연속성이다. 이것은 사람됨의 인지적 구성요소를 포함하고 있다. '사람'이 된다는 것은 단지 성찰적 행위자가 된다는 것일 뿐 아니라 자아와 타인 모두에 대해 적용되는 사람에 관한 개념을 가진다는 것이기도 한 것이다. '사람'이 무엇으로 이해되는가는 문화에 따라 다르다. 자아정체성의 실존적 문제는 개인이 그녀 자신에게 '공급하는' 전기의 연약함과 관련되어 있다. 한사람의 정체성은 행동 속에서 찾을 수 있는 것이 아니라, 그리고 타인의 반응 속에서—이것이 중요하기는 하지만—찾을 수 있는 것도 아니라, 어떤 특정한 서사를 계속 진행시킬 수 있는 능력 속에서 찾을 수 있다.

이렇게 자아정체성의 형성과정을 비판이론적 관점에서 본다면 우선 자신이 속한 사회의 역사적 상황과 깊이 연관되어 있다. 예를 들어 같은 문화적 전통과 역사를 가진 한반도의 여성에 있어서도 반세기의 분단에 따른 이데올로기의 역사에 따라 여성들의 자아정체성은 확연히 다르게 구성된다. 북한여성의 경우 지속적으로 경제활동의 주체가 되도록 고무되었고 실제로 남성들과 거의 똑같이 노동에 참여해왔다. 그런데 남한의 여성들은 선택적으로, 물론 기층 여성의 경우는 선택의 여지없이 노동을 해왔지만 그래도 노동의 상황은 확연히 다른 것이다. 이를 주체의 문제와 연결시킨다면 여성 주체형성의 삼각구도, 즉 노동—몸(욕망)—섹슈얼리티의 관

---

94) 기든스 (1995), 앞책, 109쪽.

계에서 북한여성의 경우 몸의 존재방식은 노동을 통해서 규정되어 왔다. 즉 노동의 조건은 북한여성에게 있어서 아렌트가 지적했듯이 삶의 조건 (vita activa)이 되어 왔다고 할 수 있다.

3. 지구화와 다양한 여성 주체

질주하는 세계 속의 특정 공간에 살고 있는 여성이라는 성별을 가진 집단이 갖고 있는 정체성은 이 모든 공간적, 물질적, 사회적 조건에 의해서 영향을 받는 자의식으로 형성된다. 더욱이 질주하는 세계를 표상하는 대표적인 두 가지 경향인 지구화와 정보화로 요약할 수 있는 당대의 후기 근대적 사회상황 속에서 한국의 여성들은 어떠한 자아정체성, 또는 주체성을 가지고 있는가, 또는 이들의 주체성은 역사, 그리고 사회와 어떠한 연관성을 가지고 형성되고 있는가, 또한 '한국의 당대'라는 지리적, 물질적 조건이 같음에도 각자의 상황과 정보에 따라 다양한 정체성을 가질 수 있다는 '차이의 정치학'의 관점에서 문화적 정체성을 분석해본다고 할 때는 구조와 역사라는 거대한 틀을 벗어나서 미시정치학의 방법론을 견지해야 할 것이다. 따라서 지금까지의 여성의 이미지나 정체성을 분류할 때 사용하던 범주의 의식으로 접근하기보다는 '지금, 여기'에 사는 여성의 존재지향이 어디에 있는가 하는 점을 중심에 두고 분석할 필요가 있다.

여성 주체성형성의 주요 요인으로서 '세계와 관계하는 방식'을 든다고 할 때 삶의 방식, 이데올로기, 사회체계의 극단적인 차이에 따라 여성의 주체성 형성에 있어서도 이 차이가 영향을 미치리라는 추측은 어렵지 않다. 독일의 경우를 보더라도 경제, 정치 등에 있어서 표면적인 체계가 같아지고 이데올로기적인 장벽이 사라진 통일 이후에도 여전히 가장 극복하기 힘든 장애가 정체성의 통일이라고 할 수 있을 것이다. 구 동독지역 주민들이 일반적으로 갖는 상대적 박탈감에 더해서 여성들의 경우에는 비교적 사회주의 국가에서 일반적으로 그렇듯이 사회의 주역으로서 주체적인 삶을 살아왔다고 자부했었던 자신들의 주체성이 통일이 되면서 많은 부분에 있어서 수정되어야하고 또한 적절히 포기되어야하는 과정을 거쳤다. 이러한 독일의 경험에 미루어보았을 때 통일 이후 한국의 여성들이 여성이라는 범주로 묶이려면 우선은 차이를 인정하는 포스트모던의 사고방식으로부터 출발하려는 자세가 필요할 것이다.

여성의 자아정체성과 이미지, 그리고 주체성 간에는 형성과정과 관점 등에 있어서 일정한 간격이 있다. 정체성을 형성하는 요소는 크게 두 가지로 나누어볼 수 있는데 객관적인 측면에서 사회적으로 요구되는 성역할에 따른 정체성, 즉 역할 정체성과 주관적인 측면에서의 여성의 개인적 정체성[95]이 그것이다. 본 논문에서는 여성에게 요구되고 내면화된 성역할에 따른 정체성과 주관적인 자아가 결합하여 여성 주체를 만들어내는 것으로 간주하여 이 두 측면을 모두 고려한다.

분단이후의 산업화 과정을 거치면서 형성되는 한국 여성의 자아정체성

---

95) 개인적 정체성과 대비되는 개념으로 사회적 정체성을 들 수 있는데 이는 집단 내 타인과의 동질성 인식을 전제로 한 집단적 정체성이다.Weigert, A. J., Teitge, S. & Teitge, D.W.(ed., 1986), *Society and Identity: Toward a Sociological Psychology*, New York: Cambridge University Press 참조.

은 산업근대화의 역군인 여성근로자로서, 서비스업 종사자로서, 그리고 농촌의 기혼 여성들의 경우에는 도시로 떠난 남성들 대신 농업노동에 종사하는 여성농업인으로 다양하게 분류될 수 있다. 여기서 자아정체성의 중요한 요소는 몸과 노동, 그리고 성역할이다. 특히 60년대와 70년대의 남한여성의 정체성은 자본주의적 생산의 주역으로서 노동을 통하여 형성된 부분을 무시할 수 없다. 그러나 남성들의 경우처럼 주체적 생산담당자로서가 아니고 보조적이고 주변적인 노동자로서의 역할을 행하였기 때문에 이들을 근대적 여성 주체라고 정의하기에는 무리가 있다. 뚜렌느(Alain Tourenne)는 주체형성에서 '행위자가 되기 위한 욕망'이 필수요건이라고 지적한다. 이는 다시 말해 세계화한 경제적 삶 속에 자신의 자아와 부속물들을 결합시키고자 하는 의지이며 따라서 '나는 컴퓨터와 냉동식품 뿐 아니라 나만의 생활양식·인간관계·언어 등 문화적 정체성도 갖기를 원한다'고 말하는 것이 바로 주체라고 정의한다.[96] 여기서 뚜렌느가 강조하는 문화적 정체성은 필요나 요구를 행위의 동력으로 삼는 것이 아니라 내면으로부터 솟아나는 욕망에 의해 세계와 관련을 맺는 행위가 따를 때 성립되는 진정한 주체적 자아다.

욕망의 주체적 실현이라는 측면에서 남한여성들을 분석해보자면 80년대 중후반 이후로 접어들면서 기혼여성들도 더 이상 희생적 어머니 상으로 획일화되지 않기 시작한 점을 주목할 필요가 있다. 물론 기본적으로 기존의 성역할 수행을 하고 있으나 점차 자신의 내면적인 욕망에 귀 기울이기 시작한 점은 분명 6, 70년대의 기혼여성들과 뚜렷하게 달라진 점이다. 더

---

96) 중앙일보 2001년 1월 4일 대담.

욱이 최근에는 여성들의 대부분은 평생토록 경제활동 하기를 원하고 있으며 어느 사회조사 결과 결혼 후 전업주부를 희망하는 젊은 여성들이 한 명도 없다는 보도도 나오고 있다. 이는 경제활동과 여성의 내적인 욕망이 필연적으로 연결되어 있으며 경제력을 주체적 삶의 주요 축으로 삼고 있다는 말이 된다. 이러한 변화는 여성들이 점차 가정을 중심으로 자신을 그 안에 끼워 맞추는 기존의 역할로부터 벗어나고 있음을 보여준다. 섹슈얼리티의 표현에 있어서도 점차 주체적 결정의 폭이 넓어지고 있다. 결혼에 있어서의 의사결정 뿐 아니라 임신, 출산과 연관된 결정에 있어서도 여성들의 스스로의 몸에 대한, 섹슈얼리티에 대한 결정권 행사의 폭을 넓혀가고 있다.

이러한 여성들의 자아정체성의 변화의 배경에는 사회적 의사소통이 디지털 식으로 변화되고 있는 측면도 작용하고 있다. 헬러는 개인적 교통, 일상적 교통이 다른 모든 사회적 교통의 기초가 된다는 전제에서 일상적 교통의 형태 중에서 가장 의미를 갖는 것을 특히 '관계' 속에서 오가는 감정의 교통이라고 보았다. 그런데 이러한 형태의 교통은 아날로그적 관계 맺기로서 요즈음과 같이 언제든지 클릭 한번으로 관계를 끊어버릴 수 있는 디지털식 관계맺기의 사회에서는 더 이상 통용되기 어렵다. 그러므로 지금까지 여성의 사회적 성역할 수행에 있어서 기본 전제가 되어왔던 관계맺기는 근본적인 변화를 가져올 것이다. 또한 이는 여성의 문화적 정체성 형성에도 상당한 변화를 초래할 것이다. 여성 주체형성이라는 명제를 욕망의 정치에서 풀이해볼 때 한국 여성들은 후기 근대로 넘어오면서 점차 개인적인 욕망의 달성이라는 목표에 근접해가고 있는 것으로 풀이된다. 따라서 전지구화의 물결 속에서 다양한 여성 정체성과 이미지의 시대적 배경을 안고 여성 주체는 욕망의 다양한 표출에 따라 다양한 이미지로 재현되고 있다.

디지털 사회의

Ⅲ

젠더 정체성과 유목적 주체

8장 · 디지털 문화와 개인으로의 회귀

　　정보 사회로의 본격적인 진입과 지구화의 급속한 진행 등 여러 징후로 미루어 볼 때 인류가 현재 처한 시대적 상황을 표현하기에는 한동안 학계를 풍미했던 탈근대(post modern)이라는 용어보다는 오히려 고도 근대(high modern)라든가, 후기 근대(late modern)이라는 용어가 적절할 것으로 보인다. 왜냐하면 노동력위주의 생산 패턴으로 정형화되었던 산업 사회의 기본 골격이 해체되면서 지식/정보가 주요 자원이 되는 정보 사회로의 이행이 진행되는 한편, 자본주의의 틀이 지속적으로 유지, 확산되어 나가는 세계화가 진행 중인 현실은 우리로 하여금 섣불리 현대가 끝나고 또 다른 신세계가 시작된 것으로 간주하도록 내버려두지 않기 때문이다.

1. 후기 근대로의 이행 – 전지구적 정보 사회로의 진입

1) 성찰적 근대성과 개인으로의 회귀

근대성(modernity)은 대부분의 사회에서 아직도 완성되지 못한 가치로, 그래서 또한 도달해야할 목표로 간주되고 있다. 그러나 벡은 결국 '포스트모던'이라는 시대적 구분은 후기(late) 근대라든가 초(trans)근대라는 용어와 함께 포스트 산업주의의 의미를 내용적으로 담보하고 있음을 보여줌으로써 용어상의 구분이 항상 시대적인 단절을 명확하게 보여주는 것이 아님을 역설한다. 즉 포스트라는 접두사는 자신이 이름 붙일 수 없는 '넘어섬'을 의미하며, 자신이 이름 붙이는 동시에 부정하는 본질적인 요소들 속에서 이 접두사는 친숙한 것과 결합된 채로 있기 때문에 '지나간 것(past) 더하기 벗어난 것(post)'[1]으로 이해될 수 있다는 것이다. 따라서 벡에 의하면 이러한 관점은 우리가 주체이자 대상으로서 근대성 내에서 전개되는 하나의 단절을 직접 목격하고 있다는 평가에 기초하고 있으며 이 단절은 고전적 산업 사회의 윤곽에서 해방되고 있으며, 새로운 형태의 산업 사회로서 '위험사회(Risikogesellschaft)'를 형성한다고 할 수 있다. 바로 이러한 맥락에서 포스트 산업주의라는 정의에는 근대성 내부의 연속과 단절의 모순 사이의 미묘한 균형이 존재하고 이로써 산업주의와의 근본적인 단절은 불가능하다는 설명이 내포되어 있는 것이다. 기든스는 개인화와 지구화를 성찰적 근대화라는 동일한 과정의 상반되는 두 측면으로 보

---

1) 벡, 울리히 (1997), 홍성태 (역), 『위험사회–새로운 근대(성)를 향하여』, 서울: 새물결, 38쪽.

아야한다고 주장한다. 이 논의를 이어받은 벡에게 있어서 개인화라는 것은 확신없이 자신과 타인을 위해 새로운 확실성을 발견하고 창조하도록 하는 강압과 함께 산업 사회의 확실성이 붕괴하는 것을 의미함과 동시에 또한 전 지구적 차원의 새로운 상호의존을 의미한다.[2]

한편 기든스는 '근대성'을 '봉건시대 이후 유럽에서 가장 먼저 확립되었지만 20세기에 와서 세계사적인 영향을 끼치게 된 제도와 행동양식'으로 정의내리고 있다.[3] 즉 산업주의가 근대성의 유일한 제도적 차원이 아니라는 전제 하에 '근대성'을 '산업화된 세계'와 대체로 동일한 것으로 이해될 수 있는 용어로 사용하는 것이다. 현대성의 커다란 두 가지 제도적 축으로 산업주의와 자본주의를 드는 그에 따르면 산업주의가 생산과정에서의 물리력과 기계의 광범위한 사용에 내포된 사회적 관계를 지칭하는 한편 자본주의는 경쟁적 생산물 시장과 노동력의 상품화 모두를 포함하는 상품생산체계를 뜻한다. 이러한 의미에서 볼 때 현대적 제도들은 여러 가지 핵심적인 면에서 모든 전근대적 문화 및 생활방식과 불연속적이다. 현대시기를 그에 선행하는 다른 모든 시기와 구분짓는 가장 명확한 특성의 하나는 근대성의 극한적 역동성이다.

기든스나 벡이 성찰적 근대성을 논의할 때 언급된 바와 같이 근대에서 탈근대로 이행하는 과정에서 가장 두드러진 특성은 사회의 관심이 구조에서부터 개인으로 이동하는 것이다. 기든스나 벡의 논의는 자본주의적 제도나 이와 연관된 정치제도에 얽혀있는 사회적 관계가 서서히 '구조'로부

---

2) 기든스, 앤소니 · 벡, 울리히 · 래쉬, 스콧 (1994) 지음, 임현진 · 정일준 옮김, 『성찰적 근대화』, 서울: 한울, 38쪽.
3) 기든스, 앤소니 (1997) 지음, 권기돈 옮김, 『현대성과 자아정체성－후기현대의 자아와 사회』, 서울: 새물결, 58쪽.

터 이탈하여 '개인'으로 초점을 옮긴다는 논지를 중심과제로 삼는다. 이와 유사하게 테크놀로지의 발전을 주요 지표로 삼고 설명하는 바에 따르면 '구조'에서 '개인'으로의 이동은 특히 상호작용성과 탈중앙집중화로 요약되는 뉴미디어 테크놀로지의 발달[4]에 의해 가속화되고 있다. 벨에 의하면 과거 '불특정 다수'라는 집단으로 표상되던 개인은 이제 집단을 떠나 사고되기 시작하여, 이를 규정하던 계급이나 구조는 인간의 기질에 의해 대체되는 경향을 보인다.[5] 즉 구조 속에 개인을 가둬두고 구조의 변화로부터 개인을 설명하면서 구조 자체에 대한 연구에 집중하였던 사회과학은 구조 밖으로 이탈된 개인에 대한 설명력을 회복하기 위하여 친밀성의 구조에 대한 연구 등을 시도해왔다. 따라서 지금 필요한 것은 구조와 개인 사이의 역전된 관계에 대한 설명이며 이를 위해서는 구조로부터 개인을 설명하는 과거의 방식이 아니라, 거꾸로 개인으로부터 그가 구성하는 세계와 그 세계에서의 개인에 대해 설명하는, 패러다임의 전환이 요구된다.

2) '모던'을 넘어선 지식정보 사회

우리가 살고 있는 사회를 한마디로 정의한다는 것은 매우 어려운 일이다. 이는 실제로 지금의 사회를 '후기산업 사회', '후기자본주의사회', '정보 사회', '정보화 사회', '지식기반 사회', '지식정보 사회' 등으로 다

---

4) Poster, M. (1995), *The Second Media Age*, New York: Polity Press, 18–22쪽.
5) Bell, Daniel (1980), *The New Class; A Muddled Concept*, 〈*The Winding Passage; Essays and Sociological Journeys 1960–1980*〉, Cambridge. 서규환 옮김(1992), 『정보화 사회와 문화의 미래』, 서울: 디자인하우스, 168–170쪽.

양하게 지칭하는 것으로도 증명되고 있다. 사회발전의 정도와 주도적인 생산양식을 척도로 삼아 사회가 역사적으로 진화되었다는 입장을 견지하는 사회학자들은 인류사회가 전(前)산업 사회에서 산업 사회로, 그리고 이제는 후기산업 사회로 진입하고 있다고 보고 있다. 이러한 견해를 대표하는 이론으로는 벨(Daniel Bell)의 '후기산업 사회론'을 들 수 있다. 벨에 의하면 현재의 사회는 후기 산업 사회로서 특히 80년대 이후 급속하게 발달하는 컴퓨터 통신기술을 바탕으로 하여 정보의 역할과 중요성이 강조되는, 후기산업주의가 표출되는 정보 사회이다. 정보 사회가 전 단계의 사회와 구별되는 것은 무엇보다도 정보의 생성과 유통이 급격하게 증가하고 이로써 정보가 사회의 발전을 위해 중요한 역할을 한다는 점이다.

사회과학 이외의 영역에서 정보 사회라는 용어의 사용에 이의가 거의 없는 반면 사회과학 내에서는 한편으로는 '정보 사회'라는 개념에 동의하는 사람들이 있고 다른 한편으로는 단지 기존 관계의 '정보화'만이 있다고 주장하는 사람들이 있다. 벨로 대표되는 후기산업 사회론의 이론가들, 보드리야르(Jean Baudrillard)와 포스터(Mark Poster) 등의 포스트모더니즘 이론가들, 피오레(Michael Piore) 등의 유연전문화에 대한 이론가들, 그리고 정보양식 발달론의 카스텔(Manuel Castels) 등이 과거로부터 새로운 종류의 사회, 즉 '정보 사회'가 출현했다고 주장하는 사람들이다.

반면 정보가 현대사회에서 특별한 의미를 지니게 되었다는 것에 대해서는 기꺼이 동의하지만 현 시기의 핵심적 특징은 과거와의 연속성에 있다고 주장하는 사람들이 있는데 여기에는 쉴러(Herbert Schiller) 등 네오마르크시즘 사회이론가들과 조절이론(regulation theory)의 아글리에타(Michel Aglietta), 리피에츠(Alain Lipietz), 유연적 축적에 대한 이론가인 하비(David Harvey), 고도 근대성을 중심으로 하여 정보 사회가 이미 근대로부터 시작되었다는 견해를 펴는 기든스, 그리고 정보의 생산과 분배 과정에 대한 비판적 논의를 공공 영역론으로부터 출발하는 하버마스 등이 있다. 이 양쪽 견해 모두가 인식하고 있는 것은 정보가 현대사회에서 핵심적인 중요성을 가진다는 점이다.

최근 들어 한국 사회를 '지식정보 사회'로 규정하는 분위기는 사실상 이러한 사회이론 논쟁의 과정을 거쳐서 합의에 의해 이루어진 결과라기보다는 기술적 지식으로부터 시작되는 정보화에서 사회발전의 원동력을 찾고자하는 정부 주도의 노력에서 기인한다. 그렇기 때문에 지식정보 사회라는 규정은 다분히 정책적 함의를 가지고 있으며 어떤 의미에서는 '지식'의 과도한 일반화와 구체화를 가져오고 있기도 하다.[6]

본격적인 정보 사회가 출현하기 이전에 이미 이를 전망했던 벨에 의하면 전 산업 사회에서의 생활은 사람들이 순전히 '근육의 힘'으로 일하게 되는 자연과의 게임이었으나 기술적이고 합리화된 존재양식 속에서 '기계'가 지배적이었던 산업 사회에서의 생활은 인공적 자연에 대한 게임이었다. 이러한 두 사회와는 달리 '서비스'에 기반한 산업 사회에서의 생활은 사람들 간의 게임을 중심으로 이루어지고 있는데 여기서 사회를 지탱해주는 근간은 근력이나 에너지가 아니라 '정보'다.[7] 이러한 벨의 정보 사회 개념에 대해 사회과학 내에서 여전히 논쟁[8]이 진행되고 있는 상황이기는 하지만 이 글에서는 벨의 정보 사회로서의 후기 산업 사회론을 일정부

---

6) 예를 들어 '신지식인' 선정 같은 행사는 지식기반사회의 본질을 기능적 지식 중심으로 오도한다는 비판을 받고 있기도 하다.
7) Bell, Daniel (1976), *The Coming of Post-Industrial Society: A Venture in Social Forecasting, Penguin*, Peregrine Books, 126−127쪽.
8) 논쟁의 쟁점은 지금의 사회를 본격적인 정보 사회로 볼 것인가, 아니면 사회의 기본 골격은 그대로 있으면서 정보화만 추진되고 있는 사회로 보는가에 있다.

분 받아들이며 논의를 전개하고자 한다.

이글에서 주목하고자 하는 사회적 특징을 정보 사회라는 정의에서 한걸음 더 나아가 세분화된 디지털 정보문화사회로 표현하고자 한다. 이는 벨이 지적한 이론적 지식, 지적 기술이 사회·문화적 영역에 확산된 사회를 상정한다. 벨은 후기산업 사회를 '지식사회'로 묘사하면서 "경험주의에 대한 이론의 우위 그리고 상이하고 다양한 영역의 경험을 설명하는데 사용될 수 있는 추상적 상징체계로서의 지식의 부호화"[9]에 의해 특징지어진다고 본다. 이것이 의미하는 바는 오늘날의 컴퓨터 기술을 중심으로 하는 디지털화한 지식정보화로 대표될 수 있다. 그리고 이러한 디지털화한 지식정보화는 사회체계 뿐 아니라 인간의 의식세계와 광의의 문화 전반에 혁명적인 변화를 가져오는 중요한 사회적 변수다. 한국 사회가 공식적으로 지식정보 사회를 표방하는 것도 이러한 정보화된 지식의 활용을 기반으로 하는 사회 지향을 나타낸 것이라고 하겠다.

2. 디지털 문화와 여성성의 접합점

지식이 기반이 되는 정보 사회에서 통제로부터 벗어나 새로운 자유를 확보할 전망은 있는가? 해러웨이 같은 이가 전망했듯이 양성관계는 성별

---

9) Bell (1976), 앞책, 20쪽.

로 인한 불평등으로부터 해방될 것인가? 또는 발사모의 어두운 전망이 유효할 것인가? 간단히 말해서 정보 사회는 인류에게 전자민주주의가 통용되는 유토피아가 될 것인가? 기술이 지배하는 디스토피아가 될 것인가? 이에 대한 답은 결코 간단히 도출되지 않을 것이다. 왜냐하면 정보 사회는 이제 겨우 그 윤곽만 드러낸 상태이기 때문이다. 현재로서는 다만 지금까지의 모습을 바탕으로 그 특성을 살펴보고 특히 여성과 관련된 부분에 집중하여 미래사회의 양성관계의 지형도를 그려보는 정도로 미래를 짐작해볼 수 있을 것이다.

1) 디지털 정보전달과 디지털 문화

근대의 과학적 지식이 전통적 지혜와 구별되었던 것처럼, 현대의 정보는 축적과 교환의 가능성에 있어서 지식과는 분명하게 구별된다. 전통적 지혜가 여전히 일상적 경험에 묶여있다면 과학적 지식은 경험으로부터 추상되어 일반적 타당성을 지니고 있으며, 정보는 마침내 구체적 경험과는 관계없이 교환을 위해 생산되고 유통되고 있는 것이다.[10] 이에 대한 예는 지도그리기와 관련하여 생각해볼 수 있다. 김정호의 대동여지도 작성의 경우처럼 예전에는 지도를 작성하려면 같은 지역을 수십 번 반복하여 답사하여야만 했다. 그러나 인공위성을 이용하는 현대의 촬영기술은 현지에 직접 가보지 않고서도 지형을 훨씬 더 정밀하게 묘사한다. 예전에는 구체

---

10) 이진우 (2000), "멀티미디어정보시대의 정신과 육체", 『영상문화』 창간호, 서울: 생각의 나무 20쪽.

적 경험을 통해 획득한 사실을 종합함으로써 지도를 그렸다면 오늘날에는 추상적 패턴으로 읽혀진 정보를 바탕으로 지도가 그려지고 있는 것이다. 이처럼 현대의 정보기술은 지식을 구체적 경험으로부터 해방시키고 동시에 자유롭게 호환되고 교환될 수 있도록 만들려는 경향을 가지고 있다.

디지털 정보기술은 정보를 저장하고 전달하는 방식에서 획기적인 발전을 가져왔다. 문자 이전의 시대에 정보전달은 단지 기억력에 의존했었으나 문자와 글쓰기의 발명과 함께 텍스트는 손으로 씌어진 글의 영역으로 옮겨갔다. 그런데 현대의 정보기술은 마침내 모두가 쉽게 접근할 수 있는 전자텍스트를 만들어 낸 것이다. 우리의 머리 속에 기억된 정보들을 필요에 따라 끄집어내듯, 우리는 이제 컴퓨터에 저장된 정보들을 화면에 불러내면 된다. 현대사회의 정보는 어떤 공간과 시간에도 예속되어 있지 않으며, 어떤 물질성도 가지고 있지 않고, 의미와도 직접적으로 결합되어 있지 않은 기호들로 구성되어 있다.

디지털화가 본래 모든 정보를 'on-off'의 이분법에 의해 처리하는 컴퓨터의 정보처리방식을 정보의 전송부문에 적용하는 것을 의미한다면, 유통되는 정보는 사실 이진법으로 암호화된 메시지가 감각적 기호로 변형될 때-예를 들면 종이에 잉크로 인쇄되거나 소리나 이미지로 바뀔 때-비로소 이 메시지의 물질적 성격을 추정하고 경험할 수 있을 뿐이다. 디지털 정보가 대중에 의해 수용되려면 미디어를 통해 전송되어야하는데 이를 위해서 정보는 0과 1의 조합인 디지털코드로 전환되며 이 정보를 이해하려면 디지털메시지는 다시 문자, 영상 및 소리의 아날로그메시지로 전환되어야한다. 정보를 처리하는 두가지 방식, 즉 아날로그방식과 디지털방식 간에는 주지하다시피 근본적인 차이가 있다. 정보를 전기의 강약 신호로 전환시키는 아날로그방식은 복제하면 할수록 외부의 간섭으로 인해 신호가 심하게 왜곡되거나 훼손될 수 있지만 디지털 신호는 반복적인 복제와 유통에도 불구하고 원본의 신호형태를 그대로 유지할 수 있다.

그러면 정보를 디지털화한다는 것은 어떻게 이해될 수 있을까? MIT 미디어랩의 소장인 네그로폰테는 디지털화를 다음과 같이 설명한다.[11] 비트 (bits)는 디지털 컴퓨팅의 기본 단위이다. 그것은 정보의 디엔에이를 구성하는 가장 작은 원자적 요소이다. 이해를 쉽게 하기 위해 비트는 0또는 1로 간주한다. 여기서 0이나 1의 의미는 별개로 놓고 이를 이진법으로 순열 조합할 때 엄청난 확장이 가능하다. 즉 신호를 디지털화한다는 것은 신호를 잘게 쪼개어 샘플링함으로써 다음에 이 신호를 완벽하게 복제할 수 있도록 하는 것이다.

우리가 경험하는 세계는 아날로그의 공간이다. 우리 눈으로 볼 때 세계는 디지털이 아닌 연속성의 세계이다. 아날로그의 세계에서는 갑자기 켜지거나 꺼지는 일, 검정에서 흰색으로 바뀌는 일, 단계적 변환없이 어떤 한 상태에서 다른 상태로 급변하는 일은 있을 수 없다. 그러나 마이크로의 단계로 다가서면 이러한 현상은 현격하게 달라진다. 전선을 흐르는 전자나 우리 눈으로 들어오는 광자의 차원에서는 사물이 불연속적으로 존재하기 때문이다. 우리가 대개 연속적인 것이라고 생각하는 수많은 사물은 사실 수많은 독립 구성요소로 이루어진다.

디지털 문화는 디지털 정보 통신 혁명이 일상 생활 곳곳에 영향을 미치면서 문화의 생산과 소비, 유통구조를 포함하여 일상생활에 커다란 변화를 몰고 온다. 문화의 형식적인 측면에서는 정보전달과 의사소통의 양방

---

11) 네그로폰테, 니콜라스 (1995),『디지털이다』, 서울: 커뮤니케이션북스, 15-17쪽 참조.

향성, 하이퍼텍스트, 멀티미디어라는 세 가지 특성이 부각된다. 아날로그 방식의 미디어에서 하나의 방향이 설정되어 메시지의 일방적 전달이 이루어지는 반면 디지털 방식의 미디어에서는 양방향적인 메시지의 소통이 이루어진다. 이는 아날로그 방식이 선형적(lineal)이면서 미디어의 수신자의 개입이 원천 봉쇄되어 있는데 비해 디지털 방식은 수신자의 개입과 반응이 가능한 비선형적인 패러다임으로 구성되었음을 함축한다. 네트의 하이퍼텍스트는 상호연관성을 전제로 하여 글과 말, 그리고 영상의 엇물림을, 사전에 미리 의도함이 없이 우연한 선택에 따라 즉각적으로 연결해나가도록 한다. 따라서 단선적 인과 관계의 고리에서 벗어나 자유롭게 부유할 수 있도록 한다. 즉 유목적 주체로서의 개인이 가상 공간을 부유하는 비선형의 궤적이 가능한 것이다.

백욱인의 지적대로 하이퍼텍스트의 운용에 있어서는 텍스트 간의 연결의 느닷없음과 비일관성, 도약이 이루어질 때 마다 새로운 형식의 강력한 미디어 효과가 발휘된다. 상호 연관이 이루어지기 어려운 지점에서 맺어지는 서로 다른 텍스트의 결합은 도식적 사고에 쐐기를 박음과 동시에 일상적 사고에 충격을 던진다.[12] 이러한 하이퍼텍스트의 감각체험적인 효과는 미디어 이용자에게 무의식적으로 영향을 미친다.

한편 멀티미디어는 웹사이트를 통해 컴퓨터 속의 자료와 정보를 끌어모아 모자이크 식으로 조합하고 정보와 지식을 수집하여 전체적으로 보면 새로운 모습의 정보를 만들어낸다. 이를 통해 파편적, 분산적 정보를 한자리에 모아 새로운 복제의 총체적 이미지를 만든다. 이러한 작업상의 특성

---

12) 백욱인 (1998), 『디지털이 세상을 바꾼다』, 서울: 문학과 지성사, 82쪽.

은 전형적인 여성의 생산성과 맞물려 있다. 미즈가 지적했듯이 원시공산 사회에서 채취와 육아를 주로 담당해왔던 역사적인 성별분업의 결과 여성의 일하는 방식은 여러 가지 형태의, 분산적이고 예측하지 않았던 상황을 즉각적으로 처리하는 능력을 키워가는 방향으로 발달되었다. 이는 현대사회에서도 일반적으로 통용되는 논리로서 이를테면 가사노동은 동시다발적으로 일어나는 상황을 처리해야하는 노동의 전형이다. 따라서 멀티미디어의 운용 방식은 일의 성격상 가사노동, 또는 이와 유사하게 단순사무직 여성들이 잡다한 여러 가지 일을 동시다발적으로 처리하는 노동방식과 밀접하게 연관되어 있다.

이상에서 살펴본 디지털 문화의 특성으로 미루어볼 때 디지털 문화가 여성의 특성과 특유의 방식으로 연결되어 있는 양상을 보이고 이로써 여성이 디지털 정보문화 사회에서 주도적인 역할을 할 수 있는 가능성을 보인다고 하겠다.

2) 디지털 문화의 다양성과 다중성에서 여성성 맥락찾기

디지털 문화의 특성을 여성학적 측면에서 본다면 다양성과 다중성으로 요약될 수 있다. 다양성은 다중성과 더불어 이리가라이 같은 여성학자들이 성차를 기반으로 하여 여성문화를 규정하는데 대표적인 특성이며 또한 디지털 문화의 토대이기도 하다. 그렇다면 21세기를 감성(Feeling), 여성(Female), 가상(Fiction)[13]이 주도하는 세기로 전망하는 관점에서 본다면 디지털 문화로 대표되는 정보문화 사회에서 여성은 사회를 주도하는 역할을 해나갈 수 있을 것인가? 추상적인 차원의 논의에서 뿐 아니라 현실적인 상황을 감안해 볼 때 디지털 정보문화사회의 전개를 전제로 했을 때 한국 사회에서 과연 여성주류화는 가능한가? 가능하게 하려면 어떠한 변화가 전제되어야하고 어떠한 조건이 성숙되어야 할 것인가? 이 글에서는 이러한 질문을 출발점으로 하여 디지털 문화의 여성친화성에 대해 분석해보기로 한다.

21세기로 진입하기 전 단계에서 21세기를 전망하던 다양한 관점 중에서 '21세기를 감성과 여성, 그리고 가상의 세기'라고 규정하는 시각은 여성학의 입장에서 볼 때는 매우 고무적인 전망이다. 어떤 의미에서는 지나친 낙관은 아닐까 하는 의구심이 들기도 하지만 이중에서 적어도 가상의 세기가 도래하고 있다는 사실은 누구도 부인 못할 현실이 되고 있다. 바로 이 가상의 세계로 진입하게 하는 주된 가이드가 정보이며 이를 디지털화하여 전달하는 체계가 디지털 방식이다.

디지털 방식으로 정리된 정보가 전달되고 이를 토대로 한 디지털 문화가 확산되어 인간의 사고방식과 생활양식까지도 변화 가능한 사회를 디지털 정보문화 사회라고 규정한다면 지금의 한국 사회는 바로 이러한 특성이 비교적 잘 나타나고 있는 사회라고 할 수 있을 것이다. 인구수에 대비한 정보망 발달이 세계 최고의 수준이고 컴퓨터 관련 산업의 발달 정도도 세계 유수라는 점만으로도 이는 쉽게 증명될 수 있다. 방송의 디지털화도 눈앞에 다가왔으며 인터넷 쇼핑의 일상화 등은 우리 사회가 급격하게 디지털화하고 있음을 증명한다.

---

13) 가상을 Fiction으로 표기한 것은 아마도 3F로 문자를 맞추기 위한 의도 때문일 것이다. 원래의 의미는 가상현실(virtual reality)로 대표되는 새로운 정보망의 세계를 포괄적으로 포함하고 있다.

산업 사회의 덕목이 몰개성과 천편일률, 위계적인 권위구조에 대한 일방적인 복종, 그리고 근육질의 힘으로 대표된다고 한다면 디지털 시대를 규정하는 특성은 무한히 진행 가능한 비트의 창조적 조합, 탈위계구조화, 탈중심화, 다중성으로 대별될 수 있다. 이러한 맥락에서 볼 때 21세기의 특징을 규정하는 3F는 상호 유기적인 개념이다. 왜냐하면 산업 사회를 지배하던 합리성은 서구문명에서 몇 백 년 동안 벼려온 지성의 결정체이며 이는 대표적인 남성중심적 가치이기 때문이다. 또한 포드주의의 중심 개념인 일사분란함은 한 방향으로만 전달되는 명령체계와 일직선상에 (lineal) 위치하는 위계구조, 그리고 과제중심적(task oriented) 수행성을 기본 전제로 한다. 이는 아날로그식/남성중심적 문화의 상징적 특성이다. 이에 반해 감성은 합리주의로 대표되던 남성중심적 가치를 넘어서는 개념이다.

길리건의 도덕이론에서 제시되는 관계맺기와 배려의 개념은, 이를테면 체계를 뛰어넘는 친밀성의 세계가 형성되는 데 있어서 기본적인 구성원리이다. 이러한 맥락에서 볼 때 디지털 정보문화 사회에서 감성은 산업 사회에서 이성이 차지하던 중심을 탈환하게 되고 원래의 가치로 복원될 수 있다. 또한 이러한 사회에서는 다양성과 다중성(multiplicity)이 요구되는데 이는 이리가라이[14)가 지적해왔던 바대로 여성성과 여성의 행동양식적 특성이라고 할 수 있다. 예를 들어 여성들이 전통적으로 수행하던 성역할은 대표적인 다중적 과제 수행을 전제로 한다. 대표적인 예가 가사노동이다.

---

14) 이러한 유추의 기초를 제공하는 논의는 박사학위 논문인 『Speculum: 검경』으로부터 출발한다. 또한 이를 비유적으로 표현한 논문으로 'Ce sexe qui n' en est pas un (This sex which is not one)'를 들 수 있다. 이리가라이는 육체유물론으로부터 출발하여 논의를 전개하는데 여기서는 이를 문화적 특성으로 전화하여 해석하고자 한다.

가사노동은 근본적으로 수도 없이 다양한 종류의 일로 구성되어 있고 여성들은 이를 반복적으로, 그리고 동시에 여러 가지 일을 수행하도록 성역할 사회화되어 왔다.

사회적 노동을 수행함에 있어서도 여성에게는 가사노동과 유사한 서비스노동이 본업으로 또는 추가적인 업무로 요구되고 있다. 즉 여성들은 성역할 사회화의 결과로서이든, 천성적인 유전적 특질 때문이든, 동시다발적으로 일을 처리하는 능력을 남성들보다 더 많이 발휘하고 있다. 따라서 우리는 다중성에 주목할 필요가 있다. 비선형, 다중성(multiplicity)과 상호작용, 그리고 양방향성은 디지털 문화의 기본적인 특성이다. 이러한 논의의 전개에 따르자면 감성과 여성성과 가상현실이 지배하는 새로운 사회는 서로 밀접한 연관을 가지면서 발전할 토대를 갖추고 있다고 하겠다.

3) 멀티미디어의 중첩성과 다양성의 이리가라이식 독해

디지털 문화의 전개를 위해서는 필수적으로 미디어가 필요하다. 몸은 현실에 있으면서도 미디어를 통해서 비로소 화면 속의 가상 공간을 가상현실로 체험할 수 있다. 가상성(virtuality)이라는 개념이 본래 절대적 의미의 있음과 없음 사이에 있는 제3의 중간 영역을 지칭하는 철학적 개념에서 유래한다는 점[15]을 생각할 때 미디어의 필요성은 명료해진다. 맥루한은 '미디어는 마사지이다' 라는 표현을 사용하면서 인간의 육체 자체가 이미 미디어라는 점을 암시하는데 이러한 논리에 따르면 인간은 순수의식과 외부의 물질세계를 연결하는 미디어인 육체를 이미 가지고 있으면서 또한 의식을 보다 명료하게 경험하게 하는 또다른 미디어를 개발하려는 기술적 경향을 가지고 있다. 백욱인의 설명에 의하면 인간이 의식을 직접적으로 경험하는데 필요한 직접성과 이를 실현할 수 있는 다양한 미디어를 발전시킬 수밖에 없는 기술적 경향은 다양성, 다중성과 함께 디지털 문화의 중요한 특성을 이룬다.

하이퍼미디어시(hypermediacy)는 다양한 매체과다 현상을 뜻하는데 이러한 의미에 걸맞게 현대의 정보기술은 미디어의 존재를 느끼지 못하도록 만드는 다양한 미디어를 확대 증식하는데 여념이 없다고 해도 과언이 아니다. 이미 우리가 아무런 저항없이 받아들이고 사용하는 오늘날의 멀티미디어는 이미지, 소리, 텍스트, 애니메이션, 비디오와 같이 어떤 형태로든 마음대로 결합될 수 있는 다양한 미디어들의 그물망이다. 오늘날 컴퓨터, 비디오게임, 인터넷과 웹사이트를 구성하는 윈도우 스타일은 매체과다현상을 가장 잘 보여주는 방식이다. 요즈음 통용되는 인터페이스에서 윈도우들은 말 그대로 정보의 세계를 보여주는 창들이다. 윈도우들은 다른 윈도우와 연결되어 있기 때문에 우리가 이미 익숙하게 사용하고 있는 바대로 사용자들은 여러 창들을 동시에 사용할 수 있는 데 이때의 방식은 창들이 스크린 위에서 중첩되거나 연결되면서 증식되는 방식이다.

하이퍼미디어의 관점에서 보면 인터페이스의 윈도우들은 세계로 향한 창이기보다는 다른 미디어와 다른 재현수단들을 향한 창들이다. 하이퍼미디어에는 이처럼 매개의 기호들을 다양하게 증식시키는 논리가 내재하고

---

15) 이러한 개념을 토대로 하여 이진우는 가상성과 현실과의 관계를 다음과 같이 설명한다. "가상성의 철학적 어원인 희랍어 개념 디나미스(dynamis)는 구체적 현실과는 달리 현실화될 수 있는 잠재력을 가진 상태를 의미한다. 우리가 흔히 말하는 가능성이 현실로부터 파생하는 실현의 개연성을 의미한다면, 가상성은 본래 구체적으로 현실화되기 이전의 잠재상태를 의미한다는 점에서 현실에 버금가는 중요한 의미를 보유하고 있는 것이다." 이진우 (2000), 앞글, 32-33쪽.

있는 것이다. 이런 관점에서 보면 월드 와이드 웹(World Wide Web)은 오늘날 가장 영향력있는 하이퍼미디어의 현상이다. 하이퍼텍스트에서는 클릭 하나로 페이지가 대체된다. 새로운 페이지는 이전의 페이지를 지우거나, 이어붙이거나, 겹쳐놓음으로써 대체가 이루어진다. 이러한 미디어의 작동방식은 현재 논의 중에 있듯이 디지털 시대의 인간의 주체성 형성과 문화에 영향을 주고 있다. 가상현실에서 뿐만 아니라 구체적 현실에서도, 현대인의 다중 인격의 구조 형성에 영향을 주고 있는데 이로써 다양하게 통합되고 역동적인 가상현실에 의해 영향을 받는 현대인은 이 현실로 통하는 통로인 인터페이스만큼이나 유동적이고 복합적인 성향을 보이고 있다고 평가되고 있다.[16] 디지털 매체의 등장, 다시 말해서 끊임없이 자기 증식하는 하이퍼미디어의 등장은 이 시대를 살아가는 사람들을 유동적이고 가변적이며 분산적으로 만들고 있다는 것이다.

디지털 문화의 정수라고 할 수 있는 하이퍼미디어의 중첩성은 앞에서 지적했듯이 이리가라이가 여성주의 문화의 중요한 특성으로 설명한 바 있다. 여기서 또한 하이퍼미디어의 즉각성과 유동성은 브라이도티가 정의하는 '유목적 주체(nomadic subject)'로서의 여성이 갖는 특성과 여러 면에서 닮아있다. 또한 아바타 등의 문화상품을 통해서 유동적인 성정체성을 경험한다든가 젠더스와핑을 시도한다든가 하는 기회를 갖는 것도 하이퍼미디어의 문화적 확산과 깊이 연관되어 있다.

이상의 논의를 정리해보자면 디지털 문화의 핵심을 구성하고 있는 멀티미디어의 특성인 하이퍼미디어의 중첩성과 즉각성, 그리고 유동성은 그동

---

16) 이진우 (2000), 앞글, 43쪽 참조.

안 여성문화의 이론화를 시도해온 여성학자들에 의해 여성의 독특한 감성으로 연구되어왔던 부분과 그 본질적인 맥을 같이한다. 또한 이점이 시사하는 바는 디지털 문화시대의 전개라는 배경과 더불어 21세기를 여성의 시대로 바라보는 전망에 논리적인 근거를 제공해주는 것이라고 하겠다.

3. 디지털 커뮤니티 형성과 여성문화 주류화의 전망

정보 사회의 네트는 기본적으로 작은 단위로 무수하게 쪼개져 있는 부분들이 모여 전체를 이룬다. 상호작용하는 수많은 작은 부분들이 이루어내는 조직은 수직적 지배구조가 아니고 수평적 연결을 가진 커뮤니티를 형성하는 구조다. 일방향의 정보전달의 방식에서 양방향의 정보전달 방식을 획득함으로써 기존의 중앙집권적 대중매체의 일원적 통제와 지배를 벗어날 조건이 성립되고 있는 것이다. 즉 민주적이고 다원적인 전자공간은 참여자들의 원활한 의사소통을 가능하게 하며 이로써 여성들로 하여금 공간적 구속으로부터 벗어나 생활이나 기타 관심사에 관한 정보교환과 커뮤니티 형성을 가능토록 한다. 단순한 정보교환의 커뮤니티 뿐 아니라 직업으로 연결될 수 있는 또 하나의 공간이 열리는 것이다.

여성주의적 디지털커뮤니티는 이미 여러 가지 형태로 출현하고 있다. 웹진이 먼저 출발했으며 인터넷방송이 그 뒤를 잇고 있다. 가장 앞서 가있는 커뮤니티로는 여성주의 웹진들을 들 수 있다. 이중 예를 들어 '언니네'

나 '달나라딸세포', 그리고 '월장' 등은 영페미니스트들이 궁핍한 재정 또는 특정한 사안에 대한 사이버테러에도 불구하고 몇 년씩 꾸준히 활동을 전개하고 있는 웹진들이며 이들을 통해서 사이버 공간에서 가끔 격렬한 논쟁을 일으키는 등 지속적으로 신선한 얼굴을 유지하고 있다. 또한 웹진이 갖고있는 기본적인 속성인 공개성 때문에 '어쩌다 지나가다 들른' 사람들에게조차 신선한 충격과 새로운 계기를 제공하기도 한다. 이 웹진 사이트는 20대를 주축으로 하는 젊은 여성들의 커뮤니티로서 다른 어떠한 매체보다도 이들에 대한 접근성이 강력하다. 여성학적 동기가 부여되어 있지 않은 여성들의 커뮤니티로서는 앞에 든 웹진들 만큼 강력한 흡인력을 가진 공간은 별로 없으나 양적으로 많은 사람들이 드나드는, 카페형식의 코너들이 나름대로 커뮤니티를 형성하고 있다. 한편 중년여성들의 문화공간으로서 '살류쥬'가 지역여성들을 중심으로 열정적으로 꾸려져가고 있으며, 아줌마문화의 전개를 표방한 '줌마'도 주목을 끄는 사이트이면서 여성들의 새로운 언로를 트는 역할을 한다. 정부의 공식적인 커뮤니티로는 여성부에서 운영하고 있는 '위민넷(womennet)'이 있다. 정부행정부처의 커뮤니티가 갖는 자발성의 문제등 한계는 있을 것으로 추정되지만 정보교환과 추진력에 있어서 활동적인 커뮤니티 제공이 되고 있다. 이들 커뮤니티가 앞으로 네트워크를 형성하게 되면 좀더 강력한 정치력을 발휘할 것으로 기대된다.

　인터넷이 갖고 있는 힘과 활용 영역은 실로 막대하지만 여성이 이러한 정보 사회에서 주류에 소속되려면 인터넷의 힘을 활용할 수 있는 경제적 능력과 지식을 가져야한다는 점은 명백하다. 그러나 지금까지 전개된 현실은 그리 낙관적이지 않다. 여성은 컴퓨터에의 접근도에 있어서 남성보다 낮은 비율을 보이며 또한 컴퓨터를 이용하여 얻는 정보의 종류에 있어서도 평균적으로 보았을 때 남성에 비해 직접적으로 활용가능한, 다시 말하자면 생산적인 정보 수집이 되지 못하고 있다. 남성이 주로 활용가능한 정보습득에 인터넷을 사용하는 반면 여성은 채팅이나 전자우편사용을 하는 등의 이용행태를 보인다. 이로 미루어볼 때 여성들은 남성들과 비교해서 볼 때 평균적으로 인터넷이나 컴퓨터 자체를 정보 사회의 미디어로서 충분히 활용하고 있지 못하다. 정보의 종류에 있어서 격차를 보이는 이유는 아마도 오프라인에서의 경제활동 참여비율과 밀접하게 연관되어 있을 것이라는 연구결과도 나오고 있다. 다시 말하자면 남성들은 직장생활을 통해서 컴퓨터에의 접근이 훨씬 용이한 반면 여성들은 일부 사무직 여성 외에는 컴퓨터에의 접근 자체가 어려운 경우가 더 많고, 설혹 컴퓨터를 이용한 업무를 하더라도 문서작업등이 주요 업무이기 때문에 정보검색 등이 필요없는 작업이 대부분이다.

한편 정보 사회의 전개와 함께 전혀 새로운 유토피아가 펼쳐지는 것이라기보다는 기존의 사회에 정보화가 첨가된 사회라는 견해를 밝히는 사회학자들의 시각을 일부 수용할 수 밖에 없도록 하는 징후들은 곳곳에서 발견된다. 요즘 논란이 되고 있는 사이버성폭력같이 오프라인에서의 성별 권력구조와 왜곡된 성문화가 가상 공간에 그대로 재현되거나 더욱 교묘한 방법으로 이루어지는 현상 등이 그것이다. 디지털 정보문화의 본질과 특성은 앞에서 보았듯이 여성의 심리적, 행동상의 특성과 상당히 맞닿아 있으나 이를 활용하는 현실에는 무조건 낙관하기에는 조심스러운 여러 가지 덫이 놓여있다. 그렇기 때문에 디지털 문화가 정착되기 시작하는 시점에 이러한 부정적 현상이 뿌리내릴 수 없도록 하는 여러 가지 차단장치가 필요하다.

여성정보화의 현황은 다소 비관적이지만 점차 시민사회의 비중이 커지고 고학력 여성의 경제활동참여비율이 증대하는 추세가 지속된다면 변화하는 직장문화나 근무형태의 탄력화에 힘입어 정보 사회에서 여성이 주류에 속하게 되는 것은 점점 가속화될 것이다. 이의 전제가 되어야할 것은 컴퓨터 보유 비율의 증가, 컴퓨터 접근의 용이성, IT산업에의 여성의 진출 확대 등이 지속적으로 이루어져서 성별 간의 정보화 격차가 해소되어야할 것이고 또한 이러한 전제조건을 충족시킬 수 있는 노동시장의 구조 변화, 고급인력을 제대로 대우해주는 탄력적 근무형태-예를 들면 재택근무-의 도입 등이 적극적으로 고려되고 도입되어야 할 것이다.

앞에서 논의된 바대로 정보 사회가 그 특성을 긍정적인 사회발전에 적용시키려면 오프라인에서도 위계적이고 하나의 중심이 힘을 발휘하던 산업 사회의 부정적 성격을 감소시키는 노력이 지속적으로 이루어져야한다. 이로써 비로소 탈중심화되고 민주적인 사회에서 여성들이 특성을 제대로 발휘하는 사회의 초석이 마련될 것이다.

9장 · 분절화되는 젠더 정체성과 사라지는 몸

지난 30여 년 동안의 미디어문화 발달을 음미해볼 때 '미디어는 메시지다' 또는 더 나아가 '미디어는 마사지다'라고 한 맥루한(Marshall McLuhan)의 정의는 이제 우리에게 하나의 정언명령이 되어버렸음을 부인할 수 없다. 멀티미디어 시대로 접어들면서 미디어는 더 이상 저 멀리 떨어져있는 하나의 객체가 아니라 우리의 손끝에서, 우리의 귓가에서, 또한 우리의 뇌리 속 깊숙이 신체의 일부가 되어 메시지의 차원을 이미 넘어서고 있다. 이른바 미디어는 마사지가 되고 있음을 실감하게 되는 시대가 온 것이다. 이는 한편으로는 멀티미디어가 인간을 신체로부터 해방시켜줄 것이라는 이론과 상충되는 논리이기도 하다. 즉 사이보그가 실물로서의 인간의 육체를 제거하고 순수한 의식만을 추구하고자 하는 또 다른 신체로 정의된다면 끊임없이 육체를 상기시키는 멀티미디어 방법론에서는 과연 어떠한 신체론이 가능한가? 또한 물질적인 신체가 사라지는 멀티미디어의 시대에 생물학적 결정론에 근거하여 부과되던 고통스러운 여성 신체의 억압이 사라질 것이라던 해러웨이의 전망은 어떻게 이해되어야 할 것인가? 더욱이 몸의 성별적 표식이 그 결정요소로 통용되던 젠더 정체성은 어떠한 위상을 갖게될 것인가? 이 글에서는 미디어문화의 일상화와 함께 제기되는 젠더 정체성과 몸개념의 분절화현상 내지 세분화현상을 분석해 보려한다. 논의의 실마리는 사이보그의 일상적 출현과 이를 페미니즘에서 의미화하는 방식을 살펴보는 것으로 풀어나간다. 또한 젠더 정체성의 다양한 양상을 구체적인 멀티미디어 문화현상을 통해 제시하고 이로써 제기되는 사회관계에서의 여성주의적 쟁점이 무엇인지 살펴보기로 한다.

여기서 분절화로 일컬어지는 현상은 젠더 정체성과 몸개념에 있어서 각기 다음과 같은 경우에 일어난다고 볼 수 있다. 젠더 정체성에 있어서의 분절화는 정형화된 성정체성이 아닌 다양한 성정체성의 형성 또는 발현, 예를 들면 컴퓨터로 매개되는 커뮤니케이션(CMC: computer mediated communication)에서 흔하게 이루어지는 현상이다. 좀더 세분화해보면 다른 성별로 인식시키는 ID선택, 고의적으로 다른 성별의 언어사용방식을 통해서 상대방으로 하여금 성별을 다르게 인식하도록 하는 행위, 또는 원래와는 다른 젠더의 아바타 선택을 통한 젠더스와핑 등이 현실세계의 자기의 생물학적 몸과 별개의 젠더로, 또는 동시에 여러 개의 젠더로 증식되는 성정체성을 분절화로 의미화할 수 있을 것이다. 이 과정에서 젠더의 가면성(masquerade)이 성립되기도 한다. 성정체성의 분절화와 더불어 몸개념 또한 다양하게 분절화되는데 이는 크게 두 가지 차원에서 이루어진다. 우선 현실세계에 속하는 생물학적이고 물질적인 몸이 분절화된 이미지로 재현되는 현상의 차원, 그리고 보다 근본적으로 물질적인 몸을 떠나 가상현실에서 탈육체화하고 새로운 신체로 형상화하는 차원으로 나뉜다. 물질적 몸 분절화의 가장 극적인 현상은 포르노그래피에서 나타난다. 포르노그래피에서 보여지는 몸은 성적 자극을 유발하기 위해 극단적으로 분절화하여 등급이 매겨지고 시선과 감각의 대상으로서만 다루어진다. 더욱이 성적 기관만이 부분적으로 강조됨으로써 몸의 모든 다른 기능이 사라지고 그 대신 부분적으로 왜곡되는 극심한 분절화를 보인다. 다음의 차원이 사이버 공간에서 페미니즘이 주목하는 몸의 물질성으로부터의 해방을 의미하는 사이보그의 차원이다.

1. 욕망의 정치와 새로운 주체의 다양성

몸의 분절화와 관련되어 논의되어야할 부분이 바로 정보 사회에서의 다양한 욕망의 생산이다. 인터넷보급이 급속히 진행되면서 정보 사회에서의 욕망은 철저히 개인화되는 공간 속에서도 지속적으로 관계구축을 위한 욕망으로 구체화된다. 그러나 클릭 한번으로 언제나 소통을 일방적으로 끊을 수 있기 때문에 이때의 관계는 근대사회에서 일상적 소통으로서의 관계에 대해 논의했던 헬러의 이론을 있는 그대로 아날로그식 관계로 치부하게 만드는, 그러한 범주 내에서 이해되는 관계이다. 헬러는 개인적 교통, 일상적 교통이 다른 모든 사회적 교통의 기초가 된다는 전제에서 출발하면서 일상적 교통의 형태 중에서 가장 의미를 갖는 것을 특히 '관계' 속에서 오가는 감정의 교통이라고 보았다.[17) 이는 여성이 배려와 관계를 중시하는 특성을 가졌다는 길리건의 논의와 상당히 맞닿아 있다. 그런데 헬러가 이렇게 관계를 일상적 소통으로 보고 감정의 교통을 중요하게 꼽은 것은 요즈음 와서 지속적으로 소통이 유지되는 근대사회의 아날로그식 관계맺기 속에서나 가능한 일이 되고 있다. 왜냐하면 앞에서 지적한 바와 같이 정보화사회의 소통 중에서 가장 핵심적인 소통인 인터넷이나 전자메일을 통한 소통은 소통의 빈도에 있어서는 이전보다 폭발적으로 많아졌으나 훨씬 더 일방적인 경향을 띤다. 채팅을 하다가도 언제든 일방적으로 대화방을 떠날 수 있는 것처럼 언제나 흔적도 없이 소통을 끊을 수 있는 것이다. 여기서 아날로그식 감정의 소통은 점차 소멸되어가고 있다.

이렇게 아날로그식 소통이 매개해온 관계형성 방식이 급격히 변화하는 후기 근대적 상황에서 근대성 논의와 몸 논의는 필연적으로 상호작용하여 변화를 촉진시키고 이에 따라 노동의 개념과 몸 논의, 그리고 섹슈얼리티 담론 등도 여성의 자아정체성의 다원적 차원과 연결되어 욕망 자체를 디지털 식으로 변환시키고 있다.

뉴미디어 테크놀로지의 발달을 배경으로 하는 여성의 다양한 정체성 형성을 이해하는데 유용한 이론이 들뢰즈와 가타리에 의해 시도된 욕망이론이다. 이들은 구조에 갇혀있던 무의식으로부터 욕망을 해방시키려 하면서 구조로부터 개인을 설명하는 기존의 설명방식 대신 개인으로부터 구조를 설명하고자 했다. 들뢰즈와 가타리에게 있어서 구조란 욕망의 흐름을 억제하고 절단하는 일종의 코드화 장치였던 셈인데 이들은 이런 역전된 방법을 통해 본능적이고 생산적인 욕망이 어떻게 현대적인 담론들과 제도들에 의해 식민화되어 가는지, 그리고 그로부터 어떻게 이탈하여 본래의 자

---

17) Heller, Agnes (1978), H. Joas (Hrsg.), *Das Altagsleben: Versuch einer Erklärung der individuellen Reproduktion*, Frankfrut a.M.: Suhrkamp, 109쪽.

유로운 흐름으로 대체할 수 있는지를 찾아내려고 하였으며 이를 위하여 욕망의 '탈주'를 시도하였다.

사회변동을 사고하는 데에는 거시적이고 의식적인 사회적 목표, 새로운 이해관계, 새로운 프로그램의 설정만큼이나 중요한 문제가 다른 한편에 존재한다는 것이다. 그것은 대중의 욕망, 미시적이고 무의식적인 욕망의 문제이다. 들뢰즈와 가타리는 욕망의 분열적 탈주가 의식의 영역과 사회적 생산으로부터 완전히 벗어나는 일은 결코 없다고 봄으로써 욕망의 혁명성을 예측한다. 즉 욕망의 탈주선이 기존의 사회적 생산의 질서와 권력의 억압과 코드화에 의한 제한과 금지를 돌파하여 다른 흐름들과 접속함으로써 새로운 영토, 새로운 사회적 질서를 만들어낼 가능성을 보는 것이다.[18] 이로써 들뢰즈와 가타리는 여타의 포스트주의자들과는 달리 역사적 이해가능성과 연속성에 생명을 불어넣으며 각각의 역사적 시기에 있어 욕망이 어떻게 구조화되어 가는가를 보여주고, 그러한 욕망의 단절로부터 탄생되는 새로운 욕망의 변이과정 – 접속과 이탈과정 – 에 주목한다. 이들이 설명하는 횡단성의 정치, 리좀(rhizome)적 사고와 유목주의(nomadism)는 여성의 새로운 주체성을 설명하는데 매우 적절하다. 이들의 기본 개념을 가지고 브라이도티는 여성 주체를 유목적 주체로 이론화하고 그로츠는 여성의 몸의 유동성(volatile body)을 설명한다.

가타리는 횡단성(transversality)을 '이미 구획되어 있는 틀을 뛰어넘는' 모든 것을 지칭하는 개념으로 사용한다. 따라서 그의 논의에서 횡단성은 매우 다양한 의미로 사용된다. 즉 수직적 관계를 부수고, 여러 요소들이

---

18) 김필호 (1997), "욕망의 사회이론", 『탈주의 공간을 위하여』, 서울사회과학연구소 편, 푸른숲, 79쪽.

수평적으로 연결되는 망을 그린다. 횡단의 운동이 추구하는 세계는, 여러 요소들이 수평적 관계를 맺으면서 '은밀한 횡단적 접속'을 통해서 상호접속되는 세계이다.[19] 횡단성 개념은 기존의 주체 개념을 전복시킨다. 기존의 주체관에 따르면 주체는 하나의 소우주, 외부와 폐쇄된 자아이다. 또한 그 안에 모든 것을 담고 있고 모든 요소가 중심에 의해서 자리매김되는 공간이다. 가타리는 이러한 자아는 권력이 요구하는 자아의 모습, 정신분석이 요구하는 통일된 자아의 모습에 불과하다고 비판한다. 이와 반대로 횡단성의 정치는 이미 존재하고 있는 복수성 각각의 고유함을 빼앗아 통일시키려는 권력에 맞서서, 살아 움직이는 주체(자아), 무엇인가를 생성하는 주체를 꿈꾼다.

횡단성의 정치가 상정하는 주체는 다양한 방향으로 열려있기 때문에 다양하게 접속될 수 있는 주체, 다시 말해서 자신의 내부에 존재하는 다양한 요소들을 하나로 통일시키지 않고 외부의 요소와 접속할 가능성을 열어놓는 주체이다. 또 하나의 집단에 속해 있으면서도 그 집단의 속성에 자신을 가두지 않는 주체이다. 횡단성의 정치는 자아를 '하나의 전체성 속에 가두어' 두려고 하지 않는다. 오히려 '분할도 증식도 가능하며, 상통하고 또 항상 취소도 가능한 몇 개의 집단에 널리 퍼져' 있는 새로운 주체를 추구한다. 결국 새로운 주체는 '횡단적으로 의사소통이 가능한 특이성을 갖춘 주체'이다.[20] 바로 이 횡단성의 정치를 수용하는 주체가 만들어내는 성정체성이 'n개의 성'으로 표현되는 성에 대한 변량분석이며 이것이 최근의

---

19) 허재영 (1997), "정신분석과 정치는 어떻게 만나는가?", 『탈주의 공간을 위하여; 들뢰즈와 가타리의 정치적 사유』, 서울사회과학연구소 편, 서울: 푸른숲, 148–149쪽 참조.
20) Guattari, Felix (1972), *Psychoanalyse et transversalité*, Francois Maspero. 허재영 (1997), 앞글, 149쪽에서 재인용.

성담론에서 섹슈얼리티를 다양한 지향으로 이해하는데 결정적인 개념이 되고 있다. 따라서 멀티미디어에서의 성정체성은 어떤 의미에서는 들뢰즈와 가타리가 말하는 'n개의 성'으로 향해가는 새로운 사회속의 인간이미지를 대변하는 것이 될 수도 있다.

2. 멀티미디어와 성정체성

시뮬라시옹처럼 실재를 대체하는 복제물이 더 실재처럼 느껴지는 포스트모던 사회에서 주체는, 예를 들어 포스터[21] 등의 이론가들에 따르면 이미지와 스타일로 자신을 표현하고 정체성을 구성한다. 이미지 과잉의 사회는 개인으로 하여금 다양하게 제시된 정체성을 선택하도록 한다. 익히 들어온 바와 같이 보드리야르는 현대의 이미지 재현은 본래의 본질적 자아를 보여주기보다는 시뮬라크르를 생산해내는 시뮬라시옹의 대표적인 현상이라고 설명함으로써 새로운 이미지의 다양한 등장에 대해 본격적인 사고를 요구한다. 이러한 이미지 과잉의 사회에서 주체와 정체성의 관계는 다양한 형태로 연관되어 있는데 이를 간략하게 설명하면 다음과 같다.[22]

---

21) Poster, Mark (1995), 앞책 참조.
22) 김혜인 (1998), "사이버스페이스에서의 자아와 정체성 – 새로운 정체성과 주체의 가능성", http://www.cyberculture.re.kr 참조.

주체와 정체성의 관계는 행위하는 개별 자아로서의 주체와 그 주체의 자기의식인 정체성으로서 정의된다. 특히 정체성은 자신이 누구이며 무엇을 할 것인지에 대한 판단의 집합으로, 반복적 실행을 통해 전형화되어 개별 행위들이 통일성을 갖게 한다. 자아는 다소 추상적이고 포괄적인 개념인 반면에 정체성은 개인이 사회적인 공동체 안에서 담당하게 되는 다양한 지위와 역할 속에서 일관성과 연속성을 유지할 수 있도록 해주는 상징적인 구조를 가지고 있다고 하겠다. 또한 자아는 '개인적 정체성'으로, 정체성은 '사회적 정체성'으로 지칭되기도 하는데, 사회적 정체성은 '사회적 범주의 구성원이 됨으로써 나타나는 자기기술(self-description)'인 반면에 개인적 정체성은 대개 '개인의 구체적인 속성'을 지칭하며 '본질적으로 친밀하고 지속적인 개인적 관계에 관련되어 있고 그로부터 출현'하는 것으로 파악된다. 그러나 본 연구에서는 이렇게 자아와 정체성을 구분하기 보다는 자아정체성의 개념에서 접근하는 것이 더 유용할 것이다. 왜냐하면 자아에 대한 정체성이 사회 안에서의 개인의 삶의 과정에서 지속적으로 변화하면서 형성된다는 전제가 포스트모던 페미니즘에서 성정체성을 이해하는데 더 적절하기 때문이다.

버틀러(Judith Butler)는 정체성, 신체, 그리고 성에 관한 모든 이야기가 담론을 통해 결정된 것이라는 명제를 내놓음으로써 신체가 남성 또는 여성으로 표기된다는 사실을 주목하게 만들었다. 정체성은 오로지 학습행위를 통해 습득된다는 사실 또한 강조되었다. 그녀에 의하면 신체는 원본이 없는 복사본으로 문화적 의미에 단순히 외적으로 연관된 것이 아니라 바로 성정체성을 표기함으로써 비로소 탄생하는 구성물인 것이다. 이는 다음의 구절로 더욱 간결하게 표현된다. "그러니까 '육체'라는 개념 자체가 하나의 구성물이다. 남성 또는 여성이라는 표기에 선행하는 신체는 존재하지 않는다".[23] 버틀러의 이와 같은 언급은 신체가 문화의 구성물이며 그 신체가 표상하고 있는 젠더 정체성도 사회 내에서 학습된 문화적 구성물임을 단적으로 보여준다.

근대적 개인과 개인주의 문화의 산물인 자율적이고 이성적인 주체가 합리화·관료화되고 소비주의에 빠져버린 대중사회와 미디어 문화 속에서 개별성을 평준화시키는 사회적 과정에 의해 파편화되고 소멸되고 있다는 주장들은 보드리야르를 비롯한 포스트모더니스트 학자들로부터 흔히 제기되고 있다. 포스트 구조주의 이론가들은 더 나아가 주체와 정체성이라는 개념 자체에 대한 공격을 가하는데 그들은 주관적 정체성 자체가 신화일 뿐이며 언어와 사회의 구성물이라고 주장한다. 또한 주관적 정체성이라는 개념은 한 사람이 진정으로 실체를 가진 주체이고 진실로 고정된 정체성을 가지고 있다고 생각하는 중층 결정된 환상일 뿐이라고 주장한다.[24] 따라서 포스트모던한 문화에서 주체는 찰나적 행복감의 연속으로 해체되고, 파편화되고 분리된다는 주장과 함께 현대적 자아의 이상이자 때로는 성과였던 깊이와 실체, 일관성 등을 더 이상 소유하지 않는다는 주장이 제기되었다. 더 나아가 포스트모던 미디어사회에서 개인은 기껏해야 '단말기의 가장 끝'에 위치한 존재에 불과하거나 '환상적인 통제 시스템' 속에서 인공두뇌학적으로 처리된 효과일 뿐이라고까지 논의되고 있다.

들뢰즈와 가타리는 욕망과 주체성의 분열적, 유목적 분산을 주목하며 현대의 주체의 해체와 분산을 당연한 귀결로 보고 있다. 이러한 이론들에서 정체성은 매우 불안정하거나 아니면 다음과 같은 '포스트모던한 풍경'

---

23) Butler, Judith (1991), *Das Unbehagen der Geschlechter*, Frankfurt a. M.: Suhrlamp, 26쪽.
24) Jameson 1983, 1991; Keller, 1995; 김혜인 (1998), 5쪽.

에서 아예 사라지고 있다. 다음과 같은 묘사에서 이는 극명하게 드러난다. "TV자아는 탁월한 전자적 개인이며 그가 거기에서 얻는 모든 것은 미디어의 모사물로부터 얻는 것이다. 스펙터클한 사회 속의 소비자라는 시장 정체성, 미세한 실타래처럼 엉켜있는 은하…… 정신적 외상을 지닌, 연속물같은 존재."[25] 이러한 포스트모더니스트들의 분석들은 TV, 영화, 광고를 위시한 일방향성 미디어텍스트 분석에 기초하고 있다. 그들 논의의 기저에는 텔레비전이나 다른 미디어 문화형식들이 오늘날의 정체성을 구조화하고 사고나 행동을 형성하는데 핵심적 역할을 한다는 생각이 깔려있다. 따라서 포스트모던한 정체성은 역할 수행과 이미지 구성을 통해 연극적으로 구성된다고 보는 것이다.

하이퍼미디어와의 관계를 맺는 상황에서 주체형성은 새로운 조건의 규정을 받을 수 밖에 없다. 사이버 공간은 개인의 육체가 물질적으로 관여할 수 있는 공간이 아니기 때문에 육체의 참여가 불가능하다. 전자적 공간 안에서 의사소통하는 동안 이를 매개하는 기호들만이 눈앞에 보이는 상황이지만 컴퓨터 앞의 인간은 컴퓨터로 매개되는 경험, 욕망 등을 본인의 것으로 갖게되는 기이한 현상 속으로 들어가게 된다. 이때 '진정한 자아'라는 개념에 대한 근본적인 회의가 등장한다. 인터넷과 사이버 공간에서는 앞에서 언급한 TV미디어에서 이루어지는 문화적 분절보다도 더욱 현저하게 정체성의 분절화현상이 나타난다. 포스터에 의하면 인터넷과 같은 쌍방향적이며 탈중심화된 미디어의 급속한 출현 상황에서는 근본적으로 다른 문화적 정체성의 변화가 일어나고 있다. 근대사회가 이성적이고 자율적이며 중심화되

---

25) Kroker and Cook (1986) 24쪽, 김혜인 (1998), 6쪽에서 재인용.

고 안정된 개인을 길러냈다고 할 수 있다면, 아마도 포스트 모던 사회는 현대적 주체와 전혀 다른, 심지어는 그것에 대립되는 정체성의 형태들을 길러내기 시작했다고 할 수 있을 것이다. 또 전자 커뮤니케이션 테크놀로지들은 의미심장하게도 이러한 포스트모던의 가능성을 확장하고 있다.

버츄얼 리얼리티, 즉 가상현실은 현실성이되 분명하게 존재하는 실재적인 하나의 현실성이 아니고 화면 안에서 복수로 존재하는 다양한 형태의 현실성이다. 이로 인해 미디어는 원본을 화면을 통해 매개하면서 시뮬레이션화하고 있다. 버츄얼 리얼리티는 컴퓨터가 만들어낸 장소이며 이때 참여자의 위치는 미리 짜여진 컴퓨터 프로그램이나 영화 시나리오에 따라 결정되는 것이 아니라 그들의 실제 행동에 따라 결정된다. 이것이 TV와 같은 미디어와의 차이를 보이는 지점이다. 진짜의 현실과는 다른, 시뮬레이션이 일상적으로 일어나는 모니터 속에서 자아정체성이 형성되는 조건은 그 근본부터 변화하는 것이다.

사이버 공간의 대표적 특성 가운데 하나가 익명성이다. 익명성은 근대 산업 사회 속에서 형성되던 개인의 단일하고 고정된 정체성이, 유연하게 변화가능하고 중첩적으로 표현되어 개인의 다양성을 촉발하는 포스트모던한 사회의 정체성으로 바뀌는 단계에서 중요한 디딤돌 역할을 한다. 익명성은 좀더 자유롭고 원활한 의사소통을 보장하는데 이는 여성들에 있어서 더욱 두드러진다. 왜냐하면 면대면(面對面) 커뮤니케이션상황은 신분과 성별이 노출되므로 기존의 사회적 관행에 따라 형성된 위계적 의사소통 분위기가 명시적이건 묵시적이건 영향력을 행사하기 때문이다. 커뮤니케이션학자인 제프[26]에 의하면 여성들은 남성들보다 신분을 숨기기 위해 익명을 더 많이 사용하는 경향이 있는데 익명사용은 여성들에게 첫째, 심리적 안정감을 제공하고, 둘째, 성의 정체성 확인에 따른 성적인 차별대우

및 공격에서 벗어날 수 있으며, 셋째, 성에 대한 정형화된 틀에서 자유로워진다. 서로 얼굴을 대하지 않고 컴퓨터를 매개로 하여 비면대면(非面對面)으로 관계를 맺을 때는 현실의 자신의 모습이나 역할로부터 보다 자유로운 상황에서 자신의 정체성을 구성할 수 있고 이를 표현할 수 있다. 즉 가면 속에서 자신의 신분을 감춘 여성들은 젠더와 관련된 정형화된 틀과 사회기대감으로부터 덜 위축된다. 왜냐하면 '그' 혹은 '그녀'가 아닌 '당신'으로 지칭되는 상황에서는 성별을 의식할 필요가 없기 때문이다.

멀티미디어에서 정체성은 여러 가지 방식으로 표현되는데 우선 문자와 기호로 ID를 만들어 이를 통해 나타나는 경우가 있고 다음에는 아바타 등의 캐릭터로 나타나며 마지막으로 게시판 등에서 자신을 다양하게 정의하면서 언어로 나타난다.

3. 사이보그와 몸개념의 분절화

1) 디지털시대의 몸인식론 – 분절화되고 사라지는 몸

이전의 흔적이나 기억들을 지우고 언제든지 새로이 출발할 수 있는 컴퓨터와 멀티미디어로 대변되는 디지털시대에서의 주체는 가상현실에서

---

26) Jaffe, M. et al., "Gender, pseudonyms, and CMC masking identities and baring, souls," http://research.haifa.ac.il/~jmjaffe/genderpseudocmc/intro.html.

뿐 아니라 구체적 현실에서도 다중인격의 구조를 가지고 있다는 점이 점차 확인되고 있다. 이러한 변화를 문화적으로 볼 때 인류의 역사가 구술문화에서 문자문화를 거쳐 이미지문화로 변화해가고 있음을 이해할 수 있고 이에 따라 인간의 정체성을 구성하는 주체 역시 '말하는 주체(the oral subject)'에서 '글쓰는 주체(the written subject)'를 거쳐 '가상주체(the virtual subject)'로 변하였다.[27] 글쓰는 주체로 표상되는 근대의 사람들에게 세계는 고정되고, 안정적이고, 불변적인 사회이어야 했고 그렇기 때문에 스스로를 이해하기 위해 정적이고 통일적이고 안정적인 주체를 필요로 했다. 그런데 끊임없이 자기 증식하는 하이퍼미디어의 등장은 주체를 다시 유동적이고 가변적이고 분산적인 것으로 만들고 있다.

근대적 의미에서의 노동이 앞에서 살펴본 것처럼 몸을 하나의 종합적인 매개체로 하여 통합적으로 이루어진 것에 반해 탈근대적 사회에서 몸은 분절화되고 더 이상 노동의 도구로 기능하지 않는다. 몸의 분절화현상은 근대산업 사회에서의 분업체계를 통해서, 그리고 후기 산업 사회에서의 노동의 유연화를 통해서 뿐 아니라 현대서양의학이 몸을 세분화하여 과학의 대상으로 삼는 것에서부터 시작된다고 할 수 있다. 이에 더 나아가서 인공신체이식이나 일반적인 사이보그에서도 몸의 분절화현상은 나타난다. 분절화된 여성의 몸의 각 부분이 갖고있는 기억과 이에 각인된 경험을 토대로 한 하이퍼텍스트소설은 바로 이러한 분절화현상이 자아의 새로운 조합을 가능케 한다는 점을 보여주는 좋은 예라고 할 수 있다. 몸의 분절화된 경험인식은 셸리 젝슨의 하이퍼텍스트 소설, *The Body*에서 극명하

---

27) Hayles, Katherine (1999), "The Condition of Virtuality", in Peter Lunenfeld(ed.), *The Digital Dialectic*, Cambridge, Mass.: MIT Press, 91–93참조.

게 나타난다.

 *The Body*의 첫 장면에는 남성의 얼굴이 그려져 있는데 거칠게 숨쉬는 소리, 혀를 내밀고 있는 그의 표정은 어떤 대상을 향하여 야유하는 것 같기도 하고 친근감을 표시하는 것 같기도 하다. 마우스의 부드러운 감촉을 느끼면서 화면을 바라보면, 화면의 화살표는 손으로 변하여 응시하고 있는 남자의 얼굴을 어루만지면서 곧 화면 가득히 여성의 나체가 떠오른다. 비로소 남성이 응시하고 있는 것, 욕망하고 있는 것으로서 텍스트의 정체성이 드러나는데 화면을 연 주체가 독자의 손이라는 점에서 텍스트와 독자는 융합한다. 다시 독자의 '손'(동시에 남성의 혀이기도 하다)이 여인의 몸(텍스트의 몸이기도 하다)의 부분들을 열어나가는데 각 부분마다 그 부위에 대한 여인(작가)의 체험과 상념들이 화면에 문자로 뜬다.[28] 다시 말하자면 여성의 몸 각 부분이 갖고 있는 기억과 이에 각인된 경험이 몸의 각 부분을 클릭하면 각기 가지를 치면서 검색된다. 이러한 분절화된 경험은 하우그가 여성의 성사회화(sexualization)과정을 각 신체부위별 기억과 경험을 바탕으로 기술한 『마돈나의 이중적 의미』[29]에서도 찾아볼 수 있다.

 몸이 파편화하고 분절화하는 현상은 근대적 의미에서 몸을 통합적으로 보고 이를 통한 여성의 세계인식의 장이 통합적이라고 해석했던 것과는 대조적인 몸의 인식론을 유추해낼 토대가 된다. 컴퓨터와 미디어를 조작하는 노동은 이미 근육질 노동과는 다른 수행과정을 갖는다. 즉 마우스를

---

28) 최혜실 (2000), "한국 디지털 서사의 현황과 전망: 한국 하이퍼텍스트 소설의 가능성을 중심으로", 한국영상문화학회 2000년 가을 학술대회 발표문, 96쪽 참조.

29) 프리가 하우그 외 (1997), 박영옥 역, 『마돈나의 이중적 의미: 슬레이브걸과 일상적 성사회화』, 인간사랑, 참조. 이 책의 주요 방법론인 기억기술작업(Erinnerungsarbeit; memory work)은 여성이 어떻게 자신의 신체에 대한 기억과 경험을 '성적인 존재로서의 여성'의 자아와 연결시키는가를 보여주는데 유용한 방법으로 부각되고 있다.

조작하는 손의 촉각에 따라서 내재해있던 우연성은 언제라도 현실로 촉발될 수 있으며 다음 단계로의 진행은 이러한 우연성과 즉각적인 욕망의 흐름에 따라 이루어진다. 이러한 우연성에 의해 가상현실이 눈앞에 전개되면서 현실세계에 놓여있는 몸과 섹슈얼리티는 하나의 확고한 물질로 존재하지 않고 화면을 따라 다양하게 분열되어 나간다. 게임에 몰입하거나 대화방을 통해 화면에 비추어진 자신을 하나의 대상으로 바라보는 10대들에게 있어서 몸과 섹슈얼리티는 언제든지 '게임종료(game over)' 하고 빠져나갈 수 있는, 수많은 자아 중의 하나로서 자신을 인식하게 된다. 이렇게 수많은 '나' 가운데 하나가 자신의 n개의 섹슈얼리티 중 하나를 사용할 수 있으며 그 결과 자아와 몸이 별개로 작동되고 이러한 '욕망하는 기계'의 작동 결과는 예를 들면 원조교제 같은 것으로 나타나기도 한다.

컴퓨터 키보드와 스크린과 같은 인터페이스는 우리의 공간을 확장시킬 뿐만 아니라 우리를 가상현실 속으로 편입시킨다. 만약 우리가 스크린의 가상 공간 속으로 빨려 들어가고 있다는 인상을 가진다면 우리는 이미 우리의 육체의 한계를 재인식하고 있을 뿐만 아니라 새로운 자아와 주체성을 형성하고 있는 것이다.[30] 육체의 한계야말로 디지털시대의 인간의 존재의미를 성찰하게 하는 명제다. 육체를 사용하는 노동이 사라지고 육체가 거하는 현실이 실재가 아닌 가상현실이 되는 사회 문화적 조건에서 사이보그를 거쳐 몸의 전혀 새로운 패러다임이 요구되고 전개되는 시대가 되는 것이다.

---

30) Wertheim, Margaret (1999), *The Pearly Gates of Cyberspace. A History of Space from Dante to the Internet*, New York: W.W. Norton & Company 참조. Wertheim의 추론에 의하면 멀티미디어에 의해 형성되는 가상현실은 새로운 공간을 창조할 뿐 아니라 새로운 지각양식을 발전시킬 것이며 세계를 지각하고 이해하는 방식이 달라지면 우리의 주체성 역시 근본적으로 변화할 것이다. 이진우(2000), 앞글 44쪽 참조.

디지털시대에 등장하는 자아는 대체로 다음의 두 유형으로 분류된다. 하나는 구체적 현실과 가상현실 사이에 어떤 장애와 단절도 인식하지 않고 직접성을 경험하고자하는 '몰입적 자아'이고, 다른 하나는 '디지털 멀티미디어가 구성하는 하이퍼미디어의 그물망 속에서 스스로를 규정하는 매개된 자아'이다.[31] 후자는 한 매체에서 다른 매체로 끊임없이 움직임으로써 스스로를 거대한 연결망의 한 부분으로 생각하며 이때의 자아는 다양한 매체들 사이의 유동과 이전을 통해 규정된다. 이러한 과정에서 두 가지 양가적인 욕망이 표출되는데 하나는 아무런 매개없이 자기 자신으로서 존재하고 싶다는 직접적인 욕망과 다른 하나는 미디어를 통해 자신의 자아를 표현하고 싶다는 욕망이 그것이다. 여기서 몸은, 어떤 의미에서는 사라지고 또 다른 의미에서는 매개체로서 다시금 등장한다. 따라서 디지털시대의 몸은 노동이 제거되고 물질성을 벗어나면서 사라지지만 하이퍼미디어로서 가상현실 속에서 유목적 주체(nomadic subject)로 떠다닌다. 여성의 몸에 오랜 역사를 통해 각인된 차별의 흔적은 해러웨이의 사이보그로 상호 작용하는 미디어로서의 몸을 통해 벗어버리고 싶은 외피로 변형된다.

2) 사이보그 유목민

사이보그는 사이버네틱스(cybernetics)[32]와 유기체(organism)의 합성어로서 '사이버네틱스 원리에 따라 제작된 기계-유기체'로서의 인간을 의

---

31) 이진우 (2000), 앞글 45쪽.

미한다. 즉 사이버네틱 유기체로서 현대의 정보 미디어기술에 내재하고 있는 '육체의 인간에서 의식의 인간으로'의 변화 경향이 사이보그라는 개념으로 표현된다. 단어로서 사이버는 인공지능 또는 가상이라는 의미와 구체적 기술을 지시할 뿐만 아니라, 더 포괄적인 정보기술의 메타이론을 함축하고 있다. 다시 말해 정보기술의 발달에 의한 인간과 사회의 변화를 의미하며 유기체론 측면에서 인간은 정보처리, 의사소통 그리고 전환없이는 그 존속과 유지가 불가능하다는 것을 보여주고 있다. 최근 들어 사이버페미니즘[33]에 대해 논의하기 시작하는 학자들에 의하면 사이버스페이스에서 익명성, 비면대면성, 표현의 자유, 전자언어의 사용으로 인하여 사회현실의 억압구조가 해체되면서 새로운 질서가 형성될 것이고, 이것이 상호작용적으로 반영되면서 성적 억압이나 차별구조가 약화하리라고 전망하고 있다.

사이보그의 구체적인 예는 게임의 캐릭터나 요즘 유행의 열풍을 일으키고 있는 아바타에서 찾아볼 수 있다. 최근 들어 사용되는 아바타는 사이버 공간에서 채팅이나 가상현실게임을 할 때 자신의 분신을 의미하는 시각적 이미지로서 사용자의 역할을 대신하는 애니메이션 캐릭터를 뜻한다. 아바

---

32) 사이버네틱스는 사이버라는 접두어로 일반화되어 사용되고 있다. 원래는 배의 키를 잡는다는 뜻을 가지고 있으며 이는 조종하다 라는 의미로, 더 뒤에는 통치하다 라는 의미로 확장되었다. 원래 그리스어인 사이버네틱스를 현대적 의미로 되살린 사람은 미국의 수학자 노버트 위너였다. 그는 정보의 소통에 관한 새로운 통합학문을 설립한 사람이기도 한데, 이 통합학문의 명칭으로 그가 채용한 것이 바로 사이버네틱스였다. 다시 말해서 정보의 소통을 통한 조종과 통제의 학문, 이것이 사이버네틱스의 현대적 의미이다. 홍성태, 「서문: 사이버문화의 도전과 유혹」, 홍성태 엮음, 『사이보그, 사이버컬쳐』(문화과학사, 1997) 참조. 이 설명에 따르면 '사이버'라는 접두어는 통상 '인공두뇌' 내지는 '가상'이라는 뜻으로 사용되고 있다.
33) 사이버페미니즘을 공식적으로 사용한 학자는 "Cyberfeminism with a Difference"라는 글을 쓴 로지 브라이도티이다. http://www.let.uu.nl/womens_studies/Rosi/cyberfem.htm 참조. 또한 이와 유사한 논의는 Neutopia Plant, Donna Haraway 등에 의해 전개되고 있다.

타는 그래픽 위주의 가상사회에서 자신을 대표하는 가상 육체라고 할 수 있다. 현재 아바타가 이용되는 분야는 채팅이나 온라인 게임 외에도 사이버 쇼핑몰, 가상교육, 가상오피스 등으로 확대되었다. 근래에 가장 각광받는 분야는 온라인 채팅서비스, 아이콘채팅, 3차원 그래픽채팅 등으로 아바타를 이용한 채팅서비스들이다.

맥루한의 '미디어는 메시지'라는 명제가 가장 극명하게 구현된 것이 멀티미디어라고 한다면 아바타는 바로 메시지가 신체이미지로 구현된 경우라고 할 수 있을 것이다. 인간의 자기변신 또는 복수의 자아(multiple selves)를 향한 욕망과 자아 묘사의 구체적인 항목들이 메시지가 되어 이미지화한 것이 아바타이기 때문이다. 이러한 과정을 더듬어보면 아바타는 보드리야르의 '기술은 신체의 연장'이라는 관점이 그대로 드러나는 가상 육체다. 신체가 곧 매체라는 지적에서 보드리야르의 관점은 맥루한의 미디어론과 연결된다. 그의 미디어로서의 신체론은 다음과 같은 언급에서 구체화된다. "전통적인 관점에서는 기술은 신체의 연장이다. 기술은 인체 기관의 기능적 첨단화로서, 이 기관이 자연과 동등하고 자연을 압도적으로 개발하도록 허용해준다. 이는 마르크스로부터 맥루한에 이르기까지, 기계와 언어에 대한 동일한 도구적인 관점이다. 여기서 기계와 언어는 이상적으로 인간의 유기체적 신체가 되도록 운명지어진 자연의 계속, 연장, 매체이다. 이러한 합리적 관점에서는 신체 자체도 매체일 따름이다"[34] 보드리야르의 이러한 논의는 이제 아바타가 단순한 시뮬라크르로서의 지위를 넘어서서 사용자 스스로가 아바타에 심리적으로 전이되는 단계에 이르

---

34) 보드리야르, 장 (1992), 하태환 (옮김), 『시뮬라시옹』, 서울: 민음사, 앞책, 175쪽.

고 있음을 보여준다. 아바타에 온갖 정성을 다하는 젊은 세대의 아바타꾸미기가 바로 현실, 좀더 구체적으로는 현실의 자기 몸과 정체성을 떠나고 싶은 이들의 욕망을 아바타가 대신해줌으로써 시뮬라크르 이상의 지위가 부여되는 현상을 보여주는 단적인 예다.

아바타는 사이버스페이스에 존재하는 자기이면서 육체의 이미지를 갖고 있기 때문에 좀더 확대된 의미에서 사이보그로서의 정체성을 갖는다. 사이보그로 분류할 수 있는 이유는 현재 진행되는 아바타 기술의 급속한 발달에서 찾아볼 수 있다. 우리 신체의 일부분에 전자장치를 부착함으로써, 또는 신체 내부에 감응장치를 내장함으로써 아바타를 만들어내는 단계로의 실험이 이루어지고 있기 때문에 머지않아 명실상부한 사이보그의 수준으로 발달할 가능성은 이미 충분하다.

3) 사이버 에로티시즘과 몸 개념의 분절화

사이버 공간에서의 몸에 대한 개념은 양극화된 두 가지 현실에서 분절화되고 있다. 즉 앞에서 언급한 해방적 의미의 기표로서의 물질적 육체성이 점차 배제되고 있는 사이보그와 사이버 포르노그래피를 통해 극단적으로 물질적인 몸, 성기화된 몸을 강조하는 측면이 그것이다. 사이버 포르노그래피는 사이버 공간의 세 가지 특성, 즉 익명성과 즉각성, 그리고 복제가능성을 최대한 이용하여 급속히 확산되고 있다. 사이보그가 육체의 물질성을 점차 희석시켜 성별을 지우려는 반면 사이버 공간에서의 포르노그래피는 비록 물질적 육체는 아니지만 화면이 매개하는 환상 속에서 더욱 몸의 물질적 측면을 강조함으로써 현실의 성역할을 고정하는 효과를 갖는다.

한편으로 이 두 가지 양극의 변증법적 합의 측면에 인간과 컴퓨터 테크놀로지의 융합이 자리하면서 인공적 섹슈얼리티를 새로운 담론의 영역으로 끌고 왔다. 스프링거[35]에 의하면 대중문화는 컴퓨터 인간을 낳음으로써 이로 하여금 고도로 진화한 지성을 갖추고 인간 육체의 불완정성을 벗어나도록 한다. 그런데 불완전한 인간의 육체를 비난하며 인간/테크놀로지의 완성에 대한 비전을 표상하려 할 때에도 대중문화는 동시에 육체나 육체 기능과 연관된 언어와 이미저리를 사용한다고 설명하면서 이로 인해 컴퓨터 테크놀로지는 물리적 육체로부터의 도피와 에로틱한 욕망의 충족을 동시에 표상하는 모순된 담론의 지위를 차지하게 된다고 지적한다. 스프링거는 SF 작가인 발라드의 말을 인용함으로써 이를 공고히 한다. "나는 유기적 섹스, 육체에 대항하는 육체, 피부에 대항하는 피부가 더 이상 가능하지 않게 되었다고 믿는다…… 우리가 갖게 된 것은 완전히 새로운 성적 환상의 질서이다. 그것은 차의 충돌과 같은, 제트기 여행과 같은 상이한 경험의 질서를 포함하는 것이며, 새로운 테크놀로지, 건축, 인테리어 디자인, 의사 소통, 운송, 상품 판촉을 전체적으로 뒤집어씌우는 것이다. 이들 사물들이 우리 삶 속에 도달하기 시작하면 우리가 품는 성적 환상의 내부 디자인을 변화시킨다".[36]

스프링거는 이를 통해 대중문화가 사이보그를 표상하는 과정에서 때때로 육체적 존재를 강화하기도 하는 것을 다음과 같이 지적한다. "대부분

---

35) Springer, Claudia (1996), *Electronic Eros*, Austin: University of Texas, 『사이버 에로스 – 탈산업시대의 육체와 욕망』, 한나래, 77쪽.
36) Ballard, J. G.(1970), interview by Lynn Barber, Penthouse, September 1970; Re/Search 8-9, p.157 재수록, Springer(1996), 78쪽에서 재인용.

의 전자적인 체계가 그것의 타자, 즉 물질성과 섹슈얼리티를 고양하는 로봇 부품을 지닌 근육질의 인간 육체로 표상된다. 달리 말해 오늘날의 많은 텍스트들이 표상하는 미래에 있어서 인간의 육체는 폐기되지만 그럼에도 불구하고 섹슈얼리티가 지배적이다."[37] 이는 사이보그에 있어서도 육체의 물질성이 완전히 사라지지 않고 오히려 물질적 육체의 감각적인 측면이 섹슈얼리티라는 형태로서 계속 전수되고 있음을 직시하게 한다.

4. 젠더 정체성의 전복과 성찰

사이버 공간에서 구현되는 성정체성의 전복은 리비에르(Joan Riviere)가 역설한 가면(masquerade)으로서의 여성성 패러디와 상통하는 점이 있다. 프로이트의 동문이자 번역가인 리비에르가 1929년 『국제 정신분석학 저널』에 기고한 논문 제목이기도 한 "가면으로서의 여성성 Womanliness as a Masquerade"은 성별 수행이라는 게임과 여성적 초자아가 문화적으로 규정된 허구의, 즉 겉옷같은 가면이 투사된 것에 불과하다는 점을 강조하면서 여성의 가면이 생물학적으로 주어지는 본질주의적 성격을 갖는 것이 아니라는 점을 인식시킨다. 그녀는 가정과 가설에 의해 여성의 본질로

---

37) Springer (1996), 앞책, 78쪽.

규정된 가면이나 베일을 특히 여성에 적합한 기표로 취급하는 철학을 인용하면서 여성성이란 이런 것이 마치 존재하는 것인 양 꾸며지도록 후원하는 사회구조와 동일한 계략적 은폐로 간주한다. 따라서 이렇게 구성된 허구와 은폐 뒤에 절대 고정된 여성성은 없으며, 다만 여성 주체로 하여금 뜻도 모르고 모방하고 흉내내게 함으로써 여자가 되도록 유도하는 사회 관습과 규범이 있을 뿐이며 따라서 여성성이란 존재학적으로 근거가 없는, 쉽게 와해될 수 있는 일련의 코드 혹은 양식에 불과하다고 주장한다.[38] "그러므로 여성성이란, 마치 도둑이 자신의 호주머니를 뒤집어 보이며 아무 물건도 훔치지 않았다는 사실을 증명하기 위해 조사해 보라고 요구하는 것과 같이, 남성적인 것을 감추기 위해, 그리고 여성이 남성적인 것을 소유하고 있다고 발각되었을 때 받아야하는 처벌을 회피하기 위해, 가면으로 쓰고 있는 것으로, 혹은 가명으로 전제될 수 있을 것이다. 독자는 지금 본인이 어떻게 여성성에 정의를 내렸는가를, 아니면 어디에서 진정한 여성성과 '가면' 사이의 경계를 긋고 있는가를 물을지도 모르겠다. 그러나 본인은 이 둘은 동일한 것이라고 제의하는 바이다. 파격적이든 피상적이든 둘은 같은 것이다."[39]

리비에르의 가면 개념을 차용해서 설명하자면 아바타를 통해서 여성들은 여성성의 가면을 쓰고 있거나 또는 젠더스와핑을 하건 간에 실제세계의 성별을 완전히 여성성의 가면 뒤에 숨기고 있는 것일지도 모른다. 그렇다면 과연 아바타를 사이보그로 상정했을 때 성별로부터 완전히 벗어나는 것이 가능하다는 가정을 그대로 받아들일 수 있는가 생각해볼 일이다.

---

38) Irigaray, Luce (1980), 앞책 참조.
39) Riviere (1986), 38쪽; 『페미니즘과 정신분석학 사전』 390쪽에서 재인용.

터클(Sherry Turkle)은 사이버 공간에서 일어나는 젠더 스와핑의 경험이 젠더의 사회적 구성을 성찰해보는 계기를 마련한다고 역설한다.[40] 터클은 다음과 같이 이 논의를 전개한다. 사이버 공간에서의 젠더스와핑은 당연히 현실에서의 그것보다 훨씬 쉽다. 현실공간에서 남자가 여자처럼 차리고 돌아다닐 때 겪을 법한 일을 상상해보면 쉽게 알 수 있다. 그러나 현실이든 사이버 공간이든 간에 다른 젠더를 연출한다는 것은 그다지 쉬운 일은 아니라는 점이 이내 드러난다. 그러니까 폭력에 노출되기 쉬운, 현실의 젠더스와핑과는 달리 온라인 상에서는 일단 그것이 쉽기는 하지만 다른 젠더를 연출하고 이를 유지한다는 것은 현실에서 만큼이나 어렵다. 왜냐하면 예를 들어 남자가 상당 기간 동안 자신을 여자로 통하게 하려면 여자들의 어법, 품행방식, 경험의 해석방식을 훤히 알고 있어야한다. 그래야만 이 연출이 오래 지속될 수 있다. 이러한 이유로 사이버 공간에서의 크로스-드레싱도 생각만큼 쉬운 일은 아니라는 것이다. 터클은 사이버 공간에서 젠더스와핑을 하려는 동기가 남자들 혹은 여자들 세계에 대한 단순한 호기심 이상의 것이 있는데 바로 생물학적 젠더에 의해 야기되는 갈등들을 탐구해보는 모든 기회가 제공되는 젠더스와핑을 통해 젠더가 우리들의 기대치를 형성하는 방식에 대한 성찰을 촉구한다고 해석한다. 즉 젠더의 사회적 구성에 대해 성찰하게 되고 다시 한번 확인하게 된다는 것이다. 예를 들어 머드게임에서 여자 캐릭터들은 도움 제공을 많이 받지만 남자 캐릭터들은 도움을 제공받는 경우가 거의 없는데 이것은 여전히 현실 세계에서의 남녀관계를 그대로 반영한다고 하겠다. 좀더 복잡한 젠더 정

---

40) Turkle, Sherry (1995), *Life on the Screen-Identity in the Age of The Internet*, New York: Simon & Schuster, 212-213쪽.

체성의 분절화 현상이 터클이 제시하는 사례들에서 발견된다.

개럿이라는 28세의 남성 컴퓨터 프로그래머는 1년 동안 여자캐릭터를 하고 있다. 개럿이 아기일 때 부모가 이혼을 하고 어머니와 함께 살았는데 사촌형으로부터 괴롭힘을 많이 당하면서 자랐다. 그러나 어머니는 개럿을 보호해주지 못하여 그는 남성들의 공격이 남성들의 힘에 의해서만 통제가능하다고 믿게 되었다. 한편 아버지의 부재로 인해 그는 가족내에서 협동적이고 도움을 베푸는 성격을 지니게 된다. 또한 명문학교 입학 후 선후배간의 권위적이며 경쟁적인 분위기에 질리게 되고 졸업 후 다시 원래의 친절한 성격을 발휘하는데 여자들에게도 친절하게 대할 경우 어떻게 한번 해보려는 저의가 있는게 아닌가 하는 의심을 반복적으로 받게 되는 문제에 봉착한다. 그가 도달한 결론은 여성들은 남성들을 돕는데 자유로운 반면 남성이 도움을 주려하면 뭔가 다른 뜻이 있는게 아닌가 하는 의심을 받게 된다는 것이다. 개럿은 머드게임에서 여자캐릭터로서 활동하면서 비로소 비난을 받지 않으면서 도움을 주고 협동할 수 있는 입지를 얻게 되었다. 이것이 그가 여자 캐릭터를 1년 이상 유지하는 이유다.[41)]

이를 통해 개럿은 젠더에 대해 성찰해볼 수 있는 경험을 하게 되었고 여성으로서의 젠더플레이를 통해 훨씬 편안하게 행동할 수 있었으며 이는 여성과 남성에 대한 현실세계의 시선이 그대로 통용되는 것이었다고 깨닫는다. 나중에 개럿이 머드게임 친구들에게 자신이 남성이라고 고백했을 때 이들은 이제 그를 남성이라고도, 여성이라고도 믿지 못하는 상황으로 빠져든다. 그런데 개럿과는 정반대의 경험을 한 여성의 사례도 제시되고 있다. 바로 조라는 34세의 여성이 그 주인공인데 그녀는 4개의 머드에서 남성과 여성의 캐릭터를 연출한 경험이 있다. 실제 세계에서 조그만 회사

---

41) Turkle (1995), 앞책, 216-219쪽.

의 재정관리자인 여성이 머드에서 남성으로 역할을 하면서 경험한 바는 역할극을 연상시키면서 젠더와 연관하여 여러 가지를 생각하게 한다.

위의 사례에서 보면 각자가 어떤 이미지를 가지고 있던 간에 양성 간의 젠더에 대한 실습을 통해 젠더 정체성과 역할에 대해 이해가 더 잘 이루어지는 것을 볼 수 있다. 한편 현실과는 다른 성격을 부여함으로써 복수의 인간성을 보이는 경우도 있다. 터클이 제시한 또 다른 사례에서 케이스라는 산업디자이너는 게임에서 여자로서 역할을 하는 것이 공격적인 성향을 드러낼 때에도 비난을 받지 않는다는 경험을 하면서 여자 캐릭터로 분한다. 그는 특히 '캐서린 햅번 타입'으로 게임을 하는데 이 타입은 바로 강하고, 역동적인 그의 어머니의 이미지로부터 차용한 것이다.

어떤 사례에서든 공통적인 것은 현실세계에서 용이하지 않은 젠더스와핑을 통해 젠더의 사회적 구성을 다시 한번 확인하게 되고 또한 상대 젠더에 대한 이해의 폭을 넓히는 계기가 된다는 것이다.

5. 사이버 공간은 과연 몸과 정체성의 해방구인가?

멀티미디어는 빠른 속도로 다양하게 발전해나가고 있으며 이에 따라 멀티미디어를 다루는 인간들의 기계와의 교섭은 점차 그 경계가 불투명해지고 있다. 인공지능의 등장이 예고되면서 사이보그는 실제로 실현 가능한 대표적인 예가 되고 있다. 그런데 해러웨이가 예고했던 밝은 미래와는 다른 방식으로 사이버 공간의 문화적 허구에 대해서 논의하는 발사모의 이론은 사이보그의 취약한 기반에 대한 주의를 요구하고 있다.

발사모는 가상현실의 경험이 완전히 물질적 육체와 상관없이 이루어지는 것이 아니라 물질적 육체에 대한 자의적인 억압에 의존하고 있다고 주장하면서 해러웨이의 사이보그와 관련한 유토피아적 전망과 다소 다른 진단을 내리고 있다.[42] 즉 어떤 게임들이 사용자들로 하여금 아바타나 꼭두각시(자기 자신의 시뮬레이션)를 설계할 수 있도록 할 수 있을지도 모르지만 더욱 자주 가상현실은 육체에서 해방된 환경, 성과 인종의 신체적 구현에서 탈출한 장소로 선전되고 있음을 주목하면서 오히려 육체에 대한 이 같은 개념적 부정이 물리적 육체에 대한 물질적 억압을 통해 성취된다는 점을 논거로 내세워 가상현실 기술들에 대한 이데올로기적 비판을 확장해야할 필요가 있음을 주장하고 있다. 그녀는 이러한 주장을 통해, 가상현실과의 만남이 실제로 제공하는 것은 현실과 자연에 대한, 특히 다루기 힘들고 성과 인종의 표징을 지니고 있으며 본질적으로 사멸할 육체에 대한 통제의 환상이기 때문에, 가상현실로 우리가 육체에서 자유로운 우주라는 전망을 부여받았다는 이데올로기에도 불구하고 육체의 재구성이 문화적 정체성의 재구성을 보장하지 않는다고 비판한다.[43] 또한 발사모는 제임슨(Frederic Jameson)의 논의와 맥을 같이 하면서 다음과 같은 제임슨의 비판적 관점을 인용한다. "사이버스페이스는 탈중심화한 전지구적 네트워크의 공간으로서 육체적이고 물질적(corporeal) 지역성과 초국가적으로 교류하는 현실의 총체성 사이의 관계의 지형도를 구성하도록 놔두는 개인

---

42) 발사모 (1995), 앞글, 225쪽.
43) 발사모 (1995), 앞글, 225-232쪽 참조.

/주체를 위한 당황스러운 장소이다."[44] 이러한 언급을 통해서 발사모는 문화적 정체성의 재구성을 보장해주기에는 기본적으로 가상현실 속의 육체가 언제든 깨어질 수 있는 환상에 기반하고 있기 때문에 육체의 물질성이 결여되어 있다는 점을 고려해야한다는 점을 강조하고 그렇기 때문에 사이버스페이스가 상정하는 자유로움이나 탈중심화가 일종의 문화적 허구일 수도 있다는 점을 다시 한번 상기시키고 있다.

해러웨이가 전망한 바와 같은 사이버 공간에서의 탈육체화가 아직은 요원하다고 할지라도 이 논의의 상징적 의미는 크다고 할 수 있다. 더욱이 근래 들어 점점 부정적인 영향력을 행사하고 있는 사이버 공간의 포르노그래피의 확산 등 몸에 대한 분절화현상을 고려해볼 때 해러웨이의 논의는 시사하는 바가 크다. 고정된 젠더 정체성에서 유동적인 정체성으로의 분절화는 오히려 젠더의 오랜 허물을 벗어버릴 수 있는 새로운 다양성의 세계가 열리는 것으로 이해한다면 이것이 그리 지나친 낙관은 아닐 것이다.

---

44) 발사모 (1995), 앞글, 4쪽에서 재인용.

10장 · 사이버 공간에서 유목하는 여성 주체

1. 아바타, 가상현실, 사이보그

인간은 누구나 한번쯤 현재의 자기와 전혀 다른 자기를 꿈꾼다. 그것은 자기 안의 수많은 자아 중 어느 하나에 심리적으로 집착하는 방식으로 나타나기도 하고 외모를 바꿈으로써 조금의 변화를 꾀하는 방식으로 현실화하기도 한다. 매일 매일 옷을 바꿔입는 것으로부터 성형수술까지 지금의 내가 아닌 다른 자기를 추구하는 방식은 그 정도에 따라 다른 효과를 가져온다. 성별을 바꾸는 트랜스젠더의 경우는 아마도 가장 극단적인 변신일 것이다. 한편 역할의 일시적 변환은 비교적 용이하다. 영화배우나 연극배우의 경우 얼마든지 다른 사람으로, 또는 다른 역할로의 변신이 가능하다. 그러나 이 경우에 있어서도 물질적인 육체가 기본적인 전제조건이다. 오프라인에서 실제의 자기를 바꾸는 것의 범위와 정도에 일정한 한계가 있는 점과 비교하면 사이버 공간에서의 자기변신은 무한대로 가능하다.

사이버 공간에서의 자기변신의 첫 번째 단계는 비교적 단순한 단계로서 문자적인 변신이다. 즉 전자우편에서 사용하는 이름(ID)을 만드는 단계에서의 변신이다. 대부분의 사람들은 ID에 조금이라도 자신의 특성을 반영하려 노력한다. 이름의 이니셜을 따기도 하지만 예를 들어 자기가 되고싶은 어떤 역할을 넣기도 하고 자신의 신념을 표현하는 단어로 ID를 만들기도 한다. 이 또한 변신의 욕망과 연결된다. 또한 채팅에서 자신의 아이덴티티를 임의로 설정할 수 있다. 성별, 나이, 직업 또한 얼마든지 기술하기에 따라 지금의 나와 전혀 다른 인물로 자기를 표현하는 것이다. 한편 마지막 단계의 변신은 아바타를 통해서 이루어진다. 앞의 두 경우가 실재 세계에서의 자기를 완전히 떠나지 못한다면 아바타를 통해서 사람들은 비로소 화면 속에 전혀 새로운 또 하나의 자기를 만듦으로써 역설적으로 자신으로부터의 완전한 탈주를 꾀하게 된다.

아바타(Avatar)란 분신, 화신을 뜻하는 말로 사이버 공간에서 사용자를 대신하는 애니메이션 캐릭터다. 아바타는 '내려오다', '통과하다' 라는 의미의 산스크리트어 'ava' 와 아래, 땅이란 뜻의 'Terr' 의 합성어라고 한다. 고대 인도에서는 땅으로 내려온 '신의 화신' 을 지칭하는 말이었으나, 인터넷시대가 열리면서 3차원이나 가상현실게임 또는 채팅 등에서 자기 자신을 대신 나타내는 그래픽 아이콘을 가리킨다. 이 아바타라는 용어가 대중화된 것은 닐 스티븐슨이 『스노우 크래쉬 Snow Crash』라는 SF소설에서 사용하면서부터다. 이 소설에는 메타버스(metaverse)라는 가상의 나라가 있고 여기로 들어가려면 모든 사람들은 아바타라는 가상의 신체를 빌려 활동을 하게 되어 있다. 이로써 아바타의 개념정의가 '가상의 신체' 로 규정된다. 보다 정밀하게 말하자면 '가상의 신체와 그를 묘사하는 정체성의 복합체' 가 아바타라고 할 수 있다. 이러한 개념정의에 따라 이 글에서는 아바타가 상징적으로 보여주는 사이보그로서의 신체와 정체성, 특히 성정체성의 의미론적 연관관계, 주체와 젠더가 갖는 상호연관성을 여성주의적 시각으로 살펴보고 이를 문화적 코드로서 차용하여 한국에서의 아바타 열풍과의 연관 하에 살펴보고자 한다.

아바타는 리니지 등의 온라인게임에서 먼저 등장했지만 최근에는 이를 상품화하는 사이트들이 늘어나면서 한국에서는 가히 아바타열풍이 몰아치고 있다고 해도 과언이 아니다. 그런데 한국에서 현재 유행하고 있는 아바타는 장식을 위한 캐릭터로서의 역할이 주종을 이루고 있다. 2001년 11월에 모 커뮤니티 사이트에 유료로 아바타를 꾸밀 수 있게 하는 사업이 시작되면서 몇 년 사이에 아바타 프로그램은 10대와 20대를 중심으로 하여 선풍적인 인기를 모으고 있다. 이메일, 채팅, 온라인게임에서 개인의 분신으로서 활동하는 아바타는 무엇보다도 성별을 택할 수 있고 옷, 헤어스타일, 표정, 얼굴모습, 몸매 등 외형적으로 나타나는 특징적인 모습을 꾸밀 수 있게 되어 있어서 자신의 또 다른 모습을 마음대로 구성할 수 있다. 아직까지 한국에서는 인터넷 서비스업체에서 이미 만들어 놓은 기본형을 제시하고 이를 꾸며나가는 방식으로 아바타만들기가 진행되고 있다.

1) 사이버스페이스에서의 사회관계와 성정체성: 현실의 반영인가, 허구인가

사이버스페이스는 즉각적이며 자유로운 공간이지만 완전히 현실세계를 떠난 가공의 공간이 아니라 지속적으로 현실세계의 규범과 문화를 반영한다. 즉 가상 공간은 사회적으로 구성되고 재구성된 공간으로서 존스의 언급과 관련하여 살펴보면 다음과 같이 이해될 수 있다. "컴퓨터로 매개되는 커뮤니케이션은 사회적 관계의 구조일 뿐 아니라 그러한 관계가 생겨나는 공간이면서 개인이 그 공간으로 들어가기 위해 이용하는 도구이기도 하다. 그것은 개인과 집단들에 의해 이끌어지고 유지되는 상징적인 과정들에 의해 상상적으로 구성되는 공간이면서 그 안에서 사회적 관계가 일어나는 맥락이다."[45] 사이버스페이스가 사회적 관계를 구성하고 재구성한다는 페른벡의 논의는 사이버스페이스와 실재 공간간의 구별이 모호해지는 차원으로 확대된다. 그에 의하면 사이버스페이스는 집단적인 문화적 기억을 위한 보관소인데 그 문화적 기억이란 그 안에서 우리가 누구인지를 상기시켜주는 (문화의) 거주자에 의해 창조되는 서사이며, 가상의 텍스트 속에서 살고 재생산되는 것으로서의 삶이다.[46] 또한 그는 사이버스페이스가 권력의 각축장이라는 점을 강조하는데 이로써 사이버스페이스가 사회적, 정치적, 경제적, 그리고 문화적 상호작용을 위해 재고된 대중 영역임을 확인시켜 주고 있다.

사회적 관계가 재현되거나 적어도 적극적으로 반영되는 상호작용의 장으로서의 사이버스페이스는 아바타의 생성과 젠더, 또는 성정체성의 상관관계를 밝히는데 있어 상징적인 의미를 갖는다. 또한 기존의 사회적 관계가 적극적으로 거부되는 현상도 사이버스페이스가 가지고 있는 중요한 매력으로부터 기인한다. 다시 말하자면 사이버스페이스는 실재 세계의 연장의 의미에서 무의식 중에 기존의 문화가 적극적으로 반영되는 공간이기도 하지만 한편으로는 기존의 문화에 대한 카운터파트로서 적극적인 부정의

---

45) Fernback, Jan (1998), "The Individual within the Collective: Virtual Ideology and the Realization of Collective Principles", in Jones, S. G.(ed.), *Virtual Culture-Identity & Communication in Cybersociety*, London: Sage Publications에서 재인용.
46) Fernback (1998), 앞글, 37쪽.

장이 되기도 하는 이중적 얼굴을 갖고 있다. 그러므로 사이버스페이스에서 나타나는 성폭력이 실제 사회의 왜곡된 성문화의 적극적인 확산이라고 한다면 아바타를 통한 젠더 스와핑은 자기존재에 대한 부정과 실제 사회의 성정체성으로부터의 일탈을 경험하게 한다.

현실세계의 사회적 관계가 반영되고 있다는 점은 아바타의 종류별 분류에서도 찾아볼 수 있다. 세이클럽의 성형외과 항목에서 분류해놓은 캐릭터의 이름을 보면, 이노센트걸, 글래머러스 걸, 퓨어 걸, 섹시 걸, 히피 걸, 인터내셔널('이국적'이라는 의미), 보이쉬 걸, 큐티, 로맨틱 걸 등으로 기존 사회에서의 여성에 대한 은유가 그대로 반영되어 있음을 알 수 있다. 남성 캐릭터로서는 댄디 맨, 카리스마 맨, 터프 가이 등 실제 사회에서 남성의 전형으로 일컫는 특성이 고스란히 반영된 캐릭터명이 대부분이다. 캐릭터들의 외모를 관찰해보면 인종적으로 고정된 이미지는 없다. 눈은 대부분 푸른 색이나 갈색이고, 머리카락 색깔은 얼마든지 선택할 수 있다. 심지어 성형수술하기 코너로 들어가면 수많은 조합의 과정을 거쳐서 얼마든지 변신이 가능하다. 그러나 한국의 대표적인 두 개의 아바타 생성 사이트(freechal.com, sayclub.com)에서 기본적으로 제공되는 아바타는 실제 사회의 성별과 같은 성별의 캐릭터를 제공해주고 있으며 성별을 임의로 바꿀 수 있는 여지는 없다. 왜냐하면 등록할 때 이미 주민등록번호를 입력함으로써 성별이 밝혀지기 때문이다. 성형하기 코너에서도 성전환수술의 아이템은 없다. 따라서 이미 사이트에 회원등록이 된 상태에서 아바타를 통하여 젠더 스와핑을 하는 것은 적어도 지금까지 국내에서 제공되는 사이트에서는 불가능한 일이다. 물론 회원등록을 할 때 남성으로 등록할 수는 있을 것이다. 남동생의 신분으로, 또는 남편의 신원을 이용하여 남성으로 등록하면 남성이미지의 기본 캐릭터가 화면에 뜬다. 그러나 이런 과정을 거쳐서 등록된 아바타는 이미 '나의 분신'으로서의 아바타라는 의미는 희석된 상태다.

한국의 아바타 사이트가 주로 패션과 외모가꾸기에 치중해 있다는 점이 10대를 중심으로 한 여성사용자를 유인하는 점이기도 하면서 동시에 현실의 소비자본주의 폐해와 외모를 중시하는 사회적 분위기를 그대로 반영하여 가상현실의 해방구로서의 역할을 방해하는 걸림돌이 되고 있다.

2) 사이보그로서의 아바타

아바타는 사이버스페이스에 존재하는 자기이기 때문에 이는 사이보그로서의 정체성을 갖는다. 아바타는 사이보그의 초보적 단계의 형상이지만 아바타를 만들려고 마음먹는 순간부터 지금의 자기와 전혀 다르거나 적어도 현재의 육체가 갖고 있는 한계를 뛰어넘으면서 가지는 새로운 정체성을 상상하게 된다. 육체를 떠나지 못하는 한 육체에 귀속된 여러 가지 사회적 정체성이 그 사람을 그대로 대변해주게 마련이다. 누구의 아내, 누구의 어머니, 누구의 누나, 누구의 직장동료, 누구의 헬스클럽 친구 등 사회적 역할에 수반되는 정체성이 그 사람의 육체 위에 덧씌워진다. 이런 점과 대조적으로 아바타의 정체성은 실제세계에서 육체에 덧씌워진 정체성으로부터 자유롭게 생성된다.

머드게임에서 아바타생성의 과정을 보면 가장 핵심적인 부분이 바로 이러한 정체성 부여의 단계라고 할 수 있다. 라이드가 제시한 바대로 따라가 보면 그 과정은 다음과 같다. 첫 단계로 플레이어는 이름을 만든다. 이는 가상우주로 들어서기 위한 창(window)의 역할을 할 데이터베이스 명부

(database entry)를 만드는 프로그램과의 접촉으로 시작된다. 플레이어들이 캐릭터에 자기의 실제 이름을 부여하는 경우는 매우 드물다. 플레이어의 이름 선택은 그 사람이 가상 공간에서 시작하는 삶의 출발점이다. 그 다음에는 새롭게 탄생하고 새롭게 명명된 데이터베이스 명부에 활동성을 모방하는 특성을 부여한다. 플레이어는 자신의 명부에 텍스트적인 묘사와 의상, 그리고 캐릭터가 가져야 할 육체적 형태를 정의내리고, 소유물을 주고 우리가 실제 삶에서 커다란 중요성을 부여하는 정체성의 모양새의 상징을 첨가하여 젠더화하고 생물학적 성별을 갖고 신원을 갖도록 하여 가상 신체를 생성한다. 여기에서 정체성은 이미 주어진 것이라기보다는 스스로 정의내리고 조합한 자기정체성을 의미한다. 다시 말하자면 '물질적 영역의 그 너머에 있는 자아에 대한 선언'[47]이다. 이러한 맥락에서 머드게임에서 형성되는 하위문화에 미치는 영향력은 대단하다. 이 하위문화는 신체와 자아 사이의 연결에 대한 도전을 시작하고 현실세계에서는 그리도 지배적인 젠더와 섹슈얼리티의 범주를 전복하도록 유도한다.

대표적인 머드게임의 하나인 '리니지'를 분석한 라도삼[48]의 논문에 나타난 캐릭터를 예로 들어 살펴보자. 리니지에서 기본적으로 주어지는 캐릭터는 왕자, 기사, 엘프, 마법사가 있다. 플레이어는 이 중 원하는 것을 아무거나 고를 수 있으며 마법사를 제외한 각각의 캐릭터가 성별로 나눠져 있다는 사실을 고려한다면 플레이어가 선택할 수 있는 캐릭터는 총 7가지가 된다. 이어 플레이어는 총 6개로 구성되어 있는 캐릭터의 능력적

47) Reid, Elizabeth (1994), "Identity and the Cyborg Body", in Ludlow, Peter(ed.,1996), *High Noon on the Electronic Frontier: Conceptual Issues in Cyberspace*, Cambridge: The MIT Press, 76쪽.
48) 라도삼 (2000), "가상 공간의 전경에 나타난 삶", 사이버문화연구소, 4장 참조.

인 특성을 선택하게 되는데, 주사위를 돌려 자신이 원하는 능력치를 가진 캐릭터를 최종적으로 선택하게 된다. 단 여느 게임과는 달리 리니지의 경우 한 플레이어가 선택할 수 있는 캐릭터는 3개라는 점에 주목할 필요가 있다. 캐릭터를 좀더 자세히 살펴보면 다음과 같은 특성을 보여준다. 왕자는 비록 힘은 약하지만 레벨 10이 넘을 경우 자신이 혈맹을 만들고 자신은 군주의 자리에 앉을 수 있다. 만약 자신이 만든 혈맹이 최강의 혈맹이 되어 반왕(가장 강한 혈맹의 군주)이 되었을 경우 다른 모든 플레이어들로부터 세금을 받아들일 수 있다. 기사는 이 게임의 모든 캐릭터 중 가장 강하며 레벨을 높여서 강한 혈맹의 일원이 될 수 있다. 가장 많은 플레이어가 선택하는 캐릭터이다. 엘프는 기사와 왕자의 중간정도 수준의 힘을 가지고 있으며 특징으로는 밤에도 지형을 확인할 수 있는 기능을 가지고 있다. 또한 기사보다 마법을 더 배울 수 있다. 마법사는 가장 최근에 만들어진 캐릭터로서 직접 공격력은 강하지 않지만 마법을 배워가면서 점점 강해질 수 있는 캐릭터의 특성을 가지고 있다. 각 캐릭터는 constitution과 strength라는 수치를 선택할 수 있다. 비록 게임 자체에 세팅되어 있기는 하지만 약 100개 정도의 세팅이 있기 때문에 각 캐릭터의 성격은 다르게 표현되어진다. constitution과 strength는 서로 반비례적으로 세팅되어 있다. constitution이 높을 경우 에너지는 빨리 회복되지만 힘이 약해 몹을 쉽게 이길 수 없으며 strength가 높을 경우 힘은 강하지만 에너지의 회복이 더디다. 캐릭터 선택에 있어서 현실세계에서의 성별, 나이, 외모, 신체적 조건, 이름 등은 자연스럽게 소멸되고 자신이 원하는 성별, 호칭, 특성을 선택함으로써 서로 간의 구분은 레벨과 힘을 통해서만 나타나게 된다. 즉 머드게임이 제공하고 있는 공간 안에서 존재하는 규칙만이 사람들 간의 지위를 결정하는 요인이 된다.

이상의 재구성된 인용에 의하면 리니지같은 머드게임에서 캐릭터를 만들어내는 것은 가상사회에서의 특정한 규범에 따라, 그리고 캐릭터가 갖고 있는 능력을 조합하면서 새로운 역할 모델을 만들어내고 새로운 정체성을 만들어냄으로써 가상신체의 주체형성에 대한 논의를 가능하게 만든다.

아바타는 또한 자신이 선택하고 변형시킬 수 있는 게임의 캐릭터를 포함하기도 하는데 패크맥이나 디아블로같은 게임에서 아바타는 그래픽 가상 사회 이전에 이미 게임에서 플레이어의 캐릭터로 사용되어 왔다. 이 경우에는 완전히 새로운 나를 만들기보다는 성격이 규정되어 있고 모양이 정해져있는 캐릭터에 가상 공간에서의 육체적 능력의 연장, 확장이 이루어진다. 예를 들어 전투능력의 확장을 위한 도구의 첨가로 가상신체에 이미 부여된 능력에 부가적인 능력을 덧붙인다. 캐릭터를 조정하며 게임을 진행하는 플레이어의 입장에서 게임의 캐릭터는 플레이어 자신이라기 보다는 플레이어가 조종하는 로봇이나 도구라고 보는 것이 더 타당할 것이다. 이렇게 아바타와 게임의 캐릭터 간에는 플레이어가 아바타를 자기 자신이라고 보는가, 아니면 단순히 게임의 도구로 간주하여 그 목적에 맞게 사용하는가 하는 차이가 있다.

2. 가상 육체에 교차하는 성정체성

아바타는 육체의 이미지를 갖고 있다. 그러나 이때의 육체는 현실세계의 육체가 아닌 가상 육체다. 바로 이러한 현실의 온갖 경험이 각인된 물질적 몸을 떠날 수 있다는 점이 아바타 열풍의 근원을 이룬다. 사이버페미니즘에서는 '유기체적인 것과 기계적인 것의 융합, 분리된 유기체적 체계들 간의 결합의 엔지니어링'으로서의 사이보그가 가져올 수 있는 해방적 이미저리를 추구한다. 예를 들어 해러웨이는 유토피아적 상상력을 위한 매체로서의 사이보그를 지향한다. 해러웨이는 그녀의 유명한 "사이보그 선언문"에서 "사이보그는 인공두뇌 유기체이며, 기계와 유기체의 잡종 교배이며, 사회적 실재임과 동시에 허구의 산물"이라고 정의하고 있다. 또한 사회적 실재는 경험된 사회적 관계이며, 우리들에게는 가장 중요한 정치적 구조물이자, 세계를 변화시키려는 허구라고 지적하면서 바로 이러한 실재와 허구의 조합으로서의 사이보그는 여성의 산 경험으로서의 상징을 보여주고 있기 때문에 상상적 허구가 사이보그 정치학이 되는 매커니즘을 이해할 수 있게 한다. 라이드의 다음과 같은 언급은 이러한 매커니즘을 단적으로 표현하고 있다. "고정된 젠더나 외모를 떠나 시간의 제약을 넘어 만드는 이의 기분에 따라 진화되고, 돌연변이된다. 이 모든 현상은 젠더, 섹슈얼리티, 정체성 그리고 물질적 육체성을 확실성의 세계 너머로 위치 지운다"[49]

---

49) Reid (1994), 앞책, 75쪽.

1) 복수의 정체성과 가면으로서의 젠더

아바타 열풍의 진원지가 자기변신의 욕망 충족에 있다면 이는 서두에서도 언급했듯이 인간에게 내재해 있는 복수의 자기에 대한 끊임없는 갈증을 커다란 수고없이 해소시킬 수 있는 가능성이 제시되기 때문일 것이다. 자기변신은 화장하기부터 시작하여 헤어스타일바꾸기, 의상 골라입기 등에서 부분적으로 이루어지고 좀 더 지속적으로 변화의 상태를 유지하려면 성형수술이 유일한 경우일 것이다. 하지만 물질적 육체의 변형에는 뚜렷한 한계가 있을 뿐 아니라 이를 통해 새로운 정체성을 가질 가능성은 희박하다. 성정체성의 변환에는 성전환수술이 아마도 가장 확실한 방법이 될 테지만 이러한 극단적인 방법 외에 변장 등도 정체성 변화에 그리 확실한 방법은 아닐터이다. 이와 대조적으로 아바타는 자기의 분신이면서 자신이 원하는 방향으로 얼마든지 변신이 가능하고 또한 조합의 폭도 얼마든지 확대된다. 또한 자기의 아바타에 대한 서술도 상상력을 동원하면 얼마든지 가능하다. 심지어 성정체성을 규정하지 않는 경우도 있다. 또한 여러개의 아바타를 만들어 콜랙션을 가지기도 한다. 다음의 경우는 라이더 대학교의 존 슐러박사가 아바타심리학 연구를 위하여 하나의 예로써 본인의 아바타콜랙션을 소개한 글이다. 그는 적어도 다섯 개 이상의 아바타를 가지고 있는데 Gray owl, The Earth, James Taylor, Freud, Dressed to the Nines, Hercules taming Cerberus, 그리고 다른 아바타들이다.[50]

미국의 경우 많은 사이트에서 소개되는 아바타들은 사람의 형상 뿐 아

---

50) www.rider.deu/~suler/psycyber/psyav.html#collections참조.

니라 상징적인 동물이나 신화에 나오는 형상을 따서 합성한 것이거나 새로 만들어지기도 하는데 이는 이용자의 그때 그때의 기분을 표현해주는 그래픽일 때도 있고 올빼미 등의 상징적인 동물이 될 때도 있지만 무엇이 되었든 간에 아바타에 사용자의 심리적 상태와 욕망이 투영된다는 점에 주목할 필요가 있다.

위의 사진에서 보듯이 슐러박사의 아바타는 젠더가 규정되지 않는 동물이나 지구를 제외하고 인간의 형상을 한 것으로는 모두 남성이다. 슐러박사의 콜렉션에 이어 아바타심리학 분석에 자원하여 자신의 콜랙션을 보내온 네이시의 아바타는 예외없이 여성의 성정체성을 가지고 있는 이미지들이다. 이들은 모두 자신의 아바타에 설명을 가함으로써 각각의 아바타에 부여하는 정체성과 욕망의 종류를 표현하고 있다. 또한 채팅하는 상황에 따라서 각기 다른 아바타를 사용한다. 복수의 아바타를 만들어 사용한다는 점에서 이미 실제의 나 이외의 무수히 많은 나를 만들 수 있는 가능성을 보여주지만 그렇게 해서 만들어지는 아바타가 성정체성에 있어서 완전히 자유로운가 하는데 대한 의문은 위의 예시에서 보여주듯이 여전히 남는다.

2) 성정체성, 젠더트러블, 젠더스와핑

머드에서의 젠더 스와핑은 게임에서 일어나는 행동 중 작은 부분이 아니다. 머드게임에서 상당 수의 플레이어가 가상세계에서 성별의 옷을 바꿔입는다. 때로는 게임의 비율을 맞추기 위해서 플레이어들이 성별을 스스로 조절하기도 하는 것이다.

가상 공간에서의 젠더스와핑의 효과는 뜻밖에도 현실상의 문제를 사이버페미니즘에 입각하여 풀어나갈 실마리를 제공하는 효과를 가져온다. 실제세계에서의 남성이 가상현실에서 여성으로 성별을 바꾸었을 때 여성이 경험하는 여러가지 불리한 상황을 경험하게 된다는 점이 여러 논문에서 논거로 제시되고 있다. 인터넷에서의 정체성에 관해 연구함으로써 이 방면의 연구에 주요 토대를 이루고 있는 터클에 의하면 머드게임은 젠더이슈에 대한 의식고양의 형태로서의 역할을 할 수 있는 행동을 토대로 한 철학적 현실에 대해 기반을 제공하고 있다. 많은 머드에서 기술적인 도움을 제공하는 것은 남성 캐릭터들이 여성의 관심을 끄는 일반적인 방법이 된다. 실제 사회에서의 성역할은 깊이 각인되어 있어서 마치 자연스러운 것처럼 여겨지면서 행해지지만 온라인에서는 눈에 보이는 텍스트적인 행동으로 표현되기 때문에 성역할에 대한 기대는 비교적 폭넓게 논의된다.

이의 사례는 다음과 같다. 실재 세계에서 조그만 회사의 재정관리자인 여성이 머드에서 남성 역할을 하면서 경험한 바는 역할극을 연상시키면서 젠더와 연관하여 여러가지를 생각하게 한다. "나는 2년간 머드에서 남성으로 게임을 했다. 먼저 나는 권위의 맥락에서 평등한 게임영역의 느낌을 원했고 그 유일한 방법이 남성의 역할을 하는 것이었기 때문에 그렇게 했다. 그런데 얼마 지나지 않아 나는 머드게임에 마음을 빼앗겼다. 나는 작고 간단한 머드의 마법사가 되었다. 나는 스스로를 Ulysses라고 불렀다. 그리고 시스템에 관여하고 깨닫기를 남성으로서 나는 단호할 수 있었고 사람들도 나를 위대한 마법사로 생각했다. 여성으로서 입술라인을 그리고 똑바로 서있는 것 등이 나를 여자(bitch) 그 자체로 느끼게 했었는데, 남성으로서 나는 이 모든 것으로부터 자유로워졌다. 나는 나의 실수로부터 배웠다. 나는 확고하지만 완고하지 않게 되는 것에 익숙해졌다. 나는 비평으로부터의 안전을 실습했다." 아바타를 통하여 경험하는 젠더스와핑은 현실세계에서는 경험하지 못했던 남성다움의 실현을 맛보게 함으로써 사이버 공간에서 뿐 아니라 현실세계의 성정체성과 상호연관되는 괄목할만한 효과를 발휘하고 있다고 하겠다.

3. 육체적 물질성의 극복과 주체형성의 가능성

포스트모던 페미니즘의 맥락에서 이리가라이가 육체의 물질성을 주체형성의 주요 기반으로 삼는데 반해 해러웨이로 대표되는 사이버페미니즘에서는 육체의 물질성을 뛰어넘어 사이보그를 통해 탈성화된 주체를 상정한다. 이렇게 이항대립적으로 서술하고 보면 양측의 관점이 육체의 물질성을 기점으로 하여 첨예하게 대립되는 것으로 보일 수도 있으나 실제로는 포스트모던 페미니즘과 사이버페미니즘이 주목하고 있는 것은 공통적으로 육체이며 성차다.

한편 해러웨이의 사이보그 선언에서 제시되듯이 여성의 해방적 공간의 기획을 가능케하는 근거가 육체성이나 체현에 깔려있는 전제의 본질을 제거하는 것이라고 한다면 이를 위한 인공지능 테크놀로지는 전통적인 이분법과 위계질서를 의문시하려는 해방적 기획에 공헌하는 역할을 한다. 해러웨이의 사이보그 기획에 대해 헤일즈는 "사이보그가 여성과 자연을 묶어놓는 고디우스왕의 매듭(the gordian knot)을 끊고 그런 연결을 강요하는 짐으로부터 우리를 해방시키는 메타포를 페미니스트들에게 제공하는 것으로 간주한다"고 평가한다.[51] 실제세계의 육체에 각인된 일상의 경험들을 헤일즈의 표현대로 고디우스왕의 매듭이라고 한다면 물질적 육체를 떠나는 것만이 바로 여성의 육체를 조이는 이 매듭을 풀어내는 방법이 될 것이다. 이러한 맥락에서 아바타가 하나의 해답이 될 수 있을지도 모른다. 왜냐하면 아바타는 탈육화된 정체성의 무형적 집합이기 때문이다. 또한 그렇기 때문에 현실세계의 인간이 여러 종류의 욕망의 정수(essence)를 모아 만들어내는 결과물이기도 한 아바타는 단순한 그래픽 이미지 이상의 존재로서 이미 주체형성의 과정을 밟고 있다고 할 수 있다.

브라이도티는 들뢰즈의 욕망이론을 적극 수용하여 여성 주체성의 대안적 정의를 정교화하는 페미니즘의 기획에서 욕망이 긴급한 문제라는 점을 강조하고 있다. 그녀의 논의를 빌자면 오늘날의 페미니즘 이론은 개별적으로 젠더화된 정체성의 문제를 정치적 주체성과 관련된 쟁점들과 연결시켜 이들을 지식 및 인식론적 합법화의 문제와 연결시키는 것을 목표로 한다.[52] 우리 사회의 페미니즘을 여성들의 존재론적 욕망이 표현된 것으로 읽는 것이 가능하다면 이 때의 욕망은 존재하려는 욕망, 또는 존재를 향한 주체의 경향이다. 포스트모던 페미니즘에서는 근대적 이성중심의 확고부동한 초월적 주체를 부정하면서 또한 근대 주체가 부정했던 육체를 적극적으로 다시 사고해 왔다. 이리가라이로 대표되는 육체유물론적 페미니스트들의 여성 주체 논의의 초점은 탈육화된 실체가 아니라 육체적이고 따라서 성별화된 존재로서의 여성을 인식하는 것이다. 브라이도티는 이의

---

51) Hayles (1997), 앞글, 44쪽.
52) 브라이도티 (1998), 앞글, 150쪽.

과도기적 과정으로서 유목적 주체를 제안하는데 이는 이리가라이가 어머니로서의 물질적 육체를 하나의 확고한 성별로 전면에 내세우는 것으로부터 다중화된 욕망의 유목적 지향으로 한발 나아가는 것을 의미한다. 브라이도티는 사이버페미니즘의 토대가 바로 이 다양성을 섬유질로 하여 끊임없이 영토를 벗어나는 유목적 주체에 있다는 것을 논의의 출발점으로 삼고 있는데 이는 아바타의 정체성 분석에 있어 적어도 현상적으로 이론적 접목의 가능성을 열어준다.

이상의 논의를 종합해 볼 때 한국의 아바타를 분석하는데 있어서 아직은 적용되기 어려운 이론적 전망들에도 불구하고 아바타가 성정체성을 포함한 정체성의 해체와 재조합, 문자와 그래픽의 혼합된 이미지로서의 또 다른 주체형성의 과정에서 끊임없이 탈주를 시도하는 욕망의 결집으로 형상화된 가상신체 또는 이 신체마저도 떠나는 가상 공간의 상징으로 부유(浮遊)하고 있음을 확인케 한다.

| 참고문헌 |

* * *

강내희 (1998), "노동거부의 사상-진보를 위한 하나의 전망", 『문화과학』 1998년 겨울호, 서울: 문화과학사.

고갑희 (1999), "여성주의적 주체생산을 위한 이론1", 여성문화이론연구소 (편), 『여/성이론』 통권 제1호, 서울: 도서출판 여이연.

구자순, "사이버스페이스에서 성 정체성과 의사소통형태",
http://www.cyberculture.re.kr

권택영 엮음 (1994), 『자끄 라깡 욕망이론』, 서울: 문예출판사.

기든스, 앤소니 (1997), 『현대성과 자아정체성』, 권기돈 (역), 서울: 새물결.

길리건, 캐롤 (1994), 허란주 (역), 『심리이론과 여성의 발달』, 서울: 철학과 현실사.

김선아 (1999), "여성주의자, 그 불순한 이름에 대하여", 여성문화이론연구소 (편), 『여/성이론』 통권 제1호, 서울: 도서출판 여이연.

김영석 (2000), 『디지털미디어와 사회』, 서울: 나남출판.

김은실 (1998), "대중문화와 성적 주체로서의 여성의 재현", 『한국여성학』 제14권 1호, 한국여성학회.

김진균 · 정근식 편저 (1997), 『근대주체와 식민지 규율권력』, 서울: 문화과학사.

김진송 (1999), 『현대성의 형성: 서울에 딴스홀을 許하라』, 서울: 현실문화연구.

김필호 (1997), "욕망의 사회이론", 『탈주의 공간을 위하여』, 서울사회과학연구소 편, 서울: 도서출판 푸른 숲.

김혜인 (1998), "사이버스페이스에서의 자아와 정체성", http://www.cyberculture.re.kr

네그로폰테, 니클라스 (1995), 백욱인 옮김, 『디지털이다』, 서울: 커뮤니케이션북스.

들뢰즈, 질 & 가타리, 펠릭스 (1994), 최명관 역, 『앙띠오이디푸스』, 서울: 민음사.

맥닐, 모린 (1997), "푸코와 함께 춤을―페미니즘과 권력―지식", 케롤라인 라마자노글루(외 편), 최영 외 역, 『푸코와 페미니즘』, 서울: 동문선.

바바, 호미 (2002), 나병철 역, 『문화의 위치』, 서울: 소명출판.

발사모, 앤 (1997), "사이버공간의 가상육체", 홍성태 엮음, 『사이보그, 사이버컬쳐』, 서울: 문화과학사.

백욱인 (1998), 『디지털이 세상을 바꾼다』, 서울: 문학과 지성사.

벡, 울리히 (2000), 『지구화의 길』, 조만영 옮김, 서울: 거름.

보르도, 수잔 (1992), "페미니즘, 포스트모더니즘, 그리고 성별―회의주의", 이소영 · 정정호 공편역, 『페미니즘과 포스트모더니즘』, 서울: 한신문화사.

비트머, 페터 (1990), 홍준기 · 이승미 (옮김), 『욕망의 전복』, 서울: 한울 아카데미.

서이종 (1998), 『지식 · 정보사회학』, 서울: 서울대학교 출판부.

소퍼, 케이트 (1997), "생산적 의미의 모순", 케롤라인 라마자노글루(외 편), 최영 외 역, 『푸코와 페미니즘』, 서울: 동문선.

스피박, 가야트리 (2003), 태혜숙 역, 『다른 세상에서』, 서울: 도서출판 여이연.

스프링거, 클라우디아 (1998), 정준영 옮김, 『사이버 에로스: 탈산업시대의 육체와 욕망』, 서울: 한나래.

애거, 벤 (1996), 김해식 옮김, 『비판이론으로서의 문화연구』, 서울: 옥토.

우지숙 (1999), "포르노그라피 규제에 대한 담론을 통해 본 사이버스페이스와 여성 문제", 한국언론학보 제44-1호, 한국언론학회.

웹스터, 프랑크 (1997), 조동기 (역), 『정보사회이론』, 서울: 나남출판.

위던, 크리스 (1993), 조주현(역), 『여성해방의 실천과 후기구조주의 이론』, 서울: 이대출판부.

윤효녕 외 (1999), 『주체개념의 비판』, 서울: 서울대학교 출판부.

임영일 (1991), "한국 사회의 지배이데올로기," 『한국사회와 지배이데올로기-지식 사회학적 이해 - 』, 한국산업사회연구회 (편).

장필화 (1999), 『여성/몸/성』, 서울: 또하나의 문화.

전경갑 (1999), 『욕망의 통제와 탈주-스피노자에서 들뢰즈까지』, 서울: 한길사.

정진성 & 이창순 (공편역, 1997), 『페미니즘과 포스트모더니즘의 만남』, 서울: 한울.

조혜정 (1998), 『성찰적 근대성과 페미니즘』, 서울: 또하나의 문화

짐멜, 게오르그 (1993), 김희 (역), 『여성문화와 남성문화』, 서울: 이화여대 출판부.

쿤, 아네트 (1988), 강선미 (역), 『여성과 생산양식』, 서울: 도서출판 한겨레.

태혜숙 (1999), "성적 주체와 제3세계 여성문제", 여성문화이론연구소(편), 『여/성이론』 통권 제1호, 서울: 도서출판 여이연.
_____(2001), 『탈식민주의 페미니즘』, 서울: 도서출판 여이연.

펠스키, 리타 (1998), 김영찬 · 심진경(역), 『근대성과 페미니즘: 페미니즘으로 다시 읽는 근대』, 서울: 거름.

프레이저, 낸시 & 니콜슨, 린다(1992), 이소영 · 정정호(공편역), "철학없는 사회비평-페미니즘과 포스트모더니즘과의 만남", 『페미니즘과 포스트모더니즘』, 서울: 한신문화사.

해러웨이, 다나 (1997), "사이보그를 위한 선언문", 홍성태 엮음, 『사이보그, 사이버컬쳐』, 서울: 문화과학사.

허재영 (1997), "정신분석과 정치는 어떻게 만나는가?", 서울사회과학연구소 편, 『탈주의 공간을 위하여』, 서울: 민음사.

홀, 스튜어트 (1996), 전효관 · 김수진 · 박병영(옮김), 『현대성과 현대문화』, 서울: 현실문화연구.

* * *

Arendt, Hannah (1967), *Vita activa. oder Vom Tätigen Leben*, München: Piper, R. & Co. Verlag.

Aulenbacher, B. & Goldmann, M. (Hrsg.), *Transformationen im Geschlechterverhältnis*, Frankfurt a. M.: Campus.

Balsamo, Anne (1995), *Technologies of the Gendered Body: Reading Cyborg Women*, Durham: Duke University Press.

Barrètt, Michele (1983), *Das unterstellte Geschlecht*, Berlin: Argument Verlag.

Beck, Ulrich (1986), *Risikogesellschaft: Auf dem Weg in eine andere Moderne*, Frankfurt a. M.: Suhrkamp.

Beck, Ulrich (1997) *Was ist Globalisierung?*, Frankfurt a. M.: Suhrkamp.

Beer, U./ Chlaupsky, J. (1993), "Vom Realsozialismus zum Privatkapitalismus. Formierungstendenzen im Geschlechterverhältnis," in Aulenbacher, B/ Goldmann, M. (Hrsg.), *Transformationen im Geschlechterverhältnis*, Frankfurt a. M.: Campus.

Bell, Daniel (1980), *The New Class; A Muddled Concept*, 〈*The Winding Passage; Essays and Sociological Journeys 1960-1980*〉, Cambridge.

Bell, Daniel (1984), *The Social Framework of the Information Society*, Cambridge: Polity Press.

Bolz, Norbert (1993), *Am Ende der Gutenberg-Galaxis : Die Neuen Kommunikationsverhältnisse*, München: Wilhelm Fink Verlag.

Borsook, Paulina (2001), *Schöne neue Cyberwelt-Mythen, Helden und Irrwege des Hightechs*, München: Deutscher Taschenbuch Verlag.

Braidotti, Rosi (1991), *Patterns of Dissonance, Cambridge*: Polity Press.
_____ (1994), *Nomadic Subject: Embodiment and Sexual Difference in Contemporary Feminist Theory*, New York Chichester: Columbia University Press.
_____ (1994), "Toward a New Nomadism: Feminist Deleuzian Tracks; or Methaphysics and Metabolism", in Constantin V. Boundas Dorothea Olkowski, (eds.), *Gilles Deleuze and the Theater of Philosophy*, London: Routledge.
_____ (1996), "Cyberfeminism with a Difference", *Technoscience* No. 29, Summer1996: http://www.ruu.nl/womens-studies/rosi/cyberfem/.htm.

Butler, Judith (1987), *Subjects of Desire*, New York: Columbia University Press.
_____ (1990), *Gender Trouble: Feminism and the Subversion of Identity*, Routledge. 독일어판(1991), *Das Unbehagen der Geschlechter*, Frankfurt a. M.: Suhrkamp.

Breidenbach, Joana & Zukrigl, Ina (2000), *Tanz der Kulturen-Kulturelle Identität in einer globalisierten Welt*, Reinbek bei Hamburg: rororo.

Chodorow, Nancy (1978), *The Reproduction of Mothering*, Berkeley: University of California Press.

Cixous, H. & Clément, C. (ed., 1986), *The Newly Born Woman*, Minneapolis: Minnesota University Press.

de Lauretis, Teresa (1984), *Alice Doesn't: Feminism, Semiotics, Cinema*, London: MacMillan.

_____(1987), *Technology of Gender: Essays on Theory, Film and Fiction*, London: MacMillan Press.

_____(1990), "Upping the Anti(sic) in Feminist Theory," in Hirsch, M. & Keller, E. F. (eds.), *Conflicts in Feminism*, New York: Routledge.

Degele, Nina (2000), *Informiertes Wissen : Eine Wissenssoziologie der computerisierten Gesellschaft*, Frankfurt a. M. : Campus.

Dietrich, Dawn (1998), "(Re)-fashioning the Techno-Erotic Woman: Gender and Textuality in the Cybercultural Matrix", in *Virtual Culture-Identity & Communication in Cybersociety*, Jones, S. G.(ed., 1998), Sage Publications.

Dorothea Olkowski (eds.), *Gilles Deleuze and the Theater of Philosophy*, New York: Routledge.

Eberhard, Wolfram (1983), "Die institutionelle Analyse des vormodernen China. Eine Einschätzung von Max Webers Ansatz," in Schluchter, Wolfgang (Hrsg.), *Max Webers Studie über Konfuzianismus und Taoismus: Interpretation und Kritik*, Frankfurt a. M.: Suhrkamp.

Eisenstein, Zillah (1979), *Capitalist Patriarchy and the Case for Socialist Feminism*, New York: Monthly Review Press.

Engler, Wolfgang (1992), *Selbst Bilder: Das reflexive Projekt der Wissenssoziologie*, Berlin: Akademie Verlag.

Ess, Charles (1996, ed.), *Philosophical Perspectives on Computer—Mediated Communication*, Albany: State University of New York Press.

Fernback, Jan (1998), "The Individual within the Collective: Virtual Ideology and the Realization of Collective Principles", in *Virtual Culture—Identity & Communication in Cybersociety*, Jones, S. G.(ed., 1998), London: Thousand Oaks: Sage Publications.

Flusser, Vilém (1999), *Medienkultur*, Frankfurt a. M.: Fischer.

Gallop, Jane (1982), *The Daughter's Seduction. Feminism and Psychoanalysis*, Ithaca, N.Y.: Cornell University Press.

Gallop, Jane (1988), *Thinking through the Body*, New York: Columbia University Press.

Gerhard, Ute (1990), "Bewegung im Verhältnis der Geschlechter und Klassen und der Patriarchalismus der Moderne," in Wolfgang, Zapf (Hrsg.), *Die Modernisierung moderner Gesellschaften—Verhandlungen des 25. Deutschen Soziologentages in Frankfurt am Main*.

Giddens, Anthony (2001), *Entfesselte Welt : Wie die Globalisierung unser Leben verändert*. Frankfurt a. M.: Suhrkamp.

Gilligan, Carol (1982), *In a different Voice: Psychological Theory and Women's Development*, Cambridge, Mass.: Harvard University Press.

Gorz, Andre (1989), *Critique of Economic Reason*, London, New York: Verso.

Grosz, Elizabeth (1994), *Volatile Bodies: Toward a Corporeal Feminism*, Bloomington & Indianapolis: Indiana University Press.

Habermas Jürgen (1988), "Die Moderne—ein unvollendetes Projekt", Welsch, Wolfgang (Hrsg.), *Wege aus der Moderne*. Frankfurt a. M.: Campus.
_____(1981), *Theorie des kommunikativen Handelns, Bd.1,2*, Frankfurt a. M.: Suhrkamp.

Hartmann, Frank (2000), *Medienphilosophie*, Tübingen: WUV Universitäsverlag.

Hartmann, Heidi (1981), "The unhappy Marriage of Marxism and Feminism: Towards a More Progressive Union", in Lydia, Sargent (ed.), *Women and Revolution*, Boston: cPluto Press.

Hauser, Karin (1986), Patriarchat: vom Nutzen und Nachteil eines Konzepts für Frauengeschichte und Frauenpolitik, in *Journal für Geschichte*.

Hauser, Kornelia (1987), *Strukturwandel des Privaten? Das ⟨Geheimnis des Weibes⟩ als Vergesellschaftungsrätsel*, Berlin: Argument Verlag

Hauskeller, Christine (2000), *Das paradoxe Subjekt: Unterwerfung und Widerstand bei Judith Butler und Michel Foucault*, Reihe Perspektiven.

Hall, Stuart (1994), "Cultural Identity and Diaspora", in Willams, P. L. (ed.), *Colonial Discourse and Post−Colonial Theory*, New York: Columbia University Press.

Heller, Agnes (1978), *Das Alltagsleben: Versuch einer Erklärung der individuellen Reproduktion*, H. Joas (Hrsg.), Frankfurt a. M.: Suhrkamp,

Hwang, Byung-Duck (1989), *Nachholende Industrialisisrung und autoritärer Staat*, Dissertation (Univ. Berlin).

Jameson, Frederic (1991), *Postmodernism, or the Cultural Logic of Late Capitalism*, Durham and London: Duke University Press.

King, Anthony D. (1997, ed.), *Culture, Globalization and the World-System*, Minneapolis: University of Minnesota Press.

Irigaray, Luce (1977), 'Retour sur la théorie psychoanalytique", in *Ce sexe qui n' en est pas un*, Paris: Edition de Minuit.
_____(1980), *Speculum. Spiegel des anderen Geschlechts*, Frankfurt a. M.: Suhrkamp.
_____(1984), *An Ethics of Sexual Difference*, London: The Athlone Press.

Ivy, Pinchbeck (1930, 1980: 3rd), *Women Workers and The Industrial Revolution 1789 - 1859*, London: Cass.

Jaffe, M. et al., "Gender. pseudonyms, and CMC masking identities and baring souls," http://research.haifa.ac.il/~jmjaffe/genderpseudocmc/intro.html.

Jaggar, Alison M. & Bordo, Susan (1989), *Gender/Body/Knowledge-Feminist Reconstructions of Being and Knowing*, New Brunswick & London: Rutgers University Press.

Jameson, Frederic (1991), *Postmodernism, or the Cultural Logic of Late Capitalism*, Duke University Press.

Jones, S. G. (1995), "Understanding Community in the Information Age" in S. G. Jones(ed.), *Cybersociety: Computer-mediated communication and community,* Thousand Oaks, CA: Sage.

Klaus, Elizabeth, Röser, Jutta & Wischermann, Ulla (Hrsg., 2001), *Kommunikationswissenschaft und Gender Studies,* Wiesbaden: Westdeutscher Verlag.

Kreisky, E (1995), "Der Stoff, aus dem die Staaten sind. Zur männerbündischen Fundierung politischer Ordnung", in Becker-Schmitt, R./Knapp, G. (Hrsg., 1995), *Das Geschlechterverhältnis als Gegenstand der Sozialwissenschaften,* Frankfurt a. M.: Campus.

Lacan, Jacques, "Encore", Seminaire XX, Paris: Editions du Seuil.

Lee, Sooja (1996), *Geschlechtsspezifische Arbeitsteilung im konfuzianischen Patriarchalismus in Korea,* Europäische Hochschulschriften, Bd./Vol. 297, Frankfurt a. M.: Peter Lang Verlag.

Lerner, Gerda (1991), *Entstehung des Patriarchats,* Franfurt a. M.: Campus.

Lorraine, Tamsin (1999), *Irigaray and Deleuze: Experiments in visceral Philosophy,* Ithaca, N.Y.: Cornell University Press.

Mannheim, Karl (1964), *Wissenssoziologie. Auswahl aus dem Werk,* Wolff, K.H. (Hrsg., 1964), Neuwied/Berlin: Luchterhand.

Marshal, Barbara L. (1994), *Engendering Modernity,* Cambridge: Polity Press.

McLuhan, Marshall (1994), *Understanding Media,* Cambridge Mass.: MIT Press.

McRae, Shannon (1997), "Flesh Made Word—Sex, Text and the Virtual Body", in Porter, David (ed.), *Internet Culture*, London: Routledge.

Menzel/Senghaas (1985), Indikatoren zur Bestimmung von Schwellenländern; Ein Vorschlag zur Operierung, in Nuscheler (Hrsg., 1985), *Dritte Welt—Forschung. Entwicklungstheorie und Entwicklungspolitik.*

Metzger, Thomas (1983), "Max Webers Analyse der konfuzianischen Tradition: Eine Kritik", in *Max Webers Studie über Konfuzianismus und Taoismus: Interpretation und Kritik*, Wolfgang, Schluchter(Hrsg.), Frankfurt a. M.: Suhrkamp.

Mies, Maria (1982) *The Lacemakers of Narsapur: Indian Housewives Produce for the World Market.* London: Zed Books.
_____(1988), "Gesellschaftliche Ursprünge der geschlechtlichen Arbeitsteilung", in von Werlhof, C., Mies, M. & Bennholdt—Thomsen (Hrsg.), *Frauen, die letzte Kolonie*, Reinbek bei Hamburg: Rowohlt Verlag.
_____(1989), *Patriarchat und Kapital—Frauen in der internationalen Arbeitsteilung*, Zürich: rotpunktverlag.

Millett, Kate (1970), *Sexual Politics*, Garden City, N.Y.: Doubleday.

Mitchel, Juliet (1974), *Psychoanalysis and Feminism*, New York: Vintage Books.

Muller, Viana (1975), *The Formation of the State and the Oppression of Women: a Case Study in England and Wales*, New York: New School for Social Research.

Onimus, Jean (1997), *Quand le travail disparaît*, Paris: DDB

Ortner, Sherry (1973), *"Is Female to Male as Nature Is to Culture?"*, in Rosaldo, M.Z. & Lamphere, L.(ed.), *Woman, Culture, and Society*, Stanford: Stanford University Press.

Poster, Mark (1995), *The Second Media Age*, New York: Polity Press.

Puhl, Klaus (1999), *Subjekt und Körper*, Paderborn: mentis.

Reid, Elizabeth (1994), "Identity and the Cyborg Body", in Ludlow, Peter(ed., 1996), *High Noon on the Electronic Frontier: Conceptual Issues in Cyberspace,* Cambridge, Mass.: The MIT Press.

Rosi Braidotti (1991), *Patterns of Dissonance*, Cambridge: Polity Press.

Rubin, Gayle (1975), The Traffic in Women, in Reiter, Rayna (ed., 1979), *Toward an Anthropology of Women*, New York: Monthly Review Press.

Schütz A. u. Luckmann, T. (1984), *Strukturen der Lebenswelt*, Bd. II, Frankfurt a. M.: Suhrkamp,

Schütz, Alfred (1971), *Gesammelte Aufsätze*, Bd. I, The Hague: Martinus Nijhoff,

Scott, Joan W. (1993), "Evidence of Experience", Henry Abelove etc. (eds.), *The Lesbian and Gay Studies Reader,* New York: Routledge.

Shaw, David F. (1998), "Gay Men and Computer Communication: A Discourse of Sex and Identity in Cyberspace", in Jones, S. G. (ed., 1998), *Virtual Culture–Identity & Communication in Cybersociety*, London; Thousand Oaks: Sage Publications.

Sherry, Turkle (1997), *Life on the Screen–Identity in the Age of The Internet*, New York: Simon & Schuster.

Simonis, G. (1981), *Der Staat im Entwicklungsprozeß päripherer Gesellschaften – Die Schwellenländer im internationalen System*, Habilitationsschrift (Konstanz Universität),

Stone, Allucquere Rosanne (2001), *The War of Desire and Technology at the Close of the Mechanical Age*, Cambridge, Mass.: MIT Press.

v. Werlhof, C., Mies, M. & Bennhold-Thomsen, V. (Hrsg.: 1983), *Frauen, die letzte Kolonie*, Reinbek bei Hamburg: Rowohlt.

Virilio, Paul (1984), *L'horizon négatif*, Editions Galilee, 독일어번역본 Virilio, Paul/Weidmann, Brigitte(trans., 1989), *Der negative Horizont*, München; Wien: Carl Hanser Verlag,

Weber, Max (1920; 1981:6te Auflage), *Die protestantische Ethik I., Eine Aufsatzsammlung*, Winkelmann, Johannes (Hrsg.), München; Hamburg: Gütersloh.
_____(1920a), *Gesammelte Aufsätze zur Religionssoziologie*, Tübingen: J.C.B. Mohr (Paul Siebeck) Verlag.
_____(1921), *Wirtschaft und Gesellschaft*, Tübingen: J.C.B. Mohr (Paul Siebeck) Verlag
_____(1920: 1988), "Die protestantische Ethik und der Geist des Kapitalismus", *Gesammelte Aufsätze zur Religionssoziologie*, Tübingen: J.C.B. Mohr (Paul Siebeck) Verlag.

Wertheim, Magaret (1999), *The Pearly Gates of Cyberspace. A History of Space from Dante to the Internet*, New York: W.W. Norton & Company.

Whitford, Margaret (1991), *Luce Irigaray: Philosophy in the Feminine*, New York: Routledge.

Žižek, Slavoj (1998), *Das Unbehagen im Subjekt*, Wien: Passagen Verlag.

http://www.unninet.net

http://www.dalara.jinbo.net

http://www.salluju.pe.kr

http: www.rider.edu/~suler/psycyber/psyav.html#collection

후기 근대의 페미니즘 담론
— 노동, 몸 그리고 욕망의 변증법

초판 1쇄 인쇄 — 2004년 4월 26일
초판 1쇄 발행 — 2004년 4월 30일

지 은 이 — 이수자
펴 낸 이 — 고갑희
펴 낸 곳 — 도서출판 여이연
　　　　　서울 종로구 명륜4가 12-3 대일빌딩 5층.
　　　　　대표전화 (02)763-2825
　　　　　팩시밀리 (02)764-2825
　　　　　홈페이지 http://www.gofeminist.org
　　　　　전자우편 alterity@gofeminist.org

등록일자 — 1998년 4월 24일
등록번호 — 제22-1307호

ISBN 89-951903-7-X(세트) 93330
값 13,000원